D0270207

Cures
miracles

Données de catalogage avant publication (Canada)

Carper, Jean

Cures miracles: herbes, vitamines et autres remèdes naturels

Traduction de: Miracle cures.

1. Naturopathie. 2. Herbes – Emploi en thérapeutique. 3. Suppléments alimentaires. I. Titre.

RZ440.C3814 1998 615.5'35 C98-940097-2

L'ouvrage original américain a été publié par HarperCollins*Publishers,* Inc., sous le titre *Miracle Cures*

Dépôt légal: 2e trimestre 1998
Bibliothèque nationale du Québec

ISBN 2-7619-1417-1

DISTRIBUTEURS EXCLUSIFS:

- Pour le Canada et les États-Unis:
  MESSAGERIES ADP°
  955, rue Amherst,
  Montréal, Québec
  H2L 3K4
  Tél.: (514) 523-1182
  Télécopieur: (514) 939-0406
  ° Filiale de Sogides ltée

- Pour la France et les autres pays:
  INTER FORUM
  Immeuble Paryseine, 3, Allée de la Seine,
  94854 Ivry Cedex
  Tél.: 01 49 59 11 89/91
  Télécopieur: 01 49 59 11 96
  Commandes: Tél.: 02 38 32 71 00
  Télécopieur: 02 38 32 71 28

- Pour la Suisse:
  DIFFUSION: ACCES-DIRECT SA
  Case postale 69 - 1701 Fribourg - Suisse
  Tél.: (41-26) 460-80-60
  Télécopieur: (41-26) 460-80-68
  DISTRIBUTION: OLF SA
  Z.I. 3, Corminbœuf
  Case postale 1061
  CH-1701 FRIBOURG
  Commandes: Tél.: (41-26) 467-53-33
  Télécopieur: (41-26) 467-54-66

- Pour la Belgique et le Luxembourg:
  PRESSES DE BELGIQUE S.A.
  Boulevard de l'Europe 117
  B-1301 Wavre
  Tél.: (010) 42-03-20
  Télécopieur: (010) 41-20-24

Jean Carper

Cures miracles

Traduit de l'américain
par Jacques Vaillancourt

Le lecteur trouvera dans le présent ouvrage des renseignements sur les médicaments, remèdes, traitements et suppléments alimentaires naturels. Ces renseignements se fondent sur les expériences, recherches et observations personnelles de l'auteur, qui n'est ni médecin ni naturopathe. La lecture de cet ouvrage d'information ne peut en aucun cas remplacer les conseils d'un médecin ou autre professionnel de la santé, que le lecteur devra toujours consulter, surtout s'il présente des symptômes susceptibles de nécessiter des soins médicaux. Même si nous avons veillé à ce que le choix et la posologie des médicaments proposés soient conformes aux recommandations et pratiques en vigueur aujourd'hui, l'évolution constante des connaissances nous incite à conseiller au lecteur de vérifier auprès d'un professionnel de la santé si nos suggestions peuvent s'appliquer à son cas. Le lecteur atteint d'une maladie connue ou de graves troubles de santé de même que celui qui prend des médicaments prescrits doivent consulter un médecin avant de prendre les médicaments naturels proposés dans ce livre. Des interactions sont possibles entres ces derniers et les médicaments prescrits. On notera que les posologies proposées s'appliquent strictement aux adultes, sauf mention contraire.

L'auteur et l'éditeur, Les Éditions de l'Homme, déclinent toute responsabilité quant aux effets ou réactions indésirables qui pourraient résulter de l'utilisation ou de l'application de l'information contenue dans le présent ouvrage.

INTRODUCTION

À LA RECHERCHE DE LA VÉRITÉ SUR LES REMÈDES NATURELS

Je suis allé voir non seulement des médecins, mais des barbiers, des tenanciers de bains publics, des physiciens érudits, des femmes et des magiciens qui pratiquent l'art de la guérison; je suis allé voir des alchimistes et des moines, des nobles et des gens ordinaires, des experts et des amateurs.

PARACELSE (1493-1541)

Le présent livre est le résultat de l'enquête personnelle que j'ai menée sur la validité des médicaments, remèdes et traitements naturels, et sur leur intégration rapide dans la médecine conventionnelle. Au cours de mes recherches et de la rédaction de ce livre, j'ai été constamment surprise par la vitesse à laquelle se produit cette intégration, vitesse de beaucoup supérieure à ce que la plupart d'entre nous imaginent. Cette intégration finira par avoir — si ce n'est déjà fait — un effet bénéfique spectaculaire sur chacun de nous, ainsi que sur la qualité et le coût des soins de santé. Il s'agit de transformations et de réformes majeures dans la composante fondamentale de tous les systèmes de santé, des anciens jusqu'aux plus modernes: l'utilisation judicieuse de médicaments pour guérir la maladie.

Voici ce qui m'a le plus surprise:

- La détermination et la persévérance de ceux qui recherchent des remèdes efficaces et sans danger en dehors de la médecine conventionnelle, malgré la résistance de l'establishment médical.
- La bonne volonté, voire l'empressement, de scientifiques et médecins réputés qui œuvrent au sein même de la médecine scientifique moderne — aux National Institutes of Health, et dans des universités et centres de recherche prestigieux — à explorer le potentiel de remèdes non conventionnels.
- Les preuves scientifiques de plus en plus nombreuses qui viennent confirmer l'efficacité et l'innocuité des remèdes naturels.
- Les recherches menées en la matière à l'étranger, surtout en Allemagne, par des praticiens de la médecine conventionnelle, et l'administration à grande échelle de remèdes naturels par ces médecins.
- Le chaos indicible qui règne dans la réglementation gouvernementale régissant l'utilisation des médicaments naturels, et dont les répercussions se traduisent sur le marché en un cauchemar pour le consommateur.

Lorsque j'ai entrepris d'écrire ce livre, je savais, bien sûr, que les Nord-Américains ont commencé à chercher ailleurs que dans la médecine conventionnelle des solutions à leurs problèmes de santé. Mais j'étais loin de me douter que ce mouvement était si fort et qu'il se faisait sentir dans toutes les couches de la société. J'ai été profondément inspirée par les conversations que j'ai eues avec des personnes de toutes les conditions sociales qui ont mis au point leur propre programme de santé et qui consacrent une énergie folle à trouver des traitements non conventionnels depuis qu'elles ont senti que la médecine traditionnelle les servait mal en leur proposant des traitements inefficaces ou des traitements présentant des risques qu'elles n'étaient pas disposées à assumer.

Des douzaines d'interlocuteurs m'ont parlé franchement de leur embarras, leurs sentiments allant du découragement et du ressentiment à l'enthousiasme et à l'espoir. J'ai rassemblé les histoires de cas et les récits personnels de camionneurs, d'officiers de marine, de pilotes de lignes aériennes, de médecins, d'avocats, de secrétaires, de bibliothécaires, de journalistes, d'ouvriers, d'informaticiens, de biochimistes, de psychologues, d'enseignants, d'athlètes, de pharmacologues, de botanistes et de législateurs. Chacun m'a raconté ses souffrances et m'a entretenu du soulagement que lui a procuré la médecine dite douce ou parallèle, soulagement qu'il n'avait pas trouvé dans la médecine conventionnelle.

L'enthousiasme que ces personnes manifestent devant le succès des traitements choisis confirme la validité du titre du présent ouvrage. Presque tous mes interlocuteurs ont parlé de «remède miracle» en me racontant ce qu'ils ont vécu. J'ai constaté que même les médecins utilisent souvent le mot «miracle» lorsqu'ils décrivent ce qui est arrivé à ceux de leurs patients qui se sont soudainement rétablis grâce à un remède naturel. Le dictionnaire définit ainsi le mot miracle: «fait, résultat étonnant, extraordinaire» et «phénomène interprété comme résultant d'une intervention divine». Ainsi, lorsqu'un patient se rétablit grâce à une substance naturelle, le phénomène est si peu conforme aux attentes de la médecine conventionnelle que la première réaction s'exprime généralement par cette exclamation: «C'est un remède miracle!» Nous qualifions souvent ainsi les traitements conventionnels dont les résultats nous étonnent. Quant au mot «remède», il n'a pas le sens de solution médicale complète et permanente que la plupart des gens y voient. Un remède est simplement «tout ce qui peut servir à prévenir ou à combattre une maladie».

La rédaction du présent ouvrage a avivé la conscience que j'avais déjà des bienfaits que procurent les remèdes miracles. Même si mes propres remèdes miracles ne m'ont pas servi à lutter contre des maladies potentiellement mortelles, ils ont joué un rôle essentiel pour moi. Sur les conseils du docteur Michael Murray, naturopathe réputé dans tout le pays, j'ai commencé à prendre du sulfate de glucosamine pour traiter un début d'arthrose dans les doigts. Je suis convaincue que ce traitement m'a épargné beaucoup d'inconfort en ralentissant la progression de la maladie et en soulageant la douleur. Les élancements que je ressentais dans les jointures des pouces et des autres doigts ont disparu (ils sont réapparus lorsque j'ai cessé temporairement de prendre de la glucosamine), et j'ai beaucoup plus de force dans les mains qu'auparavant pour ouvrir des pots de confiture ou pour tenir une raquette de tennis. J'ai recommandé tous les remèdes proposés dans ce livre à des amis et à des parents. Mon frère et l'une de mes sœurs, qui ont tous deux subi une crise cardiaque, prennent quotidiennement 200 mg de coenzyme Q10. Une autre de mes sœurs a vu son taux de cholestérol réduit après avoir consommé la fibre de pamplemousse dont je parle dans cet ouvrage. J'ai souvent donné un comprimé de kava à des amis en proie à l'anxiété. Ma nièce recourt à la grande camomille pour prévenir la migraine. Mon beau-frère, lui, prend du millepertuis au lieu de Prozac. Et ma mère, qui a 92 ans, a commencé à prendre du ginkgo biloba lorsqu'elle a constaté, il y a deux ans, que la mémoire commençait à lui faire défaut; à mon avis, ce traitement lui a fait le plus grand bien.

L'imposant travail de recherche qu'a nécessité la rédaction de ce livre a été fort différent de celui des dix-neuf autres ouvrages que j'ai consacrés à la santé et à la nutrition. Pour ces derniers, je disposais d'une riche documentation médicale, que j'avais rassemblée et analysée, et dont j'avais vérifié la validité auprès de spécialistes autorisés, avant de la vulgariser et d'en tirer des conseils pour mes lecteurs. La collecte de renseignements sur les remèdes naturels, par contre, m'a fait penser à une expédition en terre inconnue. Même si le nombre d'études publiées dans les journaux médicaux traditionnels a considérablement augmenté, la plupart de celles qui portent sur les remèdes naturels figurent dans des publications spécialisées étrangères, dont certaines ne sont ni traduites ni mentionnées dans les bases de données médicales traditionnelles. Il n'existe pas non plus de spécialistes dans les centres universitaires qui puissent confirmer la valeur des faits qui émergent ni y jeter de la lumière. Les personnes les mieux informées sur l'utilisation clinique des remèdes naturels sont plutôt des praticiens et des patients disséminés un peu partout dans le pays. Et la plus grande partie de la recherche ayant cours aux États-Unis est assumée de façon indépendante par des médecins et savants qui s'intéressent au sujet, rarement sous les auspices centralisés habituels des National Institutes of Health. Privée d'une base de sources établies, j'ai dû m'alimenter à des sources souvent divergentes, selon les indications que m'ont fournies scientifiques, médecins et patients.

Mes classeurs sont remplis de renseignements qui ne figurent pas dans le présent ouvrage. Au début, avec l'aide de deux recherchistes des plus compétentes, je me suis lancée dans l'analyse de presque tous les remèdes naturels dont j'avais entendu parler ou au sujet desquels j'avais lu des articles. À l'occasion de grandes foires commerciales, comme l'imposante Expo Health Fair de Baltimore, nous avons ramassé des montagnes de documents portant sur des centaines de produits prétendus «remèdes naturels». Nous avons lu des douzaines de revues et recherché toutes les personnes crédibles dont on disait qu'elles avaient été guéries par des remèdes naturels. Nous avons fouillé le réseau Internet à la recherche de cas et d'informations. Nous avons épluché les bases de données mentionnant ces remèdes, dans la presse générale comme dans la presse scientifique. Nous avons interrogé des spécialistes scientifiques dont on disait qu'ils utilisaient et étudiaient certaines substances naturelles. Nous avons consulté les plus grands experts en herboristerie, ainsi que des douzaines de médecins naturopathes, de professeurs d'université et de représentants respectés de l'industrie américaine et européenne de remèdes naturels.

Ce travail de recherche a été exaltant, inspirant, informatif et éclairant, mais aussi décourageant, à plusieurs reprises. En tant que journaliste spécialisée en médecine traditionnelle, j'ai été souvent enthousiasmée, mais parfois consternée, par les vertus prêtées à certains remèdes. J'ai souvent été attristée et irritée de constater que l'establishment médical n'est pas disposé à entendre parler de plantes médicinales parfaitement sûres et éprouvées — comme la grande camomille pour prévenir la migraine —, et encore moins à les essayer. Dans certains cas, j'ai compris le scepticisme, voire le cynisme, que suscitent les remèdes naturels, surtout lorsque les prétentions sont exagérées, que les produits sont ridicules et que les prix sont exorbitants.

Après avoir recueilli l'avis de patients, de médecins et de scientifiques, j'ai dû prendre des décisions en fonction de l'évaluation que j'avais faite de quelques centaines de remèdes naturels: Lesquels inclure dans mon livre? Lesquels semblent les plus efficaces? Lesquels suscitent le plus d'appui scientifique? Lesquels sont utilisés et recommandés par les plus grandes autorités dans le domaine? Lesquels sont sans danger? Lesquels attirent le plus l'attention de la médecine traditionnelle comme étant les plus prometteurs pour l'avenir? Lesquels utiliserais-je et conseillerais-je à mes parents et amis, en raison des preuves d'efficacité apportées par la médecine traditionnelle ou malgré l'inexistence de telles preuves?

Cette dernière considération a été pour moi le critère essentiel: est-ce que moi, sachant ce que je sais, j'utiliserais moi-même, ou recommanderais aux êtres qui me sont chers, avec enthousiasme et confiance un remède naturel? C'est la réponse à cette question qui explique que certains remèdes figurent dans le présent ouvrage, alors que d'autres n'y figurent pas.

De la longue liste de remèdes naturels dont j'avais envisagé de parler, j'ai éliminé ceux auxquels je ne trouvais aucune vraie valeur; d'autres me semblaient trop risqués ou tout à fait dangereux. Je reconnais toutefois que certains remèdes n'apparaissent dans mon livre que parce que je respecte profondément les personnalités qui les utilisent: le Dr Jim Duke, botaniste, le Dr James Gordon, médecin qui fait œuvre de pionnier, et Tom Harkin, sénateur américain qui s'intéresse aux remèdes naturels et qui détient en partie le pouvoir d'en déterminer l'avenir dans notre pays. Ces hommes sont tous responsables et intelligents; de plus, on peut dire que ce sont des sages si l'on considère la manière sensée dont ils font confiance à leur propre expérience des remèdes naturels. Parfois, la validité d'un remède se confirme par l'efficacité de son utilisation et non pas par une étude scientifique contrôlée, comme le fait remarquer le Dr Gordon.

Bref, le présent ouvrage porte sur ce que disent et font au sujet des remèdes naturels beaucoup de scientifiques, de médecins et de patients, et sur ce que vous pouvez apprendre d'eux. Il ne fait aucun doute dans mon esprit que les nouvelles preuves dont nous disposons, toujours plus nombreuses et plus convaincantes, devraient inciter les Nord-Américains à adopter, raisonnablement, bon nombre des remèdes naturels dont il est ici question. J'avance que ne pas s'y intéresser sérieusement, c'est se condamner à rester dans l'ignorance, et voici pourquoi, selon ce que j'ai découvert au cours de la rédaction de cet ouvrage:

- Les herbes, vitamines et autres remèdes naturels sont efficaces, selon bon nombre de patients, de médecins et de chercheurs scientifiques.
- Ces remèdes sont sans danger s'ils sont choisis et utilisés de façon appropriée.
- Ces remèdes sont souvent aussi efficaces et aussi sûrs, parfois plus, que les médicaments et traitements proposés par la médecine traditionnelle.
- Les remèdes naturels coûtent généralement moins cher que les autres.
- Ces remèdes ont «miraculeusement guéri» de nombreuses personnes, ce qu'ils peuvent faire pour vous et pour les êtres qui vous sont chers.

J'espère que mon livre vous incitera à les essayer.

LA RÉVOLUTION A COMMENCÉ:

CE QUE VOUS DEVEZ SAVOIR POUR Y PARTICIPER

Les potions que vous voyez sur les étagères des magasins d'aliments naturels, des pharmacies, des supermarchés et des magasins de rabais, ou que vous voyez annoncées dans les publicités postales sont-elles vraiment efficaces? Existe-t-il des preuves scientifiques pour étayer leurs promesses apparemment extravagantes? Et, surtout, ces médicaments naturels vous aideront-ils, vous ou les vôtres, à vous guérir de certaines affections mineures mais incommodantes, comme le rhume et le manque d'énergie, ou de certaines maladies graves et invalidantes, comme les maladies de cœur, le cancer, l'arthrite, le diabète, la cirrhose, la dépression et l'affaiblissement mental?

Vous pourriez poser ces questions aux millions de gens qui, ailleurs dans le monde, ont utilisé avec succès des remèdes naturels. Ils vous répondront à l'unisson: «Oui!» Certains Américains feront de même. Cependant, il est attristant de constater que les États-Unis accusent un immense retard sur les autres pays pour ce qui est de l'utilisation des médicaments naturels, du fait que l'on y ignore leur validité scientifique et que le corps médical et le gouvernement n'ont pas correctement évalué et prôné leur utilisation. Par conséquent, vous, comme des millions d'autres Américains, êtes privés de la possibilité de choisir un médicament naturel doux au lieu des médicaments pharmaceutiques puissants, chers et souvent néfastes. Pourtant, ces médicaments naturels pourraient réduire ou éliminer certaines des conséquences fâcheuses de nos traitements traditionnels, sur le plan de la souffrance humaine comme sur le plan économique. Nous devrions au moins explorer l'immense potentiel curatif des remèdes naturels éprouvés et utilisés avec l'assentiment du gouvernement dans de nombreux pays — dont l'Allemagne, la France et l'Angleterre — où les normes médicales et scientifiques sont à l'abri de tout reproche. Sinon, comment pourrions-nous prétendre que nous avons accès aux meilleurs soins médicaux du monde?

Heureusement, l'attitude générale envers les traitements naturels évolue rapidement aux États-Unis. Une plus grande information scientifique y pénètre; de plus en plus de savants et de médecins réputés y mettent à l'épreuve et y utilisent ces remèdes naturels, et en comparent l'efficacité et la sûreté avec celles des médicaments pharmaceutiques. En outre, les Américains commencent à adopter avec enthousiasme les remèdes naturels et ce qu'il est convenu d'appeler les médecines douces ou parallèles.

Tout le monde sait que les Américains sont de plus en plus nombreux à se tourner vers les remèdes non traditionnels. Un rapport étonnant, publié en 1993 dans le prestigieux *New England Journal of Medicine*, révèle que le tiers des Américains recourent aux traitements non traditionnels, dépensant à cette fin près de 11 milliards de dollars annuellement, et cela sans en parler à leur médecin. Selon une enquête de la revue *Prevention* réalisée en 1997 auprès du grand public (et non pas de son seul lectorat), le tiers des adultes américains (soit 60 millions de personnes) utilisent fréquemment des «plantes médicinales». Même les grands acteurs de l'industrie des plantes médicinales ont été surpris. «L'utilisation de plantes à des fins médicales se répand beaucoup plus rapidement que nous l'espérions», déclare Mary Burnett, porte-parole du Council for Responsible Nutrition, association des fabricants de suppléments alimentaires installée à Washington.

Oui, les remèdes d'origine végétale, les plantes médicinales et les médicaments naturels de toutes sortes, offerts en vente libre un peu partout, sont adoptés par les Américains. «Les spécialistes en matière de santé affirment que, depuis une dizaine d'années, plus de gens que jamais se sont tournés vers les traitements naturels», écrivait Gina Kolata, reporter scientifique, dans le *New York Times* en juin 1996. Certains voient dans cette tendance un «retour aux sources», l'envie de recourir aux médicaments naturels qu'utilisaient nos ancêtres. Mais cette tendance est également alimentée par la convergence inéluctable de phénomènes sociaux et économiques: l'augmentation du coût des soins de santé, le désenchantement croissant en ce qui concerne les limites de la médecine de haute technologie et les dangers qu'elle présente, la crainte des effets indésirables produits par les médicaments pharmaceutiques et la réaction contre un système médical autoritaire dans lequel le médecin semble se prendre pour Dieu. Dans ces circonstances, les médicaments naturels apparaissent comme la solution idéale: ils coûtent généralement beaucoup moins cher que les médicaments pharmaceutiques, on les croit plus sûrs, et ils offrent aux patients une plus grande latitude dans le choix de leurs propres soins de santé.

Certains médecins traditionnels craignent le recours accru aux médecines douces; d'autres le trouvent justifié des points de vue social et scientifique. Ces derniers acceptent l'idée que d'autres cultures et d'autres pays se sont peut-être donné des moyens valables de guérir la maladie, moyens dont pourraient bénéficier les Américains. Nous aimons répéter à qui veut l'entendre que nous jouissons des meilleurs soins de santé du monde — ce qui est discutable; mais, même si c'était le cas, ces soins nous coûtent les yeux de la tête, et la situation continuera de s'aggraver à cause du vieillissement de la population. Certains organismes de santé croient que nous dilapidons inutilement nos ressources nationales, tandis que nous n'arrivons pas à juguler l'épidémie de maladies chroniques qui sévit en Amérique, dont les maladies de cœur et le cancer. Il est possible d'apprendre quelque chose en matière de guérison, non seulement des guérisseurs asiatiques, mais aussi des médecins occidentaux qui privilégient l'approche scientifique, notamment en France et en Allemagne, où les médicaments naturels sont estimés au même titre que les médicaments conventionnels, au lieu d'être considérés comme des aberrations issues d'un cercle mal informé.

L'une des raisons qui font que les gens se tournent vers les «médecines douces», c'est l'échec de notre système médical traditionnel. Le fait est que nous connaissons une épidémie de maladies chroniques mal traitées. Soixante millions d'Américains souffrent d'hypertension, 40 millions souffrent d'arthrite, et 23 millions souffrent de migraine. Bon an, mal an, on pose un diagnostic de cancer sur un million d'Américains; près de 40 p. 100 d'entre nous seront un jour frappés par cette maladie terrifiante et souvent fatale. La fréquence des cas d'asthme, de sclérose en plaques, de fatigue chronique, d'immunodéficience, de VIH et de toutes sortes d'affections invalidantes est en nette progression. La biomédecine conventionnelle — qui a été si efficace dans le traitement des infections graves, dans les cas d'urgences chirurgicales et médicales, et dans ceux de malformations congénitales — s'est révélée incapable d'endiguer le flot de ces maladies.

Le Dr James Gordon, psychiatre de Washington et chef de clinique à la faculté de médecine de l'Université de Georgetown.

PERCÉES DANS LA MÉDECINE CONVENTIONNELLE

L'idée que les substances naturelles ont leur place dans la médecine moderne se répand et s'attire des défenseurs en haut lieu aux États-Unis, par exemple dans les centres médicaux gouvernementaux ou universitaires, tels Harvard et les National Institutes of Health. La crédibilité des traitements naturels infiltre la médecine conventionnelle. Bon nombre d'études de qualité indiscutable prouvant la valeur des médicaments naturels sont aujourd'hui publiées dans des revues scientifiques prestigieuses — *The Lancet*, *British Medical Journal*, *New England Journal of*

Medicine, *Journal of the American Medical Association* —, dans les revues de l'American Heart Association, ainsi que dans des revues spécialisées de premier plan, allemandes et japonaises. Se basant sur des normes scientifiques rigoureuses, bon nombre de chercheurs réputés travaillant dans des centres de recherche prestigieux mettent à l'épreuve des substances naturelles pour le traitement de certaines de nos maladies les plus graves, et vont jusqu'à comparer l'efficacité et la sûreté de celles-ci à celles des médicaments pharmaceutiques conventionnels. Souvent, ces chercheurs découvrent dans ces remèdes naturels des effets pharmacologiques puissants. Parfois, les agents naturels sont tout aussi efficaces que les médicaments massues privilégiés par la médecine conventionnelle. Généralement, les médicaments naturels sont beaucoup plus sûrs, étant souvent peu toxiques ou ne l'étant pas du tout, et ne présentant que peu d'effets secondaires indésirables significatifs ou n'en présentant aucun.

D'aucuns se demanderont quel traitement — traditionnel ou parallèle — devrait être considéré comme deuxième choix. Normalement, dans la pratique médicale américaine, les médicaments massues conventionnels constituent toujours le premier choix, tandis que les remèdes naturels sont considérés comme une «solution de remplacement de dernier recours». Ne serait-il pas plus logique d'essayer d'abord, du moins dans la plupart des cas, le remède le plus bénin avant de passer au remède plus énergique et plus risqué, une fois que le premier se sera révélé inefficace? Les médecins et les patients sont plus nombreux que jamais à croire qu'une telle approche est sensée; cette nouvelle attitude se reflète dans l'attention de plus en plus grande que suscitent les médicaments naturels dans le monde de la médecine conventionnelle.

La mise sur pied de l'Office of Alternative Medicine (OAM) en 1993 par les National Institutes of Health le prouve bien. Même s'il est sous-financé, l'OAM s'est engagé dans la recherche sur les médecines douces et subventionne des organismes et médecins réputés qui étudient l'efficacité et l'innocuité des plantes médicinales, entre autres traitements non conventionnels. En juin 1996, un comité éminent de l'OAM a pressé les écoles d'infirmières et les facultés de médecine de commencer à enseigner les médecines douces. Le docteur Wayne Jonas, directeur de l'OAM, a déclaré qu'une quarantaine de facultés de médecine américaines — dont celles des universités Harvard et Johns Hopkins — ont ajouté à leur programme d'enseignement des cours sur les médecines douces.

UNE TRAGÉDIE D'ORDRE PHARMACEUTIQUE

La quête de médicaments bénins plus naturels est en partie attribuable à l'inquiétude croissante que suscite la distribution par l'industrie pharmaceutique d'un si grand nombre de médicaments aux effets secondaires redoutables. Les réactions à ces médicaments prennent la dimension d'une tragédie nationale. Le Dr Sidney M. Wolfe, directeur du Public Citizen's Health Research Group, a décrit la situation dans son bulletin de février 1996, intitulé *Worst Pills, Best Pills News*:

> Il ne fait aucun doute que l'industrie pharmaceutique américaine fabrique un grand nombre de produits qui sont bénéfiques pour les patients. Mais, dans leur recherche effrénée du profit — en 1995, la rentabilité de l'industrie pharmaceutique a été supérieure à celle de toutes les autres industries américaines —, les fabricants font la promotion de beaucoup de leurs médicaments en en exagérant les avantages et en en minimisant les risques. Le fait que 10 milliards de dollars soient consacrés à une publicité qui induit souvent en erreur le grand public, fait aggravé par la piètre connaissance des médicaments qu'ont les médecins, vous expose, vous et votre famille, au risque de réactions grandement néfastes à ces médicaments. Chaque année, par exemple, plus d'un million d'Américains doivent être hospitalisés à cause des effets indésirables des médicaments: 61 000 cas de parkinsonisme dus à des médicaments, 16 000 cas de blessures dans des accidents routiers causés par des médicaments

> sur ordonnance, 163 000 cas de détérioration de la mémoire causés ou aggravés par des médicaments, et 32 000 cas de fractures de la hanche découlant de chutes causées par la consommation de médicaments.
>
> La plupart — au moins les deux tiers — de ces effets indésirables sont évitables. Trop souvent, on a prescrit la «pire» des pilules, alors qu'un autre médicament, plus sûr mais tout aussi efficace, aurait fait l'affaire, ou encore on a prescrit deux médicaments relativement sûrs s'ils sont consommés séparément, mais dont l'interaction est dangereuse.

La prescription excessive, souvent faite à tort et à travers, de médicaments en vente contrôlée a également fait de nous une nation de drogués. Tandis que nous dépensons des milliards pour lutter contre les drogues illégales qui détruisent l'être humain, notre principal problème de dépendance n'a rien à voir avec l'héroïne, la cocaïne ou d'autres drogues dures, mais plutôt avec les médicaments prescrits légalement par beaucoup de médecins que n'inquiète pas le risque de dépendance que ces produits présentent pour leurs patients. Une étude publiée en 1997 révèle qu'en 1995 plus de 6 millions d'Américains consommaient des médicaments sur ordonnance, tel le Xanax, tranquillisant dont l'usage est fort répandu. Ce nombre est beaucoup plus grand que le nombre combiné des héroïnomanes et cocaïnomanes américains. Les conséquences de cette pharmacodépendance accidentelle peuvent être tragiques. Ces médicaments risquent de détruire la vie de ceux-là même qui souhaitaient qu'on les aide à traiter leur maladie, la crise de panique par exemple, et qui finissent soit par être définitivement dépendants, soit par devoir s'engager dans un programme de désintoxication.

Pourtant, des médicaments beaucoup moins dangereux que ceux-là sont utilisés chaque jour avec succès dans le reste du monde. C'est presque de la négligence criminelle de ne pas chercher à instaurer aux États-Unis l'utilisation de ces substances naturelles. Mais il reste beaucoup d'obstacles à surmonter.

UNE SITUATION DÉPLORABLE AUX ÉTATS-UNIS

Lorsque vous achetez des médicaments naturels dans les magasins d'aliments naturels, les pharmacies et les supermarchés, vous êtes laissés à vous-même dans l'imbroglio de la réglementation gouvernementale. Nos remèdes naturels ne peuvent être vendus ni annoncés en tant que tels, mais mis en marché en tant que «suppléments alimentaires». Ainsi, il vous est impossible de savoir exactement quelle maladie le produit est censé traiter. Il est interdit aux fabricants de mentionner sur l'étiquette les «vertus» de leurs produits pour la santé; ils doivent se contenter d'affirmations vagues selon lesquelles le produit a un effet sur une «structure ou fonction» du corps, par exemple, qu'il est «bon pour les yeux» ou «bon pour la circulation».

Heureusement, certains fabricants sont responsables, distribuent de bons produits et essaient consciencieusement d'informer le public, même si la réglementation gouvernementale leur interdit d'affirmer que leurs produits ont des vertus thérapeutiques ou autres. Cependant, une partie des critiques adressées aux fabricants et distributeurs de produits naturels sont fondées. Certains produits sont mal conçus et mal fabriqués. Certains ne sont qu'un mélange aléatoire d'herbes concocté dans le but de créer un produit «unique» et excessivement cher. D'autres contiennent une quantité si infime d'ingrédients actifs qu'ils n'ont aucune valeur thérapeutique. D'autres encore sont vendus à un prix déraisonnable, et leur étiquette et leur publicité sont trompeuses. Vous ne pouvez pas vous fier aux vendeurs pour vous éclairer. Certains sont bien informés, mais d'autres, qui ne le sont pas, contribuent à perpétuer l'ignorance du grand public.

Cette situation déplorable est due à un mauvais appareil de réglementation, qui rend impossible la mise au point, l'expérimentation et la fabrication de médicaments naturels de haute qualité. La plupart des médicaments naturels de haute qualité offerts dans les magasins spécialisés, comme la coenzyme Q10, le millepertuis, l'échinacée, le chardon-Marie et le ginkgo, sont fabriqués à l'étranger, principalement en Allemagne et au Japon, et conditionnés expressément pour le marché américain. Paradoxalement, certaines des matières premières entrant dans leur composition sont des espèces indigènes d'Amérique — le chou palmiste en est un bon exemple — que l'on doit exporter pour qu'elles soient transformées, vu que notre système empêche nos entreprises de le faire.

Il est difficile de comprendre comment notre réglementation régissant les médicaments naturels a pu en arriver à un tel gâchis. Qu'il suffise de dire que cette situation s'est développée au fil des ans et que, ces dernières années, nous avons été témoins de manœuvres étranges de la part de la Food and Drug Administration (FDA) et du Congrès, manœuvres mutuellement opposées, qui ont abouti à des demi-mesures, certes, mais pas à des réformes en profondeur.

POURQUOI NE MÈNE-T-ON PAS DES RECHERCHES?

L'autre problème, inhérent au débat juridique entourant l'utilisation de substances naturelles à des fins médicales, est celui des brevets. Certains se demandent à juste titre: «Si les médicaments naturels sont si bons, pourquoi n'a-t-on pas mené plus de recherches dans ce pays pour prouver leur efficacité? Pourquoi les fabricants de médicaments ou de suppléments alimentaires n'entreprennent-ils pas de telles recherches? La réponse est simple: il n'y a, pour les entreprises américaines, que peu d'avantages économiques, s'il y en a, à financer l'essai de plantes médicinales parce que les profits potentiels sont faibles ou nuls. C'est la nature qui possède les brevets de la plupart des plantes médicinales, ce qui signifie que personne ne peut obtenir un brevet d'exclusivité pour leur fabrication et leur mise en marché. Il ne vaut pas la peine pour une entreprise d'effectuer des études et essais coûteux sur un remède naturel accessible à toutes ses concurrentes. Si les médicaments pharmaceutiques sont si rentables, c'est que leur exclusivité est garantie par un brevet. Personne ne peut voler les résultats de l'investissement financier engagé par une entreprise dans la mise au point de tels médicaments, tandis que, dans le cas des médicaments naturels, n'importe qui peut s'approprier n'importe quoi.

Qui plus est, les entreprises répugnent à affronter la bureaucratie de la FDA pour faire homologuer un remède naturel: ce processus coûte des millions de dollars et prend des années; le remède naturel pourrait ne pas être approuvé; et s'il l'était, il ne pourrait être vendu aux prix élevés que commandent les produits pharmaceutiques synthétiques. Il arrive que des entreprises arrivent à obtenir l'autorisation de la FDA pour distribuer leurs médicaments naturels en vente libre. Mais, en règle générale, le système est ainsi fait qu'il décourage la production et la diffusion de connaissances sur les médicaments naturels.

Bref, le marché américain des remèdes naturels est cauchemardesque. Les magasins d'aliments naturels et les pharmacies sont inondés de produits dont la qualité, l'efficacité et l'innocuité sont inconnues. Mais la bonne nouvelle, c'est que tout cela peut changer. Ailleurs dans le monde, la situation est tout autre. L'Allemagne en est un bon exemple. C'est pourquoi bon nombre des médicaments naturels de haute qualité que l'on trouve ici, et dont l'efficacité a été prouvée, proviennent d'Allemagne. Beaucoup de sommités dans le domaine, dont le docteur Varro, professeur émérite de pharmacognosie (étude des plantes médicinales) à l'Université Purdue, sont d'avis que nous devons améliorer notre système de réglementation de façon à traiter les médicaments naturels comme on le fait en Allemagne.

Le Dr Tyler, dans son excellent ouvrage intitulé *Herbs of Choice,* écrit que le fait de ne pas réglementer correctement les remèdes d'origine végétale est catastrophique pour le consommateur: «Nous nous sommes donné la pire réglementation du monde en ce qui a trait à ces produits. Par conséquent, le consommateur n'est jamais sûr de rien. À cause du manque d'informations valables et de l'abondance d'informations erronées en matière de plantes médicinales, le consommateur, normalement critique et bien renseigné, se perd dans une jungle d'affirmations exagérées ou non prouvées.»

L'ALLEMAGNE, UN EXEMPLE À SUIVRE

La majeure partie des connaissances scientifiques acquises durant ce siècle sur les pouvoirs étonnants des plantes médicinales proviennent d'Allemagne, où l'attitude du gouvernement et du monde scientifique à l'endroit de ces produits est tout à fait positive. Dans ce pays, la vente libre des médicaments d'origine végétale est approuvée par un organisme gouvernemental, la Commission E, analogue à la Food and Drug Administration américaine. Les médecins reçoivent des directives strictes quant aux médicaments naturels à prescrire pour telle ou telle maladie, et quant à leur efficacité et à leur innocuité. Ces substances naturelles sont soigneusement fabriquées selon des normes de qualité pharmaceutiques et clairement étiquetées: usages et doses approuvés, effets secondaires potentiels, toxicité et contre-indications.

Établie en 1978, la Commission E examine tous les documents scientifiques modernes qui existent au sujet des remèdes d'origine végétale, y compris les études menées sur des humains, tout en tenant compte de la tradition historique de la médecine par les plantes. La Commission E a publié plus de 300 monographies de remèdes d'origine végétale. De ce nombre, elle en a approuvé 200 comme étant raisonnablement efficaces et absolument sans danger. Les normes servant à prouver l'efficacité de ces substances ne sont pas aussi strictes que les essais thérapeutiques à double insu pratiqués sur des humains qui sont exigés par la FDA pour l'homologation des médicaments pharmaceutiques. Cependant, la Commission E exige que la recherche et l'utilisation traditionnelle qui est faite du remède en prouvent l'efficacité pour certaines affections et qu'il soit également prouvé que celui-ci ne peut être nocif lorsqu'il est utilisé conformément à la notice.

Grâce à ce mécanisme de réglementation, le public peut connaître et faire confiance aux remèdes d'origine végétale vendus en Allemagne. Les Allemands peuvent se les procurer facilement dans des magasins de détail. Mais les médecins, qui doivent tous suivre des cours de botanique à la faculté de médecine, peuvent aussi leur prescrire ces médicaments naturels. Pourquoi? Parce que le prix du médicament recommandé et prescrit par le médecin sera remboursé au patient par le gouvernement. Les patients ont donc avantage à se faire prescrire des médicaments naturels même s'ils sont en vente libre. En fait, selon une enquête récente, 80 p. 100 des médecins allemands prescrivent des plantes médicinales; ces médicaments naturels représentent 27 p. 100 de tous les médicaments offerts en vente libre en Allemagne. Les plus populaires sont le ginkgo, l'ail, l'échinacée et le ginseng.

Vu le système de réglementation perfectionné que s'est donné l'Allemagne, on y produit les médicaments d'origine végétale de la plus haute qualité. Selon le Dr Varro Tyler, pour que les citoyens d'un pays puissent disposer de remèdes naturels sûrs et efficaces, appuyés par la recherche, le gouvernement doit mettre en place des mécanismes de réglementation qui garantissent des essais impeccables, une évaluation objective de l'innocuité et de l'efficacité du produit, un contrôle de la qualité à toute épreuve, un étiquetage précis et complet, ainsi qu'une information sûre en matière de posologie, de destination et d'effets indésirables.

Selon le Dr Tyler, si la qualité de la recherche sur les remèdes à base de plantes est exceptionnelle en Allemagne, c'est précisément parce que le système de réglementation mis en place par le gouvernement allemand favorise activement l'utilisation des remèdes naturels, rendant ainsi la recherche utile pour les médecins et pour les consommateurs, et profitable pour les entreprises qui fabriquent et mettent à l'essai les produits d'herboristerie. La plupart des essais et de la recherche concernant les remèdes naturels utilisés aux États-Unis et ailleurs dans le monde — notamment le millepertuis (antidépresseur), la valériane (anxiolitique) et l'échinacée (antivirale) — ont été menés en Allemagne.

En Allemagne, l'establishment scientifique et celui de la réglementation manifestent tout simplement une attitude différente de la nôtre à l'endroit des possibilités que présentent les remèdes naturels. Tandis que nous concentrons presque toute notre attention sur les médicaments pharmaceutiques puissants, les scientifiques allemands recherchent constamment des solutions de remplacement naturelles. Par exemple, la FDA a approuvé en 1994 le premier médicament pharmaceutique — la tacrine — pour le traitement de la démence et de la maladie d'Alzheimer. Ce médicament est partiellement efficace, mais ses effets secondaires toxiques en limitent l'utilisation. La même année, la Commission E a approuvé le ginkgo biloba, extrait normalisé de la feuille du gingko, pour le traitement de ces deux maladies. Le ginkgo biloba est efficace — certains chercheurs américains de premier plan le trouvent plus prometteur que la tacrine —, n'est pas toxique et n'entraîne aucun effet secondaire. L'utilisation du ginkgo biloba est également approuvée en Allemagne contre l'«insuffisance cérébrale», autre nom donné au déclin mental relié au vieillissement. Malheureusement, les médecins et consommateurs américains n'ont pas accès à la plus grande partie de l'information scientifique produite en Allemagne; une partie de cette information a été publiée dans les revues médicales allemandes, mais n'a pas été traduite ni intégrée dans l'immense base de données de la National Library of Medicine, ressource standard de la médecine américaine. Dernièrement, toutefois, vu l'intérêt accru pour les médicaments d'origine végétale, un plus grand nombre d'études allemandes sont accessibles aux États-Unis, et l'American Botanical Council a édité des versions anglaises de toutes les monographies publiées par la Commission E au sujet des médicaments d'origine végétale. Le Dr Tyler et d'autres de ses collègues considèrent ces monographies comme l'abrégé scientifique le plus complet et le plus fiable du monde occidental sur les médicaments d'origine végétale.

> *Si tant de nos plantes médicinales nord-américaines (comme l'échinacée et le chou palmiste) ont dû être étudiées en Europe, c'est que nous ne disposons pas de lois ni de règlements qui favorisent l'exploitation scientifique des plantes. À mon avis, cette carence constitue une véritable tragédie.*
>
> Le Dr Varro Tyler, doyen émérite de la faculté de pharmacie de l'Université Purdue et autorité reconnue en matière de médicaments d'origine végétale.

À QUI S'ADRESSER

Dans bien d'autres pays, si vous avez une question à poser au sujet d'un remède naturel, vous pouvez recevoir une réponse valable de votre médecin ou pharmacien. Un grand nombre de professionnels compétents supervisent la distribution rationnelle des médicaments naturels. En Allemagne, médecins et pharmaciens doivent passer des examens qui contrôlent leur connaissance des médicaments d'origine végétale. Ils prescrivent régulièrement des médicaments naturels et peuvent répondre aux questions que leurs patients leur posent sur les avantages et sur la sûreté de ces derniers. Malheureusement, aux États-Unis, nous ne disposons pas d'une ressource médicale fiable auprès de laquelle les consommateurs puissent obtenir des conseils sur les remèdes naturels.

Sauf si vous avez de la chance, vous ne pouvez recourir à aucun médecin, pharmacien ou autre professionnel de la santé qui connaisse bien ces substances. «S'ils n'ont pas appris une chose à la faculté de médecine — et ils n'y apprennent pas ces choses-là —, ils croient que cette chose est fausse», déclare le Dr Daniel Tucker, allergologue certifié et interne au Good Samaritan Medical Center de Palm Beach, en Floride. Le Dr Tucker est un bon exemple de médecin aux compétences indiscutables qui s'adapte aux changements et à l'intégration des médecines conventionnelle et parallèle en une seule médecine «complémentaire». Il exploite tous les médicaments conventionnels qu'il juge efficace, mais, lorsqu'il existe un meilleur médicament, plus sûr et moins cher, comme la grande camomille pour la migraine, il le recommande. Beaucoup de médecins éclairés intègrent la médecine parallèle à leur pratique médicale. Mais, malheureusement, le seul moyen pour les patients de découvrir ces médecins reste le bouche à oreille.

En ce moment, dans ce pays, les meilleurs dépositaires d'information fiable sur les remèdes naturels sont les médecins naturopathes. Ceux-ci jouissent d'une grande influence dans le nord-ouest, où sont installées les deux écoles de médecine naturopathe accréditées du pays: l'Université Bastyr, à Seattle, et le National College of Naturopathic Medicine, à Portland, Oregon. Ces médecins naturopathes, après une propédeutique médicale, fréquentent une école de médecine naturopathe, où ils reçoivent dix fois plus d'heures de cours en diététique thérapeutique que les médecins qui fréquentent les écoles de médecine traditionnelle. Au début de 1997, douze États américains délivraient des permis de pratiquer aux médecins naturopathes. Dans l'État de Washington, une nouvelle loi oblige les compagnies d'assurances à rembourser les frais de traitements naturopathes. La première clinique de médecine complémentaire — où sont intégrés les traitements traditionnels et les traitements naturels — a été inaugurée à Seattle en 1997. Les patients choisissent un type de traitement ou les deux. L'Université Bastyr assure la gestion de cette clinique.

ALARMES, MALENTENDUS ET INQUIÉTUDES LÉGITIMES

Pour ce qui est des remèdes naturels dans ce pays, la désinformation règne et les fausses alarmes retentissent. Certaines inquiétudes sont légitimes et méritent l'attention; d'autres sont le fait d'innocents malentendus; d'autres encore sont attribuables à l'aversion au changement de la société ou de l'establishment médical; d'autres enfin découlent d'une pure ignorance ou d'une hostilité irrationnelle, parfois reliées à la perception d'une menace contre la position sociale ou le point de vue d'un individu. Par exemple, certains scientifiques craignent que les subventions gouvernementales ne soient «détournées» pour servir à l'étude de «remèdes de charlatan dont tout le monde sait qu'ils sont inefficaces», selon un fonctionnaire américain de la santé. Un homme de science de l'industrie avance que certains médecins craignent de perdre la maîtrise du traitement de leurs patients, du fait qu'«ils ne peuvent contrôler au moyen d'ordonnances la distribution des médicaments naturels». On comprend que bon nombre de médecins hésitent à recommander des remèdes naturels dont ils mesurent mal l'efficacité et l'innocuité. (Aucun représentant des compagnies pharmaceutiques ne vient frapper à leur porte pour leur donner des échantillons gratuits, leur expliquer en détail les résultats des recherches et essayer de les convaincre d'utiliser tel ou tel remède naturel.) Il faut beaucoup de temps aux médecins qui pratiquent pour se tenir au courant des médicaments et traitements conventionnels, sans parler des non conventionnels. Il ne faut donc pas s'étonner si les médecins conventionnels disent tenir de leurs patients la plupart des renseignements dont ils disposent sur les remèdes naturels.

Pour en finir avec le mythe du remède de charlatan

Même si l'idée que les médicaments naturels sont des remèdes de charlatan est de moins en moins répandue, nombreux sont ceux qui s'y accrochent encore. Ce préjugé subsiste en partie parce que l'on ne comprend pas la nature variée des remèdes naturels. La médecine par les plantes semble souvent «étrangère» et peu scientifique aux Américains du fait que le remède d'origine végétale n'est pas conforme à la théorie des médicaments spécifiques ou «projectiles magiques», selon laquelle tel produit chimique combat telle maladie ou tel symptôme. C'est sur cette théorie que repose la mise au point des produits pharmaceutiques modernes. Mais celle-ci ne tient pas lorsqu'on analyse les effets thérapeutiques plus subtils et plus vastes des plantes. Il est généralement vrai que c'est dans les plantes que les chercheurs trouvent les ingrédients actifs qu'ils extraient ensuite. Et les suppléments naturels sont conformes à des normes qui reflètent des proportions spécifiques de ces agents actifs connus. Si cela permet au patient d'obtenir une pilule active, cela n'explique pas complètement pourquoi le remède d'origine végétale, qui contient d'autres produits chimiques, est efficace, ni pourquoi un extrait grossier de la plante entière peut également être efficace. Par exemple, un produit chimique contenu dans le millepertuis, l'hypéricine, est efficace comme antidépresseur, mais un extrait plus complet de cette plante l'est encore plus.

Le Dr Rudi Bauer, chercheur allemand réputé qui s'intéresse à l'échinacée, a dernièrement prononcé à Londres, à l'occasion d'une réunion de la Society for Economic Botany, une allocution sur le consensus scientifique de plus en plus large que suscite l'idée selon laquelle un constituant d'une plante ne peut à lui seul en expliquer le pouvoir médicinal. Selon lui, il est plus probable que ce pouvoir provient de «l'effet synergique de plusieurs composés».

Bon nombre d'Américains croient encore qu'une substance dont on dit qu'elle traite plus d'une maladie est un remède de charlatan, comme les produits à formule secrète qui ont connu leur heure de gloire au début du siècle et qui n'ont aucune valeur thérapeutique. Depuis l'invention des antibiotiques, «projectiles magiques», durant les années 1930 et 1940, tous les évangélistes de l'establishment médical se sont acharnés à faire entrer dans la tête des Américains qu'un médicament ne combat qu'une seule maladie. Cette idée circule encore et, pour la plupart, nous y croyons toujours. Le signe qui révèle le mieux qu'un médicament est sans valeur, nous a-t-on répété, c'est lorsque l'on prétend qu'il guérit plus d'une maladie. C'est là le coup de mort d'un remède d'origine végétale dans une population qui a subi un lavage de cerveau en matière de pharmacologie.

Cet énoncé est faux. Beaucoup de raisons scientifiquement solides justifient le fait qu'un médicament naturel puisse lutter sur plusieurs fronts à la fois, s'attaquant au processus sous-jacent de la maladie, comme l'inflammation, commune à toutes sortes de maux, dont l'arthrite, l'asthme et l'artérite. La grande camomille, plante qui prévient la migraine, en est un bon exemple. Vu son action anti-inflammatoire, on l'utilise dans certains pays pour soulager la douleur arthritique et les affections respiratoires. Que l'on songe aux pouvoirs presque universels de l'huile de poisson contre la maladie. Cette huile, qui influe sur le fonctionnement de toutes les cellules de tous les organes, a ainsi un effet sur toute une gamme de maladies, du cerveau, en passant par le cœur, jusqu'au gros orteil.

C'est surtout depuis que l'on connaît mieux le pouvoir des antioxydants contre la maladie que la théorie du «projectile magique» commence à être discréditée. La seule définition de l'antioxydant suppose des pouvoirs divergents et vastes de lutte contre la maladie. En théorie, certains produits chimiques qui circulent dans l'organisme en dehors de votre contrôle, les radicaux libres, s'attaqueraient continuellement aux cellules, provoquant presque toutes les maladies chroniques imaginables — athérosclérose, maladie de cœur, cancer, diabète, cataracte, arthrite — et toutes les maladies dégénératives du cerveau — maladie de Parkinson, sclérose latérale amyotrophique (SLA), chorée de Huntington et maladie d'Alzheimer. En neutralisant les radicaux libres, les antioxydants aident à prévenir l'apparition et la progression de toutes ces maladies.

Même si l'on admet que certains antioxydants sont peut-être plus efficaces contre certaines maladies, il reste qu'ils invalident l'idée selon laquelle une substance ne traiterait qu'une maladie ou qu'un symptôme donné. En effet, songez que la vitamine C peut contribuer à prévenir les crises cardiaques ainsi que toutes sortes de cancers, soigner les rhumes et soulager l'asthme, et probablement faire plus encore. On peut dire la même chose de la vitamine E et de l'un des plus récents médicaments miracles, la coenzyme Q10. Celle-ci est le plus souvent utilisée par certains médecins dans le traitement de l'insuffisance cardiaque et des maladies cardiovasculaires; mais son utilisation croissante contre le cancer est également logique. Bon nombre de médicaments d'origine végétale, comme le ginkgo et le chardon-Marie, sont également des antioxydants puissants, ce qui explique leur efficacité dans le traitement de nombreuses affections.

Peut-être les tenants de la théorie des «projectiles magiques» accepteront-ils de considérer l'exemple de l'aspirine, elle aussi d'origine végétale. Autrefois, elle servait exclusivement d'analgésique. Aujourd'hui, on l'utilise un peu partout comme anticoagulant et anti-inflammatoire. Comment un simple analgésique peut-il prévenir les crises cardiaques? Il y a une explication logique à cela, comme c'est le cas de bien d'autres remèdes provenant de la nature.

Mythe: Les médicaments naturels sont mal utilisés et dangereux

Que penser de l'affirmation selon laquelle les médicaments conventionnels, une fois approuvés pour certains usages spécifiques par la FDA, seraient par le fait même sans danger et efficaces, tandis que les remèdes naturels ne le seraient pas? On croit à tort que les remèdes naturels sont utilisés inconsidérément et sans justification, tandis que les médicaments conventionnels le sont pour des raisons scientifiques solides, après avoir été mis à l'essai et déclarés sûrs et efficaces. S'il est vrai que la FDA doit, avant leur mise en marché, approuver les médicaments d'ordonnance en fonction de leur efficacité et de leur innocuité, il reste que les médecins peuvent les utiliser à n'importe quelle fin. L'utilisation de médicaments à des fins non indiquées sur l'étiquette est de plus en plus fréquente. La triste vérité, c'est que, selon l'American Medical Association, jusqu'à 60 p. 100 de tous les médicaments prescrits dans ce pays — ce qui revient à environ un milliard d'ordonnances chaque année — le sont pour des utilisations non indiquées sur l'étiquette, c'est-à-dire que ces médicaments n'ont pas été approuvés pour le traitement des maladies contre lesquelles ils sont prescrits. Cela signifie que la plupart des produits pharmaceutiques puissants sont en réalité prescrits sans plus de preuves de leur efficacité thérapeutique que n'en ont les remèdes naturels. Un rapport publié en 1978 par l'Office of Technology Assessment du gouvernement fédéral américain révèle que de 10 à 20 p. 100 seulement des traitements auxquels recourent les médecins ont été évalués au cours d'essais cliniques contrôlés, norme de fiabilité reconnue de la recherche.

> *La pratique de la médecine est un art plutôt qu'une science. La plupart des traitements que prescrivent chaque jour les médecins ne sont pas plus «éprouvés» que les traitements naturels qu'ils critiquent. Accepter des traitements dangereux et non éprouvés, tout en rejetant les traitements de rechange naturels plus sûrs et plus économiques, c'est faire deux poids, deux mesures.*
>
> Le Dr Alan R. Gaby, cité par le Dr Michael Murray dans *Natural Alternatives*.

Dire que les médicaments naturels sont généralement dangereux est un moyen de diversion destiné à tromper le public, moyen auquel recourent ceux qui ne les connaissent pas et qui ne savent pas qu'ils sont utilisés depuis longtemps en toute sécurité. Je ne prétends pas que tous les médicaments naturels sont sans risques, loin de là. «Naturel» ne signifie pas «sans danger». En réalité, les plantes peuvent contenir des substances extrêmement puissantes, d'où leur efficacité dans le traitement des maladies. La prudence est de rigueur, faute de quoi ces substances pourraient vous être néfastes. Cependant, en règle générale, les médicaments naturels présentent beaucoup moins de risques que les médicaments pharmaceutiques que bon nombre d'entre nous consomment sans en connaître les effets secondaires potentiellement dangereux et sans s'inquiéter de ces effets possibles.

L'utilisation de ces médicaments pharmaceutiques fait du tort à des milliers d'Américains et parfois les tue. Pourtant, un cas isolé d'intoxication par une substance naturelle, résultant peut-être d'un abus, servira souvent de prétexte pour condamner comme étant dangereux pour la santé de la population tous les médicaments naturels offerts en vente libre. Deux tragédies qui ont connu un retentissement à l'échelle nationale ont mis en cause des remèdes naturels. L'une a été causée par l'utilisation d'éphédra (ma huang) à des fins narcotiques; l'autre, par la présence de contaminants toxiques dans du L-tryptophane, utilisé à bon escient comme somnifère. Ces tragédies ne devraient pas se produire, et tout devrait être fait pour les prévenir. Les risques potentiels et le mode d'emploi des produits naturels devraient être clairement indiqués sur l'étiquette; ces produits devraient être garantis comme étant exempts de contaminants dangereux et comme contenant ce qu'ils sont censés contenir. Pour cela, il faudrait que soient adoptés des règlements sur les produits naturels.

Ce qu'il nous faut, c'est un système de réglementation solide et sensé qui nous aide à distinguer les médicaments naturels efficaces, sûrs et économiques des concoctions de mauvaise qualité que produisent des entreprises opportunistes et peu scrupuleuses. La plupart des difficultés que nous éprouvons en matière de remèdes naturels seraient vite réglées par l'instauration d'un organisme de réglementation, analogue à la Commission E, établie avec succès en Allemagne pour promouvoir l'utilisation des médicaments naturels. Un tel organisme pourrait être placé sous les auspices des National Institutes of Health et composé de fonctionnaires gouvernementaux et de scientifiques indépendants, issus de l'industrie. Nous ne devrions plus tolérer la négligence ou la fraude dans la fabrication, l'étiquetage et la publicité des produits naturels. Nous ne pouvons plus nous permettre d'ignorer ces produits, qui jouent un rôle si important dans la pratique médicale ailleurs dans le monde.

La science existe et se développe. Le besoin est là. Le moment est venu pour nous tous de prendre conscience de l'énorme potentiel des médicaments naturels en les utilisant nous-mêmes, et en les intégrant dans notre réseau de santé national. Ce qu'ils peuvent nous épargner en souffrances et en argent est incalculable. Pourquoi ne pourriez-vous pas utiliser ces merveilleux médicaments avec la même assurance que des millions d'Européens? Pourquoi vos médecins et votre gouvernement ne devraient-ils pas être assez bien informés sur ces médicaments pour pouvoir vous renseigner? Il faut être buté et manquer d'esprit scientifique pour ne pas reconnaître et exploiter les avantages potentiels innombrables qu'offrent ces «remèdes miracles».

UN FAMEUX ÉNERGISANT POUR LE CŒUR

(COENZYME Q10)

C'est un médicament pour le cœur utilisé ailleurs dans le monde; si votre médecin ne le connaît pas, vous pouvez facilement vous le procurer vous-même: il pourrait vous sauver la vie.

Si vous souffrez de troubles cardiaques, vous devriez connaître une certaine substance, appelée coenzyme Q10, qui semble énergiser les cellules du cœur. Celle-ci pourrait donner un nouvel espoir aux millions de personnes qui souffrent de maladies de cœur, surtout dans les cas d'insuffisance cardiaque globale, où l'affaiblissement progressif du muscle cardiaque entraîne la détérioration de la propulsion du sang. Cette affection très courante, surtout chez les personnes âgées, ne répond pas toujours aux traitements conventionnels. Les causes de l'insuffisance cardiaque globale sont nombreuses et variées: hypertension de longue durée, diabète, maladies virales, alcoolisme et, dans la plupart des cas, crise cardiaque ou simple usure quotidienne due au vieillissement. Endommagées, les minuscules cellules cardiaques ne produisent plus assez d'énergie pour orchestrer les puissantes contractions qui propulsent le sang dans toutes les parties du corps. À cause de cette inefficacité des cellules cardiaques, la circulation sanguine ralentit et la fonction cardiaque commence à faire défaut. «Au fond, déclare un cardiologue, l'insuffisance cardiaque, ce n'est qu'un cœur privé d'énergie.» Les symptômes typiques de l'insuffisance cardiaque globale sont l'essoufflement, la fatigue, l'accumulation de liquide dans les poumons et le gonflement des chevilles. Le cœur, qui s'épuise peu à peu, joue de moins en moins bien son rôle, provoquant une détérioration graduelle de l'organisme qui finit par entraîner la mort. L'insuffisance cardiaque globale, qui atteint des proportions épidémiques en Occident, est aux États-Unis la première cause d'hospitalisation chez les personnes âgées. Traitement courant: digitaline, diurétiques, vasodilatateurs et inhibiteurs de l'ECA (enzyme convertissant l'angiotensine). Remède ultime: la transplantation cardiaque. Mais il existe un autre traitement courant qui est utilisé avec succès un peu partout dans le monde. Ce traitement fortifie le cœur en énergisant les cellules cardiaques. Il s'agit de la coenzyme Q10, et ses effets se sont révélés miraculeux pour certains cardiologues.

LE MIRACLE DE SUSANNE
Des portes de la mort à la complète guérison

En octobre 1994, Susanne Porter (il s'agit d'un pseudonyme, mais les détails d'ordre médical sont authentiques) semblait sur le point d'être emportée par l'insuffisance cardiaque globale. «Elle était en piteux état, déclare sa fille Joanne, et si faible qu'elle arrivait à peine à se redresser dans son fauteuil. Épuisée, maman avait de la difficulté à respirer à cause d'un œdème pulmonaire. Nous avons dû annuler la célébration du cinquantième anniversaire de mariage de mes parents parce qu'elle était trop faible pour y participer, même en fauteuil roulant. Maman était prête à se déclarer vaincue; ses médecins étaient impuissants. Elle était trop âgée pour une transplantation. Malgré tous les traitements de la médecine conventionnelle, son état ne s'améliorait pas. Nous pensions qu'elle ne survivrait pas jusqu'à l'Action de grâces.»

Dix-neuf ans auparavant, on avait diagnostiqué chez Mme Porter, qui souffrait depuis longtemps d'hypertension, une insuffisance cardiaque globale. Grâce aux médicaments, dont des inhibiteurs de l'ECA (Capoten), et à des doses de plus en plus massives de diurétiques, elle avait mené une vie très active — jusqu'aux six derniers mois, durant lesquels son état s'est détérioré au point que sa vie en était menacée. Après examen de son cas, le Dr Stephen T. Sinatra, spécialiste des maladies organiques et cardiologue de l'hôpital Memorial de Manchester (Connecticut), a confirmé qu'elle était atteinte d'une grave insuffisance cardiaque globale: «Elle était dans un état lamentable, en phase terminale de cachexie cardiaque, c'est-à-dire d'affaiblissement et d'amaigrissement graves.» Âgée de 79 ans, Mme Porter ne pesait que 35 kilos. La fraction d'éjection de son cœur, qui en mesure la capacité de pompage, oscillait entre 10 et 15 p. 100 (la normale se situe entre 50 et 70 p. 100), ce qui signifiait que bien peu de sang, donc d'oxygène, se rendait à ses organes vitaux. «Son cœur pompait à peine assez de sang pour lui permettre de rester en vie», raconte le Dr Sinatra. Il a proposé à sa patiente de prendre, en plus de ses médicaments conventionnels, 30 mg de coenzyme Q10 trois fois par jour, dose qu'il avait trouvée efficace chez ses autres patients cardiaques. Mais ce nouveau médicament n'a pas été très utile à Susanne, qui a continué à dépérir. En février 1995, elle était mourante: du liquide s'était accumulé dans ses poumons et dans son abdomen; elle éprouvait de la difficulté à respirer. La défaillance de son organisme semblait imminente.

Puis, en mars 1995, une erreur fortuite a eu le plus heureux effet. «C'est au fils de Mme Porter que l'on doit le miracle», dit le Dr Sinatra. Au magasin d'aliments naturels, au lieu d'acheter une bouteille de capsules de 30 mg de coenzyme Q10, il a accidentellement choisi des capsules de 100 mg. Susanne prenait dès lors par erreur 300 mg de coenzyme Q10 quotidiennement, soit plus de trois fois la dose prescrite. Un mois plus tard, en avril, son état s'était amélioré au point qu'elle a pu se lever et aller célébrer Pâques chez son fils. «Nous n'en croyions pas nos yeux, dit Joanne Porter. Maman avait retrouvé son énergie. Ses jambes étaient moins gonflées, et il n'y avait plus de liquide dans ses poumons.» L'état de Susanne a continué de s'améliorer; en juin, la fraction d'éjection de son cœur était passée à 20 p. 100. Cette augmentation peut sembler dérisoire, mais, selon le Dr Sinatra, lorsqu'une fraction d'éjection est si faible, une augmentation de 5 p. 100 peut faire une différence énorme. Les médecins ont constaté une diminution significative de l'«insuffisance mitrale et tricuspide» — reflux systolique anormal de sang du ventricule gauche dans l'oreillette gauche et du ventricule droit dans l'oreillette droite —, diminution qui rendait à son cœur une plus grande efficacité et réduisait l'accumulation de liquide dans ses tissus.

En octobre, Susanne pouvait aller faire ses courses elle-même; en novembre, elle commençait à fréquenter de nouveau son église; en décembre, elle faisait un voyage pour rendre visite à sa fille pour la première fois en un an et demi. En janvier 1996, après avoir raté la marche d'un escalier, elle s'est fracturé la hanche. Mais son cœur était assez solide pour résister à une arthroplastie totale de la hanche. Susanne s'est rétablie au point de pouvoir marcher sans canne. Même si elle souffre maintenant de problèmes thyroïdiens — complètement étrangers à son insuffisance cardiaque —, selon ce qu'a dit sa fille en février 1997, Susanne «est pleine d'entrain et n'a pas été hospitalisée une seule fois pour son cœur depuis qu'elle a commencé à prendre de la coenzyme Q10». Son fils dit d'elle qu'elle a «neuf vies». Elle continue de prendre quotidiennement 300 mg de coenzyme Q10.

Qu'est-ce que la coenzyme Q10?

Il s'agit d'un puissant antioxydant aussi appelé ubiquinol-10. On décrit la coenzyme Q10 comme étant une substance «semblable à une vitamine», mais certains experts sont d'avis qu'elle est en fait une vitamine, c'est-à-dire un nutriment dont l'organisme a besoin pour l'alimentation de ses cellules afin de fonctionner de façon optimale. Elle est présente en infimes quantités dans les aliments, surtout les fruits de mer, et est produite par toutes les cellules du corps. Des savants japonais l'ont synthétisée en une matière brute ajoutée à des suppléments vendus dans le monde entier par plusieurs entreprises japonaises.

Quelles sont les preuves de son efficacité?

Des preuves manifestes indiquent que la plupart des cardiaques souffrent d'une carence en coenzyme Q10 et que la consommation de suppléments contenant cette enzyme revitalise la fonction cardiaque et peut apporter un soulagement spectaculaire des symptômes reliés à la cardiopathie. Des études de pionnier menées par Karl Folkers, Ph.D., directeur de l'Institute for Biomedical Reseach de l'Université du Texas à Austin, révèlent que, chez 75 p. 100 des patients atteints de maladies de cœur, les tissus du cœur sont gravement déficients en coenzyme Q10, comparativement aux individus en bonne santé. De plus, Folkers a prouvé que la consommation de coenzyme Q10 a considérablement amélioré l'état des trois quarts d'un groupe de patients âgés souffrant d'insuffisance cardiaque globale. Au cours des dix dernières années, une bonne cinquantaine d'articles substantiels portant sur l'utilisation de la coenzyme Q10 pour traiter les maladies du cœur, surtout l'insuffisance cardiaque globale, ont été publiés un peu partout dans le monde dans des revues médicales réputées.

Au Japon, des recherches poussées ont permis de constater que la coenzyme Q10 améliorait l'état de santé d'environ 70 p. 100 des patients. Cette substance est très utilisée en Italie, où elle a été expérimentée par plusieurs centres médicaux auxquels ont participé 2500 patients. Quatre-vingts pour cent des sujets atteints d'insuffisance cardiaque globale ont vu leur état s'améliorer après avoir introduit 100 mg de cette enzyme dans leur traitement conventionnel. Au cours d'une étude complémentaire, on a constaté qu'une dose quotidienne de 50 mg de coenzyme Q10 prise pendant un mois, seule ou combinée à d'autres traitements, a considérablement atténué les symptômes de l'insuffisance cardiaque et amélioré la qualité de vie des malades. Étant donné les recherches médicales entreprises à l'échelle internationale sur la coenzyme Q10, celle-ci est devenue le médicament privilégié dans de nombreux pays. Dans les hôpitaux d'Israël, on l'administre couramment aux patients atteints d'insuffisance cardiaque. Au Japon, où elle est l'un des six médicaments les plus utilisés, les médecins s'en servent depuis plus de trente ans. Si jamais vous souffrez d'insuffisance cardiaque durant une visite en Italie, il est probable qu'on vous la recommandera.

Le Dr Sinatra, également chef de clinique adjoint à la faculté de médecine de l'Université du Connecticut, fait partie du groupe de médecins de plus en plus nombreux qui recourent à la coenzyme Q10. «Personnellement, dit-il, j'utilise cette substance pour tous mes patients souffrant d'insuffisance cardiaque globale, s'ils sont d'accord.» Il a traité des milliers de patients cardiaques avec la coenzyme Q10 et il estime qu'elle a aidé plus de 70 p. 100 d'entre eux. Il croit que certains de ses échecs sont attribuables à des doses inadéquates ou à un produit dont la puissance était insuffisante. La dose doit être telle qu'elle augmente considérablement le taux de coenzyme Q10 dans le sang; selon lui, si cela se produisait, tous ses patients iraient mieux.

NOUVELLES RECHERCHES PROMETTEUSES AU CANADA

Le cas du stimulateur cardiaque devenu inutile

Enfin! La coenzyme Q10 fera bientôt l'objet de l'attention de la médecine conventionnelle grâce au Dr Michael Sole, professeur de médecine à l'Université de Toronto et directeur du Peter Munk Cardiac Centre, l'un des centres de traitement et d'étude des maladies cardiaques les plus grands et les plus éminents du monde. Selon le Dr Sole, il est grand temps que l'on étudie sérieusement le potentiel de la coenzyme Q10 pour le traitement des maladies de cœur, plus particulièrement de l'insuffisance cardiaque globale, en raison de l'imposante quantité de données, dont celles résultant des études menées par Karl Folkers, qui figurent déjà dans les fichiers de documents médicaux. Le docteur Sole et ses collègues entreprennent à ce sujet des études sur les animaux, qui seront suivies d'études sur les humains atteints de maladies de cœur, principalement d'insuffisance cardiaque globale. Les chercheurs commenceront par étudier les effets de cette substance sur la fonction cardiaque et sur les changements métaboliques du cœur pendant une période de trois à six mois. (Les patients continueront de prendre également leurs médicaments habituels.)

Le Dr Sole reconnaît que son intérêt pour la coenzyme Q10 a été suscité par son expérience avec un patient qui avait besoin d'un stimulateur cardiaque, qui ne l'a pas eu et qui s'est rétabli quand même. «J'avais un patient, dit-il, dont l'état cardiaque se détériorait, qui souffrait d'un bloc cardiaque et qui avait besoin d'un stimulateur cardiaque. J'ai recommandé qu'il s'en fasse implanter un. Quand je l'ai revu quatre mois plus tard, il ne l'avait pas encore. À mon grand étonnement, son état, qui se détériorait depuis plusieurs années, s'était amélioré de façon remarquable. Je lui ai dit: "C'est étonnant! Je n'ai jamais rien vu de tel dans toute ma carrière de cardiologue!" C'est alors qu'il m'a avoué qu'il ne voulait pas avoir de stimulateur et que, après m'avoir vu, il avait parlé à un ami qui prenait de la coenzyme Q10 et avait décidé d'en prendre, lui aussi.» Est-ce la coenzyme Q10 ou une simple coïncidence qui explique ce cas étonnant? Le Dr Sole déclare qu'il s'agit d'un cas unique et qu'il n'a pas de réponse à cette question. «Mais le revirement était assez spectaculaire, ajoute-t-il, pour que je me pose cette question. Bien entendu, j'ai vu des remèdes miracles apparaître et disparaître; pour déterminer avec certitude si la coenzyme Q10 en est un, il nous faut nous livrer à des études contrôlées à double insu. En ce moment, cette substance semble assez prometteuse pour justifier des investigations plus poussées.»

Comment agit-elle?

La coenzyme Q-10 est un antioxydant unique qui pénétrerait dans les petites «centrales» des cellules, appelées mitochondries, où se produit l'oxydation qui donne aux cellules l'énergie qu'elles requièrent pour entretenir la vie. Pour brûler efficacement l'énergie, les mitochondries ont besoin de coenzyme Q10, dont on compare souvent l'action à celle d'une bougie d'allumage qui ferait démarrer et tourner le moteur des mitochondries.

Théoriquement, si la quantité de coenzyme Q10 est insuffisante, les cellules connaissent des «pannes de courant» qui nuisent au fonctionnement des organes vitaux, plus manifestement le cœur, qui a le plus besoin de cette substance en vue de produire l'intense énergie nécessaire pour qu'il batte. Lorsque les cellules endommagées du muscle cardiaque sont privées de cette substance essentielle, la production d'énergie s'affaiblit, entraînant le dysfonctionnement mitochondrial et cardiovasculaire. Selon les experts, l'apport au cœur d'un supplément de coenzyme Q10 revitalise les cellules privées d'énergie, augmente leur production et finit par rendre plus efficace un cœur qui ne doit plus travailler si fort pour faire circuler le sang. Autrement dit, la coenzyme Q10 améliore le fonctionnement mécanique du cœur en fournissant aux cellules le carburant dont elles ont besoin pour jouer efficacement leur rôle. La coenzyme Q10 pourrait également contribuer à la prévention et à la guérison des lésions dégénératives des cellules cardiaques, en plus d'aider à empêcher le «mauvais» cholestérol LDL d'obstruer les artères.

Quelle dose prendre?

Dans le cas d'une maladie cardiaque, la dose typique est de 50 à 150 mg par jour. Cependant, dans le cas d'une insuffisance cardiaque grave, la dose nécessaire pourrait atteindre les 300 mg par jour. Le Dr Sinatra est d'avis que, plus le patient est malade, plus son cœur est faible et plus la dose de coenzyme Q10 doit être élevée. Certains chercheurs recommandent une dose de 2 mg par kg de poids corporel. Fait essentiel à noter, pour être efficace, la dose de coenzyme Q10 doit faire monter considérablement le taux de cette substance dans le sang. La dose nécessaire varie selon l'individu, mais elle dépend aussi de la puissance ou biodisponibilité de la coenzyme Q10 utilisée. Chez certains patients, une dose de 100 mg suffit, tandis que chez d'autres, une dose deux ou trois fois plus forte est nécessaire pour faire monter le taux de coenzyme Q10 dans le sang. C'est l'avis du Dr Peter H. Langsjoen, cardiologue-chercheur texan de réputation internationale, qui recourt souvent à la coenzyme Q10 et qui a mené des recherches avec Karl Folkers.

Selon le Dr Langsjoen, le seul moyen d'être sûr de l'efficacité de cette substance et de déterminer la dose requise consiste à en mesurer le taux dans le sang.

Quelle est la vitesse de son action?

Les spécialistes sont d'avis que, en règle générale, il faut de deux à huit semaines pour que cette substance atténue les symptômes de l'insuffisance cardiaque. Vous devez continuer de prendre de la coenzyme Q10 pour maintenir son effet de raffermissement cardiaque, car ce n'est pas un traitement permanent de courte durée.

Et la sécurité?

Les effets secondaires sont mineurs et rares: généralement, une légère nausée passagère. Dans la vaste étude italienne dont j'ai parlé plus haut, 22 des 2664 sujets, soit moins de 1 p. 100, ont rapporté avoir fait l'expérience d'effets secondaires légers. Selon Karl Folkers, on n'a constaté aucune toxicité, même à fortes doses, ni chez les animaux ni chez les humains.

Attention! Rappelez-vous que la coenzyme Q10 ne peut se substituer aux médicaments conventionnels, mais que, pour donner les meilleurs résultats, elle est généralement utilisée comme complément à ceux-ci. Cette substance pourrait vous permettre de réduire la dose de vos médicaments conventionnels; toutefois, ne le faites que sous la surveillance de votre médecin. Même si beaucoup de ceux qui souffrent à divers degrés d'athérosclérose — la plupart des adultes en sont atteints dès la quarantaine — voudraient prendre de la coenzyme Q10 à titre préventif, sachez que l'insuffisance cardiaque est une maladie grave que l'on ne doit ni diagnostiquer ni soigner soi-même. Si vous souffrez d'une affection cardiaque grave, consultez votre médecin pour trouver le traitement approprié.

Préoccupations du consommateur

Toute la coenzyme Q10 est fabriquée au Japon et vendue à de nombreuses entreprises qui la conditionnent en comprimés, en capsules dures remplies de poudre ou en capsules molles. Comme la coenzyme Q10 est liposoluble, il est essentiel de la consommer avec une matière grasse pour en assurer l'absorption. Si vous vous contentez d'en avaler un comprimé, elle sera en grande partie gaspillée. Un cardiologue recommande de la prendre avec un peu de beurre d'arachide ou d'huile d'olive. Cependant de nouvelles recherches révèlent que la coenzyme Q10 conditionnée en capsules molles est souvent plus efficace que les comprimés et les capsules dures. Selon des essais récents, la biodisponibilité — fraction du médicament captée dans l'organisme sous forme active — de la capsule molle est de plusieurs fois supérieure à celle des comprimés et des capsules dures. Cela signifie que certaines capsules molles sont beaucoup plus puissantes et qu'il faut donc en prendre moins pour obtenir le même effet sur le taux de coenzyme Q10 dans le sang. Deux fabricants de capsules molles affirment que la biodisponibilité de leur produit est de trois à quatre fois supérieure à celle des comprimés ou capsules dures. Il s'agit de Soft Gel Technologies, de Los Angeles, et de Tishcon Corp., de Westbury, N.Y. Ces capsules molles sont vendues sous de nombreuses appellations commerciales qu'il serait trop long d'énumérer ici.

Vous pouvez également obtenir la coenzyme Q10 en pilules masticables, dont la biodisponibilité, selon le Dr Langsjoen, est de loin supérieure à celle des comprimés à avaler. La gaufrette masticable qu'il consomme et qu'il a utilisée dans ses recherches est offerte par Vitaline Corp., de Ashland, en Oregon. Malheureusement, surtout à cause du monopole japonais, la coenzyme Q10 coûte relativement cher.

À quelle autre fin peut-elle servir?

La principale fonction de la coenzyme Q10 est de soulager l'insuffisance cardiaque globale. Cependant, des études révèlent qu'elle est également efficace dans le traitement d'autres affections cardiovasculaires: hypertension, arythmie cardiaque, angine de poitrine et prolapsus valvulaire mitral. À cause de ses puissantes propriétés antioxydantes, on expérimente l'utilisation de cette substance chez des patients atteints de maladies neurologiques dégénératives — comme la maladie de Parkinson, la chorée de Huntington, la sclérose latérale amyotrophique et la sclérose en plaques — dans de nombreux centres médicaux, dont la faculté de médecine de l'Université de Rochester et l'Université de Californie à San Diego. On espère que la coenzyme Q10 pourra ralentir la progression de ces maladies.

CANCER: LA DERNIÈRE FRONTIÈRE?

On étudie également l'utilisation de la coenzyme Q10 dans le traitement du cancer, plus particulièrement du cancer du sein, avec des résultats qui seraient spectaculaires. Le chercheur texan Karl Folkers, qui a été l'un des premiers à préconiser l'utilisation de cette substance contre l'insuffisance cardiaque, a découvert que les cancéreux présentent souvent, eux aussi, une carence en coenzyme Q10. Dernièrement, il a rapporté que le cancer a été enrayé au moyen de cette substance chez six de dix sujets suivis, qui ont survécu de cinq à quinze ans. Beaucoup de recherches sur les patients cancéreux, inspirées par celles de Folkers, ont été menées à Copenhague, par le cancérologue danois Knut Lockwood. Ce dernier recourt à des doses élevées d'antioxydants divers, dont la coenzyme Q10, et d'acides gras pour compléter l'action du traitement conventionnel contre le cancer du sein: chirurgie, chimiothérapie, radiothérapie et médicaments, tel le tamoxifène habituellement utilisé au Danemark.

DEUX DANOISES MIRACULÉES
«Leur cancer a tout simplement disparu»

En 1992, dans sa clinique de Copenhague, le chercheur danois Knut Lockwood a commencé à expérimenter la coenzyme Q10 et d'autres antioxydants sur 32 patientes atteintes d'un cancer du sein, âgées de 32 à 81 ans. Son étude est toujours en cours, et il prévoit qu'il en rapportera les résultats à long terme en 1998. Entretemps, lui et ses collègues, dont Karl Folkers de l'Université du Texas, ont publié plusieurs cas spectaculaires de rémission chez des femmes dont le cancer du sein a métastasé et qui ont utilisé des suppléments en même temps que subi les traitements conventionnels. Voici les récits de deux de ces cas, publiés en 1994 et en 1995 dans *Biochemical and Biophysical Research Communications* et dans *Molecular Aspects of Medicine*:

Régression étonnante En juillet 1991, à l'âge de 59 ans, K.M. a été opérée pour un cancer du sein. En octobre, s'étant jointe au groupe étudié par le Dr Lockwood, elle a commencé à prendre quotidiennement le grand nombre de suppléments prévus dans le protocole de recherche du médecin, dont: 2850 mg de vitamine C; 2500 UI de vitamine E; 32,5 UI de bêta-carotène; 387 g de sélénium; 1,2 g d'acide gamma-linolénique; 3,5 g d'acides gras oméga-3 (huile de poisson) et 90 mg de coenzyme Q10. Le cancer n'a pas métastasé, mais il est apparu de nouveau dans le sein. Un examen par mammographie a révélé que la tumeur ne se développait pas. En fait, pendant environ un an, elle a semblé demeurer «stabilisée à un diamètre de 1,5 à 2 cm».

En octobre 1993, le Dr Lockwood et ses collègues ont décidé d'augmenter à 390 mg la dose quotidienne de coenzyme Q10 de sa patiente. Un mois plus tard, à leur grand étonnement, les médecins ont constaté qu'ils ne pouvaient plus palper la tumeur. En décembre, le cancer avait complètement disparu de la mammographie; sur la radiographie, plus aucune trace de la masse ni aucun signe de microcalcification. Le cancer était en totale régression — il avait disparu! Le Dr Lockwood, qui a traité plus de 200 cas de cancer du sein par année pendant 35 ans, a déclaré qu'il n'avait jamais auparavant été témoin d'une régression spontanée complète d'une tumeur au sein mesurant de 1,5 à 2 cm. De plus, il n'avait jamais vu une régression comparable être provoquée par un traitement antitumoral quel qu'il soit.

Guérison d'un cancer mortel En septembre 1992, une patiente du Dr Lockwood, âgée de 42 ans et atteinte d'un cancer du sein, a subi une mastectomie double. Le cancer s'était déjà propagé à deux des douze ganglions lymphatiques situés à l'aisselle droite. Elle a reçu dix traitements de chimiothérapie.

En avril 1994, des analyses ont révélé la présence de métastases dans le foie de la patiente. Cette situation est à ce point grave que ses médecins ont déclaré: «On peut considérer les métastases au foie comme étant le prélude à la mort.»

La dose quotidienne de coenzyme Q10 de cette patiente a été augmentée de 90 mg à 390 mg. Elle a continué à prendre les mêmes suppléments qu'elle prenait depuis sa mastectomie double, en plus de prendre 30 mg de tamoxifène chaque jour. En avril 1995, une échographie a révélé que les cellules cancéreuses du foie avaient complètement disparu; rien n'indiquait non plus que le cancer avait pu se propager ailleurs dans le corps.

Le Dr Lockwood a attribué à la coenzyme Q10 la régression du cancer du sein et la rémission du cancer du foie, précisant que de telles occurrences consécutives à des traitements conventionnels sont extrêmement rares. Il est d'avis que, pour la plupart des cancers du sein, on devrait prescrire la coenzyme Q10 en plus des traitements conventionnels; selon lui, la dose quotidienne devrait être de 90 à 390 mg.

Note: La coenzyme Q10 est un antioxydant puissant pour lequel on a constaté une action anticancéreuse, que ce soit en éprouvette ou dans des études menées sur des animaux. Certains médecins américains ajoutent cette substance au supplément diététique et vitaminique qu'ils prescrivent à leurs patients cancéreux. Même si personne ne peut dire avec certitude ce qui est à l'origine de la «rémission spontanée» d'un quelconque cancer, les cas relatés constituent une preuve médicale de l'action anticancéreuse de la coenzyme Q10. N'oubliez pas que cette substance n'a pas été prescrite seule, mais avec d'autres agents anticancéreux, dont les médicaments habituellement utilisés contre le cancer. Sachez également que Karl Folkers et Knut Lockwood préconisent l'utilisation de cette coenzyme non pas en tant que «projectile magique», mais plutôt comme un adjuvant aux traitements conventionnels du cancer, comme un facteur contribuant à la rémission de la maladie.

LE PROZAC DES PLANTES

(Millepertuis — Hypericum perforatum)

En Allemagne, le médicament le plus utilisé contre la dépression n'est pas le Prozac, mais la version qu'en offre la nature. Vous pouvez facilement vous procurer cette substance ici, si vous en avez besoin.

Si vous souffrez de dépression faible ou modérée, avant de choisir les antidépresseurs massues dont les effets secondaires sont dangereux et dont le prix est prohibitif, pourquoi ne pas essayer un remède scientifiquement éprouvé et largement utilisé en Europe: un extrait de millepertuis, plante de la famille des hypéricacées. En Allemagne, c'est le remède de choix contre la dépression; il s'en vend plus que de tous les autres antidépresseurs combinés, sept fois plus que le Prozac. Bon an, mal an, les médecins allemands prescrivent 3 millions de fois le millepertuis, en se fondant sur l'homologation gouvernementale et sur les résultats d'essais cliniques rigoureux. Près d'une trentaine d'études méticuleusement menées prouvent que cette plante soulage la dépression, souvent avec autant d'efficacité que les antidépresseurs puissants, et sans effets secondaires désagréables.

Les médecins et les fonctionnaires américains commencent enfin à s'intéresser au millepertuis comme traitement doux, mais puissant de certaines formes de dépression. Les preuves formulées en Europe sont si convaincantes que le National Institute of Mental Health (NIMH) lance une étude clinique pour déterminer si les autorités en matière de santé peuvent autoriser l'utilisation de cette plante comme solution de rechange aux antidépresseurs actuels. S'il est prouvé qu'elle est plus efficace que les placebos et peut-être aussi, sinon plus efficace que les médicaments comme le Prozac, ce sera une bénédiction pour les millions d'Américains qui ont besoin d'un antidépresseur, mais qui en craignent les effets secondaires alarmants. C'est l'avis du Dr Jerry Cott, chef de la recherche en pharmacologie au NIMH. Mais la bonne nouvelle, c'est que vous n'avez pas besoin d'attendre avant de l'essayer, parce que cette plante est déjà offerte sous forme de «supplément diététique» sans que l'autorisation de la FDA soit obligatoire. Le millepertuis a déjà aidé des millions d'Européens et d'Américains.

LE REMÈDE MIRACLE D'ELIZABETH
«J'étais vraiment déprimée; le millepertuis m'a rendue à la vie»

C'était l'une de ces tragédies dont on croit qu'elles ne se produiront jamais. En 1985, Elizabeth Dante, jeune mère de famille de Laguna Beach, en Californie, a contracté la polio après s'être fait vacciner. Paralysée depuis un an, Elizabeth s'est fait dire qu'elle ne marcherait plus jamais. Des douleurs constantes lui brûlaient le cou et les jambes. Il ne faut donc pas s'étonner qu'elle soit devenue dépendante des analgésiques. En 1992, elle s'est rendu compte qu'elle était déprimée, suicidaire même. Elle et son mari étaient inquiets. «Il m'est devenu de jour en jour plus difficile de mener une vie normale, se souvient-elle. Certaines de mes dépressions étaient si profondes qu'elles me faisaient peur. Je traversais une période vraiment noire.»

Puis, il y a quatre ans, son mari lui a offert un livre, intitulé *How to Heal Depression*, écrit par le Dr Harold Bloomfield, psychiatre à Del Mar, en Californie. Impressionnée, Elizabeth est allée le voir. Il lui a prescrit un antidépresseur, puis un autre, mais elle a dû cesser de les prendre à cause de leurs effets secondaires désagréables. Le Dr Bloomfield lui a alors prescrit du Paxil, antidépresseur populaire, cousin du Prozac. Celui-là a été efficace. Elle se sentait mieux, plus énergique, mais un petit peu «droguée». Elle a continué à prendre religieusement ce médicament parce qu'elle ne voulait plus revivre les moments suicidaires qui l'avaient tant effrayée.

Après environ trois ans, Elizabeth a souhaité s'affranchir du Paxil. «Vu mon expérience avec les analgésiques, dit-elle, je ne voulais plus dépendre de quelque substance que ce soit. Je voulais me libérer de toutes les drogues.» Mais c'était risqué. Le Dr Bloomfield lui a proposé un antidépresseur naturel, très utilisé en Allemagne, appelé millepertuis ou Hypericum. «J'étais un peu sceptique, raconte Elizabeth, mais je me suis dit que j'allais l'essayer.» Elle savait aussi que si sa dépression refaisait surface, elle pourrait toujours revenir au Paxil. Le Dr Bloomfield lui a préparé un calendrier de sevrage grâce auquel elle réduirait progressivement la dose de Paxil en augmentant celle de millepertuis. Au bout de quelques semaines, elle était libérée du Paxil et se sentait mieux qu'elle ne s'était sentie depuis des années. «J'ai senti, dit-elle, l'effet du millepertuis beaucoup plus rapidement que le Dr Bloomfield l'avait prévu. La transition s'est faite en douceur.»

«Je me sens tout à fait normale, ajoute-t-elle. Cela peut vous sembler une platitude, mais si vous aviez fait l'expérience comme moi de la douleur chronique et de la dépression, vous comprendriez que, pour moi, me sentir normale, c'est presque planer. Je n'ai pas l'impression d'être droguée mais d'être en bonne santé. C'est une sensation extraordinaire. Je me lève le matin le sourire aux lèvres, ce qui ne m'est pas arrivé depuis le déluge, même quand je prenais du Paxil. C'est comme si j'avais retrouvé ma personnalité d'antan.» Elizabeth ne prend plus d'analgésiques non plus. Grâce à une thérapie, elle a réappris à marcher; il lui arrive même de danser un peu. Elle continue à prendre une capsule de millepertuis trois fois par jour. Celle-ci lui coûte vingt-cinq fois moins cher qu'un comprimé de Paxil.

Elle s'enthousiasme chaque fois qu'il est question de millepertuis: «C'est une substance fabuleuse. Je l'adore. Je la recommande à tout le monde! De bien des façons, elle m'a vraiment rendue à la vie.»

LE MIRACLE DE JOEL
«Contrairement aux autres médicaments, celui-là a été efficace»

Aujourd'hui âgé de 43 ans, le Dr Joel Rutledge (il s'agit d'un pseudonyme, mais les détails d'ordre médical sont authentiques) a souffert de dépression toute sa vie. Il a été suivi par un psychologue durant son adolescence, puis, dans la vingtaine, il a commencé à prendre des antidépresseurs, qui ont assez bien contrôlé son état dépressif. Mais il lui fallait souvent changer d'antidépresseur. À l'hiver 1996, l'efficacité du médicament qu'il prenait commençait à se dissiper. Joel éprouvait une tristesse profonde, accompagnée d'apathie, de fatigue et de manque d'énergie, en plus d'avoir l'impression de n'avoir aucune valeur. Sa pratique médicale et la vie en général lui procuraient peu de plaisir.

On a diagnostiqué chez lui une «double dépression», c'est-à-dire une profonde dépression accompagnée d'une autre forme de cette maladie, la dépression hivernale (aussi appelée «trouble affectif saisonnier»), dans laquelle les modifications de la chimie cérébrale causées par la privation de soleil assombrissent l'humeur. Joel était suivi par le Dr Norman Rosenthal, autorité en matière de dépression hivernale et chercheur au National Institute of Mental

Health. Le Dr Rosenthal, très au fait des recherches menées en Europe sur le millepertuis, a pensé que la médecine par les plantes pourrait aider Joel à surmonter sa dépression croissante. En janvier, ce dernier a commencé à prendre du millepertuis en comprimés de 300 mg trois fois par jour, cela en plus de ses médicaments sur ordonnance, d'une photothérapie à la lumière artificielle et de consultations psychiatriques. Un tel traitement sur tous les fronts est courant dans les cas de dépression; on y ajoute souvent des antidépresseurs pour en tirer le maximum. Il est difficile de trouver le bon médicament à ajouter lorsque les autres se révèlent inefficaces, mais, lorsqu'on y parvient, celui-ci peut avoir des résultats spectaculaires.

C'est ce qui est arrivé à Joel avec le millepertuis. L'effet a été rapide et saisissant. Selon Joel, après deux ou trois doses seulement, son humeur a changé et il a retrouvé son énergie. «Au bout d'une semaine ou deux, raconte le Dr Rosenthal, il a senti une grande différence. Le médicament a agi très vite.» L'effet du millepertuis a été si remarquable dans son cas que Joel continue d'en prendre avec enthousiasme. Le Dr Rosenthal l'a conseillé à d'autres patients avec le même succès; il a l'intention de poursuivre ses recherches sur cette substance et il se dit enthousiasmé par la possibilité que le millepertuis puisse servir de médicament adjuvant pour de nombreux autres patients chez qui les médicaments prescrits ne donnent pas les meilleurs résultats. Le Dr Rosenthal trouve le millepertuis très efficace, puisque la dépression de Joel avait persisté, malgré tous les antidépresseurs conventionnels. Voilà qu'un médicament d'origine végétale a pu agir de concert avec ces antidépresseurs pour sortir Joel de sa léthargie et de son humeur sombre. «C'est extrêmement impressionnant», déclare le médecin.

Qu'est-ce que le millepertuis?

Le millepertuis (*Hypericum perforatum*) est une plante à fleurs jaunes surmontées d'une touffe de nombreuses étamines. Lorsqu'on froisse ses feuilles, celles-ci libèrent un pigment rouge contenant de l'hypéricine, substance dont l'action pharmacologique est reconnue. On l'appelle millepertuis parce que ses feuilles ponctuées de taches translucides ont l'air d'être criblées de trous («pertuis» a le sens vieilli ou dialectal de «trou»). Autrefois, on considérait le millepertuis comme une plante magique, capable d'éloigner les influences diaboliques.

Quelles sont les preuves de son efficacité?

L'efficacité du millepertuis comme antidépresseur dans les cas de dépression faible ou modérée a été confirmée par de nombreuses études, dans lesquelles cette plante a été comparée à d'autres antidépresseurs et à un placebo. Dans cette recherche, menée surtout en Allemagne et en Autriche, on a utilisé une préparation de millepertuis, appelée LI 160, vendue couramment comme médicament. Des études rigoureuses montrent que cette préparation a amélioré le sort de 60 à 80 p. 100 des sujets déprimés, soit à peu près le même pourcentage que les antidépresseurs synthétiques conventionnels. Dans une enquête récente menée en Allemagne auprès de 3250 sujets déprimés, 80 p. 100 d'entre eux ont rapporté une atténuation ou une disparition des symptômes après avoir pris du millepertuis pendant quatre semaines.

Il ne fait aucun doute que le millepertuis est efficace; toute une série d'études le prouvent. Une étude menée par des chercheurs de l'Université de Salzbourg auprès de 105 personnes déprimées révèle que l'efficacité du millepertuis est de 250 p. 100 supérieure à celle d'un placebo. Soixante-sept pour cent des sujets consommant quotidiennement 900 mg de millepertuis ont connu une amélioration spectaculaire de leur état au bout de quatre semaines, comparativement à 28 p. 100 pour le placebo. L'antidépresseur naturel a eu un effet positif sur l'humeur, sur l'inquiétude et sur les symptômes psychosomatiques, tels les troubles du sommeil, les maux de tête, les troubles cardiaques et l'épuisement.

Une étude semblable menée sur 39 sujets révèle que 70 p. 100 d'entre eux ont été guéris de leur dépression au bout d'un mois. Les symptômes les plus souvent vaincus sont l'apathie, la fatigue et les troubles du sommeil. Dans une autre étude majeure menée par plusieurs centres médicaux allemands auprès de 135 sujets déprimés, on a comparé l'efficacité d'une dose quotidienne de 900 mg de millepertuis à celle de 75 mg d'imipramine, un antidépresseur tricyclique couramment prescrit. Les résultats obtenus avec la plante ont été aussi bons — dans certains cas, supérieurs de 25 p. 100 — que ceux du produit pharmaceutique synthétique, tout en étant beaucoup moins dangereux et en provoquant des effets secondaires moins nombreux et moins marqués. D'autres recherches ont conclu que le millepertuis était aussi efficace, voire meilleur, que la maprotiline contre la dépression et pour l'amélioration de la fonction cognitive, le tout confirmé par des électroencéphalogrammes.

Le millepertuis peut également soulager la dépression hivernale, trouble de l'humeur causé par la privation de soleil. On traite généralement cette affection au moyen de la photothérapie. Mais le millepertuis combat aussi la dépression, selon le Dr Siegfried Kasper, de l'Université de Vienne, et selon Begona Martinez, de la clinique psychiatrique universitaire de Bonn. Ces deux spécialistes ont prescrit aux sujets atteints de dépression hivernale une dose quotidienne de 900 mg de millepertuis (extrait LI 160). Ils ont trouvé ce traitement si efficace qu'ils l'ont considéré comme une solution de remplacement valable à la photothérapie. Cependant, le millepertuis s'est révélé encore plus efficace lorsqu'il a été combiné à la photothérapie.

Une évaluation de 23 essais cliniques choisis à distribution aléatoire touchant 1757 sujets a été publiée dans le prestigieux *British Medical Journal* en 1996. Il s'agit là d'un résumé éloquent de l'efficacité du millepertuis. Les chercheurs Gilbert Ramirez, du centre des sciences médicales attaché à l'Université du Texas-Nord à Fort Worth, et Klaus Linde, de l'Université Ludwig-Maximilian de Munich, ont appliqué les mêmes normes rigoureuses de preuve scientifique au millepertuis et aux antidépresseurs pharmaceutiques conventionnels. Leur conclusion: l'efficacité du millepertuis est égale à celle des antidépresseurs conventionnels. En d'autres mots, le millepertuis a le pouvoir de soulager la dépression tout autant que les antidépresseurs prescrits par la médecine conventionnelle. Mais le millepertuis, contrairement à ces autres antidépresseurs, n'a presque pas d'effets secondaires indésirables, ce qui est appréciable.

Ces deux médecins ont fouillé les bases de données médicales pour en extraire toutes les études valables menées sur le millepertuis. Fait intéressant à noter, ils ont déclaré que, s'ils avaient limité leur travail aux études publiées en anglais, ils n'en auraient trouvé aucune. La plupart, publiées en allemand, sont donc inaccessibles à la majorité des médecins anglophones et, par conséquent, à leurs patients.

En Allemagne, le millepertuis est approuvé pour le traitement des cas faibles et modérés de dépression, d'anxiété et d'agitation nerveuse.

Comment le millepertuis agit-il?

En théorie, le millepertuis pourrait agir simultanément sur bon nombre des systèmes cérébraux grâce à ses différents constituants chimiques. «En ce moment, personne ne sait exactement comment cette plante agit pour soulager la dépression», déclare le psychopharmacologue Jerry Cott, du National Institute of Mental Health, bien que la recherche indique que l'extrait de cette plante présente une activité semblable à celle de certains antidépresseurs pharmaceutiques. Au début, les scientifiques ont cru que le millepertuis agissait un peu comme les inhibiteurs de la monoamine oxydase (IMAO), tel le Nardil, qui augmentent le taux des «substances encéphaliques de bien-être» (sérotonine et noradrénaline) en empêchant la monoamine oxydase de les désintégrer. Mais de nouvelles recherches indiquent que le millepertuis n'est pas un IMAO, sauf à des doses extrêmement fortes d'environ 100 fois celle qui est recommandée pour le traitement de la dépression. Le millepertuis soulagerait la dépression en agissant comme un «inhibiteur du recaptage de la sérotonine», comme le fait le Prozac.

Cependant, comme le dit le Dr Cott, on ne sait pas exactement lesquelles des substances chimiques contenues dans le millepertuis expliquent son effet antidépresseur. Depuis longtemps, on croit qu'il s'agirait de l'hypéricine, pigment rouge de la plante et psychotrope reconnu. Toutefois, des recherches récentes révèlent que l'hypéricine est moins puissante comme antidépresseur que l'extrait complet de la plante, ce qui laisse supposer que le mélange complexe de produits chimiques qu'elle contient, dont des xanthones et des flavonoïdes, est également essentiel à l'effet pharmacologique du millepertuis.

Quelle dose prendre?

Pour un adulte souffrant d'une dépression faible ou modérée, la dose recommandée, telle qu'elle a été déterminée dans des études, est de un comprimé (ou capsule) de 300 mg d'extrait de millepertuis (normalisé de manière à contenir 0,3 p. 100 d'hypéricine), trois fois par jour. Le sujet absorbe donc ainsi chaque jour environ 1 mg d'hypéricine, l'un des principaux ingrédients actifs de l'extrait. Vérifiez l'étiquette du produit pour vous assurer qu'il est normalisé quant à sa teneur en hypéricine.

Une nouvelle recherche menée par le Dr E. U. Vorbach, de la Clinique de psychiatrie et de psychothérapie de Darmstadt, en Allemagne, révèle qu'une dose plus forte de millepertuis — 1800 mg par jour, soit le double de la dose habituelle — peut soulager la dépression profonde si le patient ne présente pas de symptômes de psychose ou de délire. Sa recherche ne révèle aucune augmentation des effets secondaires due à l'augmentation de la dose.

Quelle est la vitesse de son action?

Même si certains sujets ont vu leur état s'améliorer rapidement, en deux semaines seulement, la plupart constatent une amélioration au bout de plusieurs semaines. Par exemple, une étude indique que la moitié des effets bénéfiques du traitement au millepertuis se manifestent entre la quatrième et la huitième semaine de traitement. Des études menées sur des animaux laissent croire que le millepertuis et ses effets antidépresseurs s'accumulent dans le cerveau. Certains experts recommandent de donner au moins six semaines au médicament naturel pour être efficace.

À quoi le patient peut-il s'attendre?

Le millepertuis peut ne pas être efficace chez certains et l'être moins que les antidépresseurs conventionnels chez d'autres. Mais, sur la foi de toutes les études menées, il semble que 80 p. 100 des sujets voient leur état s'améliorer. Selon certains tests d'évaluation de l'humeur, de 70 à 90 p. 100 des patients ont vu leur état s'améliorer grâce au millepertuis, comparativement à un taux de réussite de 42 à 55 p. 100 avec un placebo. Une analyse effectuée sur 3250 patients révèle que seulement 15 p. 100 d'entre eux n'ont pas du tout réagi au millepertuis.

Et la sécurité?

Selon ce qu'écrit le Dr Michael A. Jenike dans un éditorial du *Journal of Geriatric Psychiatry and Neurology*, l'une des caractéristiques les plus intéressantes du millepertuis est que ses effets secondaires sont rares et relativement bénins. La plainte rapportée le plus fréquemment est le dérangement gastro-intestinal. L'allergie au millepertuis n'est pas rare. Tous les effets secondaires rapportés se dissipent rapidement lorsque l'on cesse de consommer le millepertuis: aucun effet néfaste permanent n'a été constaté. Des études ont montré que des effets secondaires légers et réversibles sont apparus chez moins de 1 p. 100 jusqu'à 10 p. 100 des sujets. Par comparaison, 36 p. 100 des utilisateurs d'antidépresseurs pharmaceutiques souffrent d'effets secondaires parfois extrêmement graves et permanents. Il arrive qu'une légère réduction de la dose de millepertuis, permettant à l'organisme de s'y adapter, fasse disparaître les effets secondaires.

Certains médecins mettent les utilisateurs de millepertuis en garde contre l'exposition au soleil, en raison de réactions cutanées ou d'une photosensibilisation de la peau. Cet effet a été constaté chez des animaux à la peau claire qui broutent du millepertuis;

toutefois, selon des études, il faudrait augmenter de 30 à 70 fois la dose recommandée pour provoquer les mêmes problèmes chez l'humain. L'utilisation répandue de cette plante en Allemagne n'a fait ressortir aucune preuve de toxicité à court ou à long terme du millepertuis aux doses thérapeutiques recommandées.

Les patients qui consomment d'autres antidépresseurs ou qui souffrent de dépression grave, de symptômes psychotiques et de tendances suicidaires ne doivent prendre du millepertuis que sur l'avis et sous la supervision de leur médecin. La dépression peut être une maladie grave: il est risqué de la diagnostiquer et de la soigner soi-même. En outre, les femmes enceintes et celles qui allaitent ne doivent pas consommer de millepertuis. Il ne faut pas non plus en donner aux enfants, sauf sur avis du médecin. De même, ne consommez pas de millepertuis en combinaison avec des antidépresseurs prescrits, sauf sous surveillance médicale.

Quels sont les autres traitements?

Généralement, on traite la dépression faible ou modérée par plusieurs formes de psychothérapie, dont la thérapie behaviorale cognitive, et par la photothérapie, la cure de sommeil et, surtout, les antidépresseurs pharmaceutiques. Il en existe une bonne quarantaine sur le marché. La principale inquiétude qu'ils soulèvent, c'est le risque d'effets secondaires graves, affectant surtout le système nerveux, mais aussi l'appareil cardiovasculaire.

SI VOUS VOULEZ ESSAYER LE MILLEPERTUIS

Voici le conseil que donne le Dr Norman Rosenthal, psychiatre chercheur au National Institute of Mental Health et autorité mondiale en matière de dépression: quiconque utilise le millepertuis doit le faire sous surveillance médicale, car l'autotraitement de la dépression peut être dangereux. Cependant, comme beaucoup de médecins et d'autres professionnels de la santé ne connaissent pas encore bien le millepertuis, il propose ces règles générales:

- Ne comptez pas sur le millepertuis pour guérir à lui seul la dépression de façon magique. Son efficacité est maximale lorsqu'il est combiné aux autres thérapies, dont l'orientation psychologique, et, parfois, à d'autres médicaments.
- Si votre médecin vous a prescrit des antidépresseurs, ne cessez pas subitement de les prendre pour les remplacer par le millepertuis. Un sevrage rapide de ces antidépresseurs pourrait causer un effet de rebond dont les conséquences risquent d'être graves.
- Pour vous sevrer d'antidépresseurs comme le Prozac et le Paxil, réduisez-en graduellement la dose, tout en commençant graduellement à prendre du millepertuis.
- Le millepertuis est surtout recommandé pour le traitement de la dépression faible ou modérée, puisque la plupart des recherches ont été menées auprès de sujets atteints de telles dépressions. Nous avons de plus en plus de preuves que cette plante soulage également certains types de dépression grave (mais pas la psychose maniaco-dépressive), mais la recherche n'est pas aussi exhaustive ni aussi concluante pour ces cas-là.
- Prenez le millepertuis pendant au moins six semaines avant de décider s'il est ou non efficace pour vous. Cesser plus tôt le traitement est prématuré, comme ce l'est dans le cas des antidépresseurs conventionnels, car le millepertuis met du temps à produire ses effets bénéfiques.
- Si votre dépression s'aggrave ou que vous songez au suicide, ou si vous constatez l'apparition d'effets secondaires graves durant l'utilisation du millepertuis, cessez d'en prendre et consultez immédiatement votre médecin. Les effets secondaires légers s'estompent généralement à mesure que votre organisme s'adapte au millepertuis. Si ce n'est pas le cas, consultez un professionnel de la santé.

Préoccupations du consommateur

Pour être sûr d'obtenir chaque fois une dose mesurable uniforme de l'ingrédient actif, vous devez vous procurer un produit normalisé de haute qualité. En Allemagne, le comprimé de millepertuis qui a fait l'objet du plus grand nombre d'essais et qui est le plus répandu — 200 000 ordonnances par mois, comparativement aux 30 000 ordonnances de Prozac — est une formule chimique, le LI 160, vendue sous la marque de commerce Jarsin. La même formule de catégorie recherche, fabriquée par Lichtwer Pharma de Berlin, est désormais offerte aux États-Unis sous la marque de commerce Kira. Au Québec, on peut se procurer du millepertuis dans les magasins d'aliments naturels et dans les pharmacies où il y a des comptoirs de produits naturels.

UNE PILULE FORMIDABLE POUR LA MÉMOIRE

(GINKGO)

Ce puissant remède pour le cerveau peut ranimer votre mémoire défaillante, si vous le prenez suffisamment tôt. N'attendez pas qu'il soit trop tard.

Lorsque leur mémoire leur semble moins aiguë ou que d'autres signes de l'imminence du déclin mental commencent à se manifester avec l'âge, la plupart des gens se sentent impuissants et désespérés, piégés dans le fatidique «septième âge» de l'humanité, cette marche implacable vers la «sénilité», censément impossible à stopper. L'affaiblissement graduel de la mémoire et des facultés mentales, médicalement connu sous le nom de «démence», est généralement considéré comme une conséquence cruelle mais inévitable du vieillissement. Mais l'est-il? N'y a-t-il aucune pilule, aucun remède susceptible de ralentir le rythme de la détérioration mentale due au vieillissement? Sommes-nous vraiment impuissants devant la dégénérescence des cellules cérébrales qui nous frappera d'incapacité mentale ou qui nous plongera dans l'abîme d'oubli qu'est la maladie d'Alzheimer?

Avancer qu'une substance capable de traiter l'affaiblissement des facultés mentales se trouve dans la feuille d'un arbre commun peut sembler incroyable. Pourtant, dans toute l'Europe et en Extrême-Orient, on utilise un médicament d'origine végétale comme une potion, dont la réputation, ancienne et moderne, est considérable pour traiter le déclin de la fonction mentale causé par le vieillissement. Son utilisation commence, lentement mais sûrement, à apparaître dans les cabinets des médecins et dans les cercles scientifiques les plus prestigieux d'Amérique. Il s'agit du ginkgo, dont les effets bénéfiques sur la circulation sanguine et la fonction cérébrale en font un remède remarquable. Il est efficace dans les cas des maladies neurodégénératives et des maladies vasculaires, telle l'insuffisance de l'irrigation sanguine du cerveau due au rétrécissement des vaisseaux, cause fréquente de la détérioration de la mémoire et d'autres symptômes de la prétendue «sénilité». En Allemagne et en France, on prescrit couramment le ginkgo pour traiter les dysfonctions mentales dues au vieillissement, telles la démence et la maladie d'Alzheimer. Les preuves scientifiques de son efficacité et de son innocuité sont nombreuses et irréfutables, surtout quand on constate l'indigence des traitements conventionnels: aux États-Unis, les médicaments approuvés pour le traitement de la perte de la mémoire et de la maladie d'Alzheimer ont une efficacité limitée et provoquent des effets secondaires néfastes.

Le ginkgo peut faire des miracles dans le cerveau en en stoppant la détérioration, en retardant l'apparition de la «sénilité» et peut-être même en rajeunissant certaines facultés mentales, tout cela avec un risque très mineur d'effets secondaires. Ce qui est étonnant, c'est que nous avons tous facilement accès à un médicament à base de plante pour lequel des recherches rigoureusement scientifiques révèlent qu'il peut nous aider à protéger l'organe le plus important de notre corps, notre cerveau, source de notre humanité et de notre personnalité, et à l'empêcher de se détériorer en vieillissant et de provoquer ainsi des drames personnels et sociaux. Pourtant, mis à part les chercheurs, bien peu d'Américains en ont jamais entendu parler.

LE MIRACLE DU Dr JERRY COTT
«Le ginkgo a stoppé le déclin de la vie de ma mère»

Le Dr Jerry Cott, psychopharmacologue et chef du programme de recherche en traitement pharmacologique du National Institute of Mental Health, a étudié l'action pharmacologique du ginkgo sur les cellules cérébrales et connaît bien l'imposante documentation scientifique européenne traitant de son efficacité. Il est convaincu que cette substance contribue à retarder la détérioration de la mémoire et des capacités mentales attribuable aux petits accidents cérébrovasculaires et même à la maladie d'Alzheimer. En fait, sa propre mère, Eula Cott, a commencé à éprouver des troubles de mémoire un peu avant d'atteindre 80 ans. Quatre ans plus tard, on a diagnostiqué chez elle la maladie d'Alzheimer. Elle a subi au centre clinique du NIMH de Bethesda, au Maryland, un traitement expérimental comprenant divers médicaments. Aucun n'ayant été efficace, au bout de six mois on lui a donné son congé, et Eula est rentrée dans sa famille.

Le Dr Cott a alors commencé à lui faire prendre du ginkgo en doses normalisées de 240 mg par jour, doses dont on se sert en Allemagne pour traiter la maladie d'Alzheimer. Selon lui, sa mère n'a pas soudainement retrouvé la mémoire, puisqu'on ne peut s'attendre du ginkgo qu'il ressuscite les cellules cérébrales mortes. Mais quelque chose d'extraordinaire s'est produit. La maladie de sa mère n'a pas progressé comme cela aurait inévitablement dû être le cas. «Il est certain qu'une détérioration considérable de son état aurait dû être constaté au bout de six mois, déclare le Dr Cott. Mais il n'a pas du tout empiré en quatre ans, ce que je trouve, comme tous ses autres médecins, tout à fait remarquable.» Il croit que la vraie promesse du ginkgo est là: ce médicament peut intervenir dans le processus de détérioration progressive des cellules cérébrales, stoppant ainsi ou, du moins, ralentissant de façon spectaculaire la perte de la mémoire ainsi que les autres symptômes de l'une des maladies les plus dévastatrices pour lesquelles il n'existe aucun vrai traitement. «Je ne donnerais jamais de tacrine (tétrahydroaminoacridine, médicament approuvé par la FDA contre la maladie d'Alzheimer) à ma mère à cause de ses terribles effets secondaires, et les médicaments du même genre se sont révélés inefficaces pour elle», dit le Dr Cott. Mais le ginkgo ne provoque presque pas d'effets secondaires. Il est convaincu que ce médicament a aidé sa mère, aujourd'hui âgée de 88 ans, à vivre dignement dans un centre supervisé beaucoup mieux et beaucoup plus longtemps qu'il en aurait été autrement.

Qu'est-ce que le ginkgo?

Le ginkgo, ou *ginkgo biloba*, est extrait des feuilles du ginkgo, arbre ornemental d'origine extrême-orientale que l'on cultive dans les climats tempérés. Les produits chimiques les plus actifs de cette plante, les ginkgolides, sont généralement extraits des feuilles et transformés en comprimés de diverses forces. Ces puissants ginkgolides sont spécifiques au ginkgo et ne se trouvent nulle part ailleurs dans la nature.

Quelles sont les preuves de son efficacité?

Certains experts considèrent le ginkgo comme le plus important de tous les médicaments d'origine végétale. Depuis les années 1950, plus de 400 articles scientifiques ont été publiés sur le ginkgo, surtout par des chercheurs allemands. Une cinquantaine d'études cliniques contrôlées confirment l'efficacité du ginkgo dans le traitement des troubles de mémoire et de concentration, de la distractivité, de la confusion mentale, du manque d'énergie, de la fatigue, de la dépression, des étourdissements et des bourdonnements d'oreilles. Les chercheurs ont plus spécifiquement documenté l'utilisation du ginkgo dans le traitement de la démence, dont celle causée par la maladie d'Alzheimer.

Les effets du ginkgo peuvent être étonnants lorsqu'il revitalise l'activité cérébrale et qu'il stoppe la progression d'une myriade de symptômes reliés à une insuffisance circulatoire ou qu'il les élimine. Selon une étude allemande, la circulation sanguine des sujets, mesurée dans leurs capillaires, a été augmentée de 57 p. 100 une heure après l'ingestion de ginkgo. Deux autres recherches récentes menées avec rigueur en Allemagne montrent les effets impressionnants d'une utilisation régulière du ginkgo. Dans l'une d'elles, on a trouvé que le ginkgo améliorait la fonction cérébrale de 72 p. 100 en moyenne, après trois mois d'utilisation par 99 patients âgés qui souffraient de troubles cérébraux depuis environ deux ans. Dans l'autre étude, qui portait sur 200 patients dont l'âge moyen était de 69 ans et qui souffraient de problèmes de mémoire depuis environ quatre ans, on a constaté une amélioration de l'état de 71 p. 100 des sujets ayant utilisé le ginkgo pendant trois mois, comparativement à 32 p. 100 dans le cas d'un placebo.

Un soutien exceptionnel a été donné au ginkgo par les Drs Jos Kleijnen et Paul Knipschild de l'Université du Limbourg à Maastricht. En 1992, comme ils l'ont rapporté dans la prestigieuse revue médicale britannique *The Lancet,* après avoir analysé quarante études contrôlées faites sur des humains, ils ont conclu que le ginkgo était tout aussi efficace comme traitement de l'insuffisance circulatoire cérébrale (mauvaise irrigation sanguine du cerveau pouvant mener à la démence) que le médicament pharmaceutique codergocrine couramment prescrit en Europe contre cette affection. En fait, les chercheurs néerlandais étaient convaincus de l'efficacité du ginkgo au point de jurer qu'ils en prendraient eux-mêmes s'ils commençaient à perdre la mémoire ou à présenter d'autres symptômes d'insuffisance circulatoire cérébrale. De plus, ils ont déclaré que le ginkgo ne présentait aucun effet secondaire sérieux. La dose efficace typique utilisée dans ces études était de 120 mg par jour. L'amélioration de l'état des sujets était généralement perceptible au bout de quatre à six semaines.

UN NOUVEAU TRAITEMENT POUR LA MALADIE D'ALZHEIMER

L'une des causes fréquentes du déclin intellectuel relié au vieillissement est la mystérieuse et redoutable maladie d'Alzheimer, dans laquelle les cellules cérébrales sont peu à peu détruites. De nouvelles recherches enthousiasmantes révèlent que le ginkgo peut contribuer à stopper la progression de la démence due à la maladie d'Alzheimer ou à d'autres causes. Cela ne signifie pas que ce médicament guérit la cause sous-jacente de la destruction du cerveau ni qu'il ressuscite les cellules cérébrales mortes; cependant, plusieurs études font état d'une amélioration de l'état des sujets atteints de la maladie d'Alzheimer traités au ginkgo. Au cours d'une vaste étude très bien structurée, dont les résultats ont été publiés en 1996, des chercheurs de l'Université Libre de Berlin ont observé l'utilisation du ginkgo sur 222 patients externes fréquentant 41 centres d'études allemands. On aurait posé sur ces sujets, tous âgés de 55 ans ou plus, un diagnostic de démence légère ou modérée de type Alzheimer ou de type à infarctus cérébraux multiples. Pendant six mois, les patients ont reçu soit un placebo, soit une dose quotidienne de 240 mg d'extrait de ginkgo normalisé (EGb 761), pris deux fois par jour avant les repas.

L'état de ceux qui prenaient le ginkgo s'est indéniablement amélioré. Comme l'ont montré des essais spécifiques, l'état général des sujets, dont l'amélioration en matière de mémoire et d'attention, était environ trois fois meilleur chez les sujets traités au ginkgo que chez les autres. Ce médicament a été plus efficace au bout de six mois qu'au bout de trois. En outre, les effets secondaires en ont été rares et presque toujours mineurs: réaction allergique, maux d'estomac ou maux de tête généralement associés à tout traitement médicamenteux. Un seul effet secondaire sérieux s'est produit, un accident cérébrovasculaire, mais la relation de cause à effet avec le ginkgo n'a pas été confirmée. Les chercheurs ont conclu que l'utilisation du ginkgo pour soigner la démence pourrait présenter des avantages énormes, pour l'individu comme pour la société, en améliorant la qualité de vie du patient et en retardant le plus possible la perte d'autonomie et la nécessité de soins permanents.

DÉCOUVERTES PROMETTEUSES AUX ÉTATS-UNIS

Le Dr Turan M. Itil, neuropsychiatre de New York, est une autorité mondiale en matière de pharmacologie du cerveau et un pionnier dans la mise au point du traitement pharmaceutique des maladies cérébrales. À l'Organisation mondiale de la santé (OMS) il est président du Comité consultatif international sur le diagnostic, la prévention et le traitement de la maladie d'Alzheimer. De plus, le Dr Itil est professeur clinicien en psychiatrie au Centre médical de l'Université de New York et président du New York Institute for Medical Research, à Tarrytown. Il consomme du ginkgo pour préserver sa mémoire, comme le font aussi sa femme et, dit-il, «la plupart de ses amis âgés de plus de 65 ans». C'est que ce médecin connaît très bien le pouvoir qu'a le ginkgo sur le cerveau.

Après avoir dressé la carte de l'activité cérébrale provoquée par l'extrait de ginkgo et testé cette substance sur environ 300 patients atteints de troubles importants de la mémoire, le Dr Itil est convaincu que celle-ci peut stopper ou ralentir la progression de la perte de mémoire, de la démence et de la maladie d'Alzheimer reliées au vieillissement. «Comment en toute conscience pourrais-je recommander le ginkgo aux gens si je n'y croyais pas assez pour en prendre moi-même?» demande-t-il. Les preuves de l'efficacité du ginkgo sont si concluantes que le Dr Itil réclame des essais cliniques internationaux du ginkgo, en partie financés par le gouvernement américain et effectués dans une vingtaine des centres cliniques de l'OMS un peu partout dans le monde.

Le Dr Itil sait que le ginkgo a une action pharmacologique étonnante sur le cerveau, comme le révèlent les électroencéphalogrammes (EEG). Au cours d'un essai sur les effets de cette substance sur le système nerveux central, il a mesuré l'activité cérébrale d'un groupe d'hommes jeunes et en bonne santé, dont la moyenne d'âge était de 32 ans, qui avaient consommé trois marques de ginkgo. L'une de ces marques, Ginkgold (produit allemand vendu aux États-Unis par Nature's Way), était suffisamment active pour qu'on la considère comme «activateur des fonctions cognitives», au même titre que certains médicaments pharmaceutiques. Ces activateurs des fonctions cognitives sont des produits chimiques qui peuvent renverser les troubles de la mémoire et dont on se sert comme médicaments pharmaceutiques psychotropes ou «antidémence». Une heure après l'ingestion du Ginkgold, l'EEG a révélé une accentuation de l'activité des ondes alpha dans toutes les zones cérébrales du sujet. Essentiellement, le même phénomène se produisait après l'ingestion de tacrine, premier médicament autorisé aux États-Unis pour le traitement de la démence.

La question qui se pose est la suivante: Dans un essai comparatif, le ginkgo pourrait-il être aussi efficace que les médicaments pharmaceutiques pour modifier les ondes cérébrales de patients souffrant d'un affaiblissement de la mémoire? Le Dr Itil, se servant encore une fois d'EEG, a comparé les profils d'activité cérébrale de personnes ingérant respectivement du ginkgo et de la tacrine. Mais, cette fois, ses sujets étaient un groupe d'hommes et de femmes, dont l'âge moyen était de 67 ans, atteints de troubles de la mémoire, chez qui on avait diagnostiqué une démence légère ou modérée. Les EEG ont montré des profils d'activité cérébrale semblables, que les sujets aient ingéré du ginkgo, de la tacrine ou d'autres médicaments antidémence activateurs des fonctions cognitives, dont l'utilisation est approuvée en Europe.

Toutefois, le ginkgo s'est révélé supérieur aux autres médicaments, car il a modifié l'activité cérébrale de trois fois plus de sujets que l'ont fait ces derniers. Au bout de trois heures, le rythme alpha s'est accentué, parfois de façon remarquable, chez 66 p. 100 des sujets ayant ingéré une seule dose de 240 mg de Ginkgold. Dans le cas de la tacrine, cette proportion n'était que de 22 p. 100. Ces essais donnent beaucoup de crédibilité aux vertus du ginkgo. Des essais antérieurs menés par le Dr Itil ont montré que les individus plongés dans un état de délire et de confusion mentale causé par la démence présentent un EEG anormal qui devient normal s'ils prennent régulièrement de la tacrine; simultanément, la confusion et le délire disparaissent. Ainsi, le pouvoir encore plus grand du ginkgo pour «normaliser» l'EEG laisse supposer qu'il serait encore plus efficace que les médicaments pharmaceutiques approuvés, mais risqués, pour corriger certains aspects de l'affaiblissement des capacités mentales.

Comment le ginkgo agit-il?

Premièrement, le ginkgo est un antioxydant très puissant, c'est-à-dire qu'il protège les cellules contre les dommages, cause sous-jacente de toute désintégration de l'organisme, notamment les cellules cérébrales dysfonctionnelles et les vaisseaux sanguins obstrués du cerveau, du cœur et des extrémités. On croit que les principaux agents pharmacologiques du ginkgo sont des glucosides flavones et des lactones terpènes, substances chimiques uniques appelées ginkgolides. Le ginkgo inhibe l'agrégation des plaquettes du sang, réduisant ainsi la formation de caillots dangereux et l'accumulation de dépôts dans les vaisseaux. Selon de nouvelles recherches, l'effet anti-inflammatoire du ginkgo pourrait également être critique du fait qu'il stoppe la détérioration des artères endommagées. Des expériences menées en France révèlent que le ginkgo peut en fait restaurer la capacité des cellules cérébrales à transmettre des signaux aux neurotransmetteurs et à en recevoir. Ce sont les neurotransmetteurs qui gouvernent l'activité cérébrale. On ignore si les effets thérapeutiques directs de cette substance sur le cerveau résultent ou non d'une meilleure circulation sanguine. Le Dr Itil fait remarquer que le ginkgo améliore le métabolisme du glucose (sucre), augmentant ainsi l'énergie cérébrale. «Nous ignorons le pourquoi de ce phénomène, dit-il. Il est peut-être dû à l'augmentation de l'irrigation sanguine du cerveau, mais je n'en suis pas sûr.»

Les études remarquables menées à l'Université du Kentucky par le Dr David Snowdon étayent cette théorie. Au cours de l'autopsie du cerveau de religieuses catholiques âgées chez lesquelles on avait diagnostiqué la maladie d'Alzheimer, le Dr Snowdon a découvert que la cause de la perte de mémoire et de la démence pourrait ne pas être entièrement attribuable, comme on le croyait auparavant, à de graves lésions des cellules du cerveau (lésions neuropathologiques), mais plutôt aux dommages causés par une succession de petits infarctus cérébraux durant lesquels l'irrigation sanguine est interrompue. Voilà qui est intéressant, puisque cela signifie que l'on peut prévenir les dommages causés par une mauvaise circulation même si on ne peut contrôler la maladie d'Alzheimer sous-jacente. Ainsi, les terribles conséquences de cette maladie pourraient être traitées par la prévention de ces petits infarctus au moyen d'aspirine et d'autres anticoagulants, et par l'amélioration de la circulation sanguine, ce que fait merveilleusement bien le ginkgo. Tout cela confirme que l'amélioration de l'irrigation sanguine du cerveau est la principale raison de l'efficacité extraordinaire du ginkgo dans le traitement de l'affaiblissement mental.

Qui devrait prendre du ginkgo?

Quiconque éprouve des perturbations de la mémoire peut envisager de recourir au ginkgo comme moyen de stopper le déclin graduel de la mémoire et la démence pouvant être irréversible. Attendre risque d'être désastreux, selon le Dr Itil, qui fait remarquer que, plus vous vivez longtemps, plus vous êtes susceptible de connaître une détérioration générale de vos capacités mentales, connue dans le monde médical par le terrible terme de «démence». En outre, ceux qui éprouvent des troubles de mémoire le plus tôt dans leur vie sont ceux qui risquent le plus d'être gravement déficients plus tard. Les personnes dont la mémoire est atteinte durant la quarantaine et la cinquantaine, et particulièrement après soixante et soixante-dix ans, risquent de faire l'objet d'un diagnostic de maladie d'Alzheimer «probable» cinq ou dix ans plus tard. Dans une très large mesure, la démence reliée au vieillissement est causée par une maladie vasculaire dans le cerveau, dont l'accident cérébrovasculaire, et par la maladie cérébrale qu'est l'Alzheimer. Les premiers signes d'affection sont généralement des trous de la mémoire à court terme, la confusion mentale et des modifications de la personnalité, suivis plus tard de la paranoïa, de la dépression, du délire psychotique et, parfois, d'un retour à l'enfance nécessitant des soins totaux et permanents.

Quand commencer à prendre du ginkgo? Selon le Dr Itil, c'est à l'apparition des premiers signes de troubles de la mémoire, qui indiquent que tout ne va pas bien dans le cerveau. Une intervention précoce pourrait stopper la progression de la détérioration cérébrale.

Devrait-on prendre du ginkgo comme protection générale du cerveau après la quarantaine? Le Dr Cott est d'avis que c'est probablement une bonne idée. À 50 ans, il en prend pour prévenir l'affaiblissement de la mémoire. «J'avais le sentiment que j'étais assez âgé pour en prendre», dit-il.

Quelle dose prendre?

La dose thérapeutique éprouvée pour la perte de la mémoire à court terme et autres signes légers de troubles cérébraux dus à l'âge est de 120 mg par jour, répartie en trois prises de 40 mg. Cependant, une dose plus élevée est plus efficace, selon de nouvelles recherches, pour les sujets atteints d'une démence plus grave et de la maladie d'Alzheimer. La dose éprouvée pour ces cas est de 240 mg par jour. Les experts sont d'avis qu'il n'est pas nécessaire de prendre la dose la plus élevée dès le départ. Selon le Dr Itil, mieux vaut commencer par la dose la plus faible, observer s'il y a amélioration et, au besoin, monter progressivement jusqu'à la dose la plus élevée.

Quelle est la vitesse de son action?

Une amélioration de la mémoire survient généralement au bout de quatre à six semaines, bien que le ginkgo ait un effet immédiat sur le cerveau: selon des analyses d'EEG, il accélère l'activité cérébrale en moins d'une heure. Parfois, les sujets deviennent plus cohérents au bout d'environ une heure.

Cependant, au cours d'une vaste étude on a constaté que les effets bénéfiques du ginkgo semblent s'accumuler avec le temps, et particulièrement qu'ils sont plus importants au bout de six mois qu'au bout de trois dans les cas de démence. «Soyez patient, dit le Dr Itil. Les changements les plus spectaculaires pourraient ne pas se manifester avant six mois.» Il est d'avis que le ginkgo reste actif dans le cerveau sur une longue période: «Dans certains cas, nous avons vu l'effet du ginkgo subsister jusqu'à neuf heures après l'absorption d'une seule dose.»

Et la sécurité?

Les utilisateurs occasionnels se sont plaints d'effets secondaires mineurs et réversibles, comme des maux d'estomac et des maux de tête. Dans une vaste étude menée sur 8500 sujets, 0,5 p. 100 d'entre eux ont eu de telles réactions. Les doses élevées de ginkgo peuvent causer des étourdissements au début. Les experts recommandent que, en cas d'étourdissement, le sujet commence par une dose faible qu'il accroîtra progressivement jusqu'à la dose requise.

Le Dr Itil n'a jamais constaté d'effets secondaires graves chez les quelque 300 patients qu'il a traités au ginkgo. Il le considère même plus sûr que la vitamine E, qui a une excellente fiche de sécurité. Cependant, deux nouveaux cas ont été rapportés dans la documentation médicale qui associent le ginkgo à une augmentation du saignement derrière l'œil et dans le cerveau. Même si la cause de ces incidents n'a pas été confirmée, on sait que le ginkgo prolonge le saignement et augmente la circulation sanguine; les doses élevées pourraient être contre-indiquées pour les sujets qui prennent des anticoagulants ou dont l'hypertension n'est pas contrôlée, ainsi que pour ceux qui sont sujets aux saignements ou qui ont déjà eu un accident cérébrovasculaire dû à une hémorragie. Dans ces cas, le traitement au ginkgo doit faire l'objet d'une surveillance médicale.

Attention! Si vous souffrez de troubles de la mémoire, consultez immédiatement un médecin. Ils pourraient avoir d'autres causes, par exemple une tumeur au cerveau, qui requièrent un traitement médical. Ne présumez pas automatiquement que vous souffrez d'une perte de mémoire due au vieillissement que vous pouvez traiter vous-même au ginkgo.

Quels sont les autres traitements?

Deux médicaments «antidémence» d'ordonnance sont approuvés dans ce pays; mais, à cause de leurs effets secondaires majeurs, ils ne sont généralement recommandés qu'en dernier recours, c'est-à-dire lorsque la perte de mémoire et la dysfonction cérébrale sont avancées. Il n'existe aucun équivalent pharmaceutique du ginkgo qui peut être pris au moment où vous en avez le plus besoin, soit dès les premiers signes de troubles de la mémoire, soit lorsque vous voulez prévenir la perte de mémoire due au vieillissement.

> *Comment pouvez-vous dire que le ginkgo est efficace? C'est simple. Voyez s'il y a amélioration de la mémoire ou de la vie quotidienne de quelqu'un qui en prend. Dans la réalité, tous les tests perfectionnés et toutes les mesures d'onde cérébrale ne peuvent remplacer l'observation du sujet.*
>
> Jerry Cott, Ph.D., National Institute of Mental Health

Préoccupations du consommateur

Quel est le meilleur type de ginkgo? Les types de ginkgo n'ont pas tous la même puissance. Des trois marques mises à l'essai par le Dr Itil, seul le Ginkgold avait la puissance d'un médicament pharmaceutique. Les trois échantillons achetés dans des magasins américains avaient tous été correctement normalisés pour contenir 24 p. 100 de flavones glucosides et 6 p. 100 de terpènes.

Malgré cela, le Ginkgold a présenté une biodisponibilité et une action pharmacologique plus grandes que celles des deux autres échantillons. Le Ginkgold est identique à l'EGb 761, extrait de ginkgo normalisé, expérimenté en Allemagne et en France, et approuvé par le gouvernement allemand pour le traitement des symptômes de la démence vasculaire ou dégénérative, dont la déficience de la mémoire, les troubles de concentration, les bourdonnements d'oreilles et la claudication intermittente (qui est en fait une douleur due à la mauvaise circulation sanguine dans les membres inférieurs). Ce produit est vendu dans les magasins d'aliments naturels et dans les pharmacies où il y a des comptoirs de produits naturels.

À quelle autre fin peut-il servir?

Selon les recherches, le ginkgo semble améliorer d'autres pathologies neurologiques, comme le traumatisme craniocérébral, les bourdonnements d'oreilles d'origine vasculaire, la dépression reliée au vieillissement et certains symptômes cognitifs de la schizophrénie. Le ginkgo a également été utilisé pour traiter divers troubles cardiovasculaires, sans doute parce qu'il augmente la circulation sanguine: athérosclérose, varices et claudication intermittente (douleur dans les mollets causés par une insuffisance circulatoire dans les membres inférieurs).

L'augmentation de la circulation sanguine attribuable au ginkgo peut avoir des effets bénéfiques d'une grande portée. Des urologues allemands ont récemment découvert que le ginkgo constitue un excellent traitement pour l'impuissance: il stimule la circulation sanguine dans le pénis, favorisant ainsi l'érection. En fait, 78 p. 100 des 50 hommes souffrant d'impuissance par défaut d'érection d'origine circulatoire ont vu leur condition s'améliorer après avoir pris 240 mg d'extrait de ginkgo tous les jours pendant neuf mois. L'irrigation sanguine du pénis s'améliorait généralement au bout de trois mois. Chez 20 sujets, les érections spontanés sont réapparues après six mois. Dix-neuf autres sujets ont cessé d'être impuissants lorsqu'on leur a administré le ginkgo en combinaison avec l'injection de certains médicaments. Onze le sont restés. Au cours d'une étude antérieure, les chercheurs avaient constaté une amélioration à partir de doses quotidiennes de ginkgo de 60 mg seulement. Ni l'une ni l'autre de ces doses n'a entraîné d'effets secondaires.

DÉTRUIT LE CHOLESTÉROL ET DÉBOUCHE LES ARTÈRES

(FIBRE DE PAMPLEMOUSSE)

Elle devrait abaisser votre taux de cholestérol d'une façon plus spectaculaire que toute autre substance et elle pourrait nettoyer vos artères — le tout, sans les effets secondaires des médicaments.

L'athérosclérose apparaît dès l'enfance et progresse inexorablement jusqu'à ce que vos artères soient en ruine: rigides, dures et oblitérées par une accumulation de dépôts lipidiques et de débris. Vers la quarantaine, la plupart d'entre nous espèrent qu'un miracle médical viendra les sauver des conséquences redoutables de cette maladie, l'une des premières causes de mortalité en Occident. Il est vrai qu'un régime sévère, des médicaments, de l'exercice et la maîtrise du stress peuvent contribuer à enrayer la progression des lésions artérielles. Mais que feriez-vous si l'on vous disait qu'une poudre magique peut déboucher considérablement vos artères pour que le sang irrigue mieux le cœur et le cerveau, pour que vous risquiez moins la crise cardiaque, le pontage coronarien, l'accident cérébrovasculaire, l'angine de poitrine et toutes les autres affections causées par l'oblitération des artères? Et si cette poudre arrivait à réduire le taux de cholestérol dans votre sang, tandis que le dernier-né de l'industrie pharmaceutique n'y est pas encore parvenu?

Cette poudre existe, et de plus en plus d'utilisateurs la disent miraculeuse.

LE MIRACLE DE S. L. GARRETT
«Comment mes artères se sont débouchées sans médicament ni chirurgie»

À 70 ans, S. L. Garrett avait peu de raisons de s'inquiéter d'un accident cérébrovasculaire ou d'une crise cardiaque. Son taux de cholestérol sanguin était normal. Un examen médical, sept ans plus tôt, qu'il avait subi après avoir éprouvé une légère douleur à la poitrine, n'avait révélé aucune affection cardiaque. Puis, en décembre 1994, il avait souffert d'une perturbation visuelle alarmante dans l'œil gauche, signal d'un accident ischémique transitoire, lui-même le prélude fréquent d'un accident cérébrovasculaire. Ses médecins ont commencé par une scanographie du cerveau qui n'a révélé aucune lésion cérébrale. Craignant un blocage artériel, ils ont demandé une échographie des artères carotides, branches de l'aorte qui portent le sang à la tête et au cerveau. C'est alors qu'ils ont entendu dans l'artère gauche le bruit caractéristique indiquant une restriction de la circulation sanguine. Une artériographie, examen radiologique dans lequel on a injecté dans la carotide, au moyen d'un cathéter, un liquide opaque aux rayons X, a confirmé que la carotide gauche de Garrett était obstruée à 40 p. 100 par une accumulation de dépôts lipidiques. Et des signes d'ulcération de la paroi intérieure de l'artère ont été décelés. Sa carotide droite était elle aussi obstruée, mais dans une moindre mesure. Le rétrécissement n'était pas suffisant pour justifier le recours à une angioplastie (intervention destinée à rendre à une artère rétrécie son diamètre interne en y introduisant un cathéter muni à son extrémité d'un ballonnet, que l'on gonfle et dégonfle à plusieurs reprises). Si l'oblitération progressait, Garrett risquait l'accident cérébrovasculaire. Traitement recommandé: prise d'anticoagulants pour augmenter la circulation sanguine et surveillance médicale de l'état des artères.

Garrett, craignant les effets secondaires des anticoagulants, n'était pas emballé à cette idée. L'aspirine, une autre solution pour éclaircir le sang, était hors de question puisqu'il y était allergique.

Son fils, le Dr S. W. «Wayne» Garrett, radiologue au centre médical Columbia Putnam de Patatka, en Floride, a proposé au malade une solution de remplacement. Il était au courant des expériences menées sur la pectine de pamplemousse, une fibre, par le Dr James Cerda à l'Université de Floride, lesquelles expériences avaient révélé que celle-ci pouvait peut-être libérer les artères. Cerda avait été le professeur de Wayne. En outre, Wayne savait que la fibre réduit le taux de cholestérol de manière spectaculaire. «Rien que pour montrer à papa qu'elle était bonne, dit-il, j'ai décidé de prendre moi-même de la pectine pendant un mois. Je préparais par ailleurs un examen important; cette substance ne pouvait donc que m'être bénéfique.» Il appréciait le fait que, contrairement aux autres médicaments qui réduisent le cholestérol ou qui sont prescrits pour le cœur, la fibre n'a aucun effet secondaire dangereux.

Le Dr Wayne Garrett a donc pris la fibre de pamplemousse du Dr Cerda pendant un mois. Les résultats l'ont étonné: «Mon taux de cholestérol, généralement de 180 à 200, est tombé à 150. Plus important encore, mon taux de HDL (le bon cholestérol) est monté si haut qu'il a dépassé celui de LDL (le mauvais cholestérol), dans un rapport incroyable, moins de un. J'ai été vraiment stupéfié par l'efficacité de la fibre.» (Plus le rapport entre le LDL, ou le cholestérol total, et le HDL est faible, plus le risque de maladies cardiaques diminue.) Un rapport inférieur à un est extrêmement rare, surtout chez les hommes, et bénéfique.)

Garrett père, impressionné, a donc commencé à consommer de la fibre de pamplemousse en janvier 1995, trois fois par jour, mélangée dans de l'eau ou du jus. Seize mois plus tard, en mai 1996, il a subi une autre échographie des carotides. Leur paysage intérieur avait changé du tout au tout. L'accumulation de dépôts avait minci de plus d'un tiers. L'artère carotide gauche n'était plus obstruée à 40 p. 100 mais à 25 p. 100. La paroi artérielle interne, naguère boursouflée par des débris, était beaucoup plus lisse et plate. L'ulcération était presque entièrement guérie. Du fait que le diamètre intérieur des carotides avait augmenté, la circulation artérielle était devenue «excellente».

Où donc est allée cette accumulation de dépôts? De toute évidence, elle a été délogée, dissoute et emportée sous l'action de la fibre de pamplemousse. «Cela ne fait aucun doute, dit Wayne, puisque papa n'a rien changé à ses habitudes. La fibre est à l'origine de l'amélioration de son état.» En outre, la fibre de pamplemousse a sûrement contribué à nettoyer les autres artères de son père, puisqu'elle n'en cible aucune en particulier. «Je me sens plus énergique que je ne l'ai été depuis des années», déclare Garrett père.

Est-ce un miracle? Ce l'est sûrement aux yeux de bon nombre d'utilisateurs de cette fibre. Personne ne peut imaginer un médicament pharmaceutique qui puisse éliminer l'accumulation de dépôts et ainsi rouvrir les artères. Le plus que puissent ces médicaments, si vous êtes chanceux, c'est qu'ils empêcheront la progression de l'oblitération. Mais véritablement éliminer l'oblitération? Le consensus en médecine est que cela est peu probable, sinon impossible, surtout sur une si courte période, et surtout avec un médicament aussi doux que la fibre de pamplemousse. Le Dr Cerda ajoute: «Si un nouveau médicament pharmaceutique avait le même effet — qu'il élimine le tiers de l'accumulation de dépôts dans de vieilles artères malmenées —, ses fabricants déclareraient qu'il s'agit d'un remède miracle et en vendraient pour des milliards de dollars parce que tout le monde en voudrait.»

LE MIRACLE DE JOAN
Un chute de 90 points de cholestérol en un mois

Joan Levin est titulaire d'une maîtrise en santé publique de l'Université John Hopkins, en plus d'être diplômée en droit. Dans la cinquantaine, lorsque son taux de cholestérol a commencé à grimper graduellement, elle savait ce qu'elle devait faire: suivre tous les régimes de contrôle du cholestérol qu'elle pouvait trouver. «J'ai tout essayé, dit-elle, dont des régimes sans gras très stricts et de l'exercice, mais sans résultat. Je craignais de prendre des médicaments comme le Mevacor et le Zocor en raison de leurs effets secondaires sur le foie. Tout ce qui modifie le métabolisme du foie, comme ces médicaments, me terrifiait.» Comme le taux de cholestérol de Joan ne cessait malgré tout de grimper, son médecin insistait: elle n'avait pas le choix et devait prendre des médicaments pour réduire son taux de cholestérolémie, puisque rien d'autre n'était efficace chez elle.

En été 1996, ayant entendu parler d'un produit spécial à base de fibre de pamplemousse, elle a commencé à en prendre, dissous dans de l'eau. Même si l'étiquette précisait qu'il fallait en prendre trois fois par jour, elle se limitait à deux prises, toujours soucieuse de ne pas dépasser la dose quotidienne recommandée. Au bout d'un mois, elle a fait analyser son taux de cholestérol. Lorsqu'elle a reçu par la poste les résultats de l'analyse, elle n'a pu s'empêcher de lancer un cri de joie: son taux était tombé de 295 à 208! «Le taux de mauvais cholestérol (LDL) et de triglycérides est tombé d'une centaine de points, dit-elle. C'est fantastique, vraiment miraculeux. Je ne comprends pas pourquoi quiconque accepterait de prendre des médicaments dangereux avant d'essayer celui-là. Si, au bout d'un mois, vous constatez qu'il n'est pas efficace, vous pouvez toujours prendre autre chose.»

La fibre de pamplemousse a également eu sur Joan des effets secondaires inattendus et fabuleux: au bout de trois mois, sans même essayer, cette femme de 1 m 70 et de 73 kilos a maigri de 7 kilos. «Je me suis rendu compte, dit-elle, après une quinzaine de jours que j'avais moins faim qu'avant. Je maigrissais graduellement. Je n'ai plus comme avant ces envies impérieuses de manger.» En outre, l'énergie de Joan s'est décuplée. Elle qui n'avait jamais été portée sur l'exercice, elle s'est mise à la marche de compétition; en automne, durant une course organisée à Chicago, elle est arrivée deuxième dans son groupe d'âge parmi les 350 participants. «J'ai battu tous les hommes de mon groupe d'âge, dit-elle fièrement. Cette fibre a changé ma vie.»

Joan continue de consommer de la fibre de pamplemousse, espérant réduire son taux de cholestérol à 180. Bon nombre des gens à qui elle parle de son traitement se montrent enthousiastes, dont certains de ses amis qui travaillent en médecine et en science. Mais certains, que ce produit pourrait aider, restent sceptiques. «Malheureusement, on nous a à tous lavé le cerveau. La plupart d'entre nous croient que le seul médicament efficace est un médicament breveté prescrit par un médecin. Tous les autres sont automatiquement suspects. C'est vraiment dommage, car, à mon avis, ce produit pourrait aider bien des gens.»

MIRACLE CHEZ LA MÈRE D'UN CHIRURGIEN DU CŒUR
«J'ai remplacé le Mevacor par la fibre de pamplemousse»

Le Dr Daniel Knauf, chirurgien spécialiste des vaisseaux sanguins et professeur à la faculté de médecine de l'Université de Floride, affirme que sa mère de 76 ans a vu son taux de cholestérol tomber à son plus bas niveau depuis des années, sous la barre des 200, grâce à la fibre de pamplemousse. Elle a ainsi pu cesser de prendre des médicaments pour réduire son taux de cholestérol sanguin — elle avait pris du Provochal pendant cinq ans et prenait du Mevacor depuis six mois —, qui étaient moins efficaces que la fibre de pamplemousse. En outre, le Mevacor provoquait des symptômes de lésions hépatiques. Depuis deux ans, elle contrôle son cholestérol grâce à la seule fibre de pamplemousse, ce qui a poussé son fils médecin à plaisanter: «Ce produit-là pourrait m'acculer à la faillite.»

Qu'est-ce que la fibre de pamplemousse?

Le mélange spécial de fibre de pamplemousse qui a débouché les artères de Garrett et abaissé le taux de cholestérol de Joan Levin est une forme unique de pectine — fibre hydrosoluble —, surtout tirée des écorces, membranes et poches de jus du pamplemousse, que l'on combine à une autre fibre hydrosoluble, la gomme de guar. Après traitement, on obtient une poudre insipide jaune pâle, que l'on peut dissoudre dans des liquides ou saupoudrer sur des aliments. Cette fibre, brevetée par l'Université de Floride et par le Dr James Cerda, est commercialisée sous le nom de ProFibe, aux États-Unis.

Quelles sont les preuves de son efficacité?

Des douzaines d'études irréprochables menées aux États-Unis et ailleurs dans le monde ont indiqué que la fibre soluble et ses sous-produits contenus dans les aliments, comme les bêta-glucanes de l'avoine et la pectine des fruits, peuvent tous réduire le taux de cholestérol sanguin. Lancé sur cette piste, le Dr James J. Cerda, gastro-entérologue et professeur de médecine à l'Université de Floride, a pendant vingt ans concentré son attention sur les pouvoirs uniques de la pectine, fibre soluble du pamplemousse, pour protéger et restaurer les artères. Sa première expérience concluante, en 1988, a révélé que la pectine de pamplemousse réduisait de façon spectaculaire le cholestérol chez des porcs miniatures à qui l'on imposait un régime à teneur élevée en matières grasses. L'appareil cardiovasculaire du porc est presque identique à celui de l'être humain. L'alimentation de ces porcs contenait 15 p. 100 de lard (environ 40 p. 100 de l'apport en calories total provenait du gras). Évidemment, le taux de cholestérol sanguin des animaux a monté en flèche, et leurs artères se sont obstruées. Mais lorsque ces porcs ont également consommé de la pectine, leur taux de cholestérol a été réduit de 20 à 25 p. 100. Cela n'a toutefois pas été ce qui a le plus surpris le Dr Cerda: lorsqu'il a examiné au microscope leurs artères, il n'en croyait pas ses yeux. Celles des porcs consommant de la pectine étaient beaucoup moins obstruées et généralement beaucoup plus saines que celles des autres sujets.

Le Dr Cerda a alors pensé que la pectine de pamplemousse, en plus de réduire le taux de cholestérol, pouvait aussi prévenir l'oblitération des artères, voire la renverser. C'est pourquoi, pendant un an de plus, 15 nouveaux porcs ont reçu une alimentation riche en lard. Le Dr Cerda a ensuite ajouté de la fibre de pamplemousse à l'alimentation de la moitié de ses sujets. Neuf mois plus tard, les porcs ont été abattus et on a examiné soigneusement cœurs et artères. «Ce travail était enthousiasmant», déclare le Dr Cerda. Les artères des porcs ayant consommé de la pectine étaient beaucoup plus saines que celles des autres porcs; on y constatait beaucoup moins de signes de destruction des artères — épaisses accumulations de dépôts sur la paroi intérieure et oblitération presque complète des artères — que chez les porcs privés de pectine. Les chercheurs ont mesuré la superficie de la paroi artérielle couverte d'une plaque de lipides et le diamètre de la lumière artérielle. Découverte étonnante: les porcs nourris à la pectine présentaient 60 p. 100 de moins d'athérosclérose que les autres dans les artères coronariennes et dans l'aorte. Cela signifiait que la pectine est un remarquable agent de guérison artérielle, qu'il débouche les artères et en rend la paroi intérieure plus lisse, ou un puissant agent qui inhibe la progression de l'athérosclérose, ou encore les deux.

RÉDUCTION DU CHOLESTÉROL CHEZ TOUS LES SUJETS

Chez les humains, le Dr Cerda a prouvé que la fibre de pamplemousse réduit dans une certaine mesure le cholestérol chez presque tout le monde. Dans l'une de ses études, il a mesuré le taux de cholestérol des 100 premiers patients à se rendre dans la clinique hospitalière où il pratique. Il les a tous incités à consommer 15 g de fibre de pamplemousse par jour. «Ce que nous avons constaté est extraordinaire, dit-il. Leur taux de cholestérol, généralement de 220 à 300, a été réduit de 25 à 30 points, en un seul mois!» Chez certains sujets dont le taux de cholestérol était particulièrement élevé, la fibre de pamplemousse l'a réduit, mais pas assez au goût des médecins. Dans ces cas, une combinaison de médicaments conventionnels, comme le Mevacor ou le Zocor, et de fibre de pamplemousse pourrait être efficace. Une petite étude non publiée, menée sur sept patients dont le taux de cholestérol allait de 350 à 400, a révélé que la pectine ou un médicament conventionnel utilisé seul faisait tomber ce taux entre 225 et 300. Des doses normales de pectine et de médicament conventionnel, combinées, faisaient souvent tomber ce taux sous les 200.

Des essais sur la capacité de la fibre de pamplemousse à ouvrir les artères, à renverser l'athérosclérose, commenceront bientôt dans plusieurs centres américains sur 200 patients dont les artères carotides sont malades. Au cours d'un essai à double insu d'une durée de 18 à 24 mois, la moitié des patients recevront la fibre de pamplemousse (ProFibe), tandis que l'autre recevra une poudre inactive (placebo). Toute régression de la maladie artérielle sera détectée par échographie.

Comment agit-elle?

On ne sait pas exactement par quels mécanismes la fibre soluble réduit le taux de cholestérol. Voici deux théories à ce sujet: la fibre créerait une couche d'eau infiniment mince sur le tube digestif, ce qui inhiberait l'absorption des graisses qui élèvent le taux de cholestérol; la fibre donne naissance à des sous-produits chimiques qui empêchent le foie de produire du cholestérol, un peu comme le font les médicaments conventionnels. Comment la fibre de pamplemousse peut-elle dissoudre l'accumulation de dépôts et rouvrir les artères? Cela, c'est plus mystérieux. Le Dr Cerda émet cette hypothèse: dans le pamplemousse, un polysaccharide unique, l'acide galacturonique, réagit chimiquement aux matières destructrices se trouvant dans les artères, dont le mauvais cholestérol LDL, ce qui prévient ou dissout les accumulations de dépôts.

Certaines preuves existent de ce qu'une réduction importante du cholestérol, comme en provoquent les médicaments conventionnels, a tendance à ouvrir les artères, à améliorer la circulation sanguine et à entraîner la régression de l'athérosclérose. Toutefois, le Dr Cerda est convaincu que la capacité de la fibre de pamplemousse à réduire l'accumulation des dépôts dans les artères n'a rien à voir avec sa capacité à réduire le taux de cholestérol.

Quelle dose prendre?

La dose standard utilisée dans les études cliniques est de 15 g de fibre, répartie en trois prises par jour, aux repas. Il se pourrait que cette quantité soit nécessaire pour obtenir la régression de l'accumulation des dépôts artériels. Cependant, selon le Dr Cerda, bon nombre de personnes présentent une réduction spectaculaire du taux de cholestérol avec 5 g (une dose) ou 10 g (deux doses) de fibre par jour.

Et la sécurité?

Bon nombre d'utilisateurs ont des flatulences, plus particulièrement durant la période d'adaptation à un régime riche en fibre. Il n'est pas rare que les selles soient molles, et il y a parfois diarrhée. Pour parer à ces éventualités, réduisez la dose ou commencez le traitement par une dose légère que vous augmenterez graduellement, à mesure que votre organisme s'y adaptera. Du fait qu'il s'agit d'une fibre de fruit, il n'y a aucune toxicité à long terme.

Quels sont les autres traitements?

Les médicaments conventionnels destinés à réduire le taux de cholestérol, tels le Mevacor et le Zocor, sont efficaces chez beaucoup de sujets, mais ils sont plus chers que la fibre de pamplemousse et ils peuvent provoquer des effets secondaires graves, dont des lésions au foie. Des tests réguliers de la fonction hépatique sont nécessaires pour déceler ces lésions chez les consommateurs de ces médicaments. Le cardiologue californien Dean Ornish a constaté une certaine régression de l'athérosclérose attribuable à un régime réduit en gras strict, à l'exercice et à l'atténuation du stress. L'ail contribue également à réduire le taux de cholestérol, et les antioxydants peuvent aider à prévenir l'accumulation de dépôts dans les artères ainsi qu'à les faire redevenir partiellement saines. Si ce n'est pas le cas, la chirurgie reste le seul moyen de rouvrir des artères oblitérées.

Préoccupations du consommateur

La fibre de pamplemousse est vendue dans les magasins d'aliments naturels et dans les pharmacies où il y a des comptoirs de produits naturels.

Devriez-vous essayer la fibre de pamplemousse?

Si votre taux de cholestérol et l'état de vos artères vous inquiètent, la fibre de pamplemousse vaut la peine que vous l'essayiez. Elle semble être un remède instantané pour beaucoup de sujets dont le taux de cholestérol est trop élevé, réduisant ce taux de 50 points ou plus au bout d'un mois ou deux. La fibre pourrait également contribuer à réduire l'accumulation de dépôts dans les artères. Consultez toujours un médecin avant de décider d'un plan d'action. Il est dangereux de soigner soi-même une maladie cardiaque sans conseils professionnels.

Note: Vous ne pouvez tirer les mêmes effets bénéfiques d'une consommation abondante de pamplemousses.

UNE PUISSANTE ASPIRINE NATURELLE

(GRANDE CAMOMILLE)

Pourquoi continuer à endurer vos migraines lorsqu'une plante commune peut les faire disparaître?

Comme tout migraineux le sait, l'aspirine ne fait pas le poids devant une migraine féroce. Mais la nature dispose d'une autre potion secrète qui soulage ces terribles maux de tête. Ses utilisateurs l'appellent «aspirine miracle»: c'est une pilule très bon marché qui possède l'étonnant pouvoir de soulager ces orages cérébraux incroyablement douloureux et invalidants qui affligent 23 millions d'Américains. Le remède se trouve dans la feuille d'une plante appelée grande camomille. Son efficacité est indéniable, comme peuvent le confirmer les milliers de migraineux qui ont eu le bonheur de l'essayer.

LE MIRACLE DE THERESA
«Vingt ans de souffrances — fini!»

Pendant plus de vingt ans, Theresa Colonna, aujourd'hui âgée de 61 ans et résidant à Pittsburgh, a été victime de migraines. Celles-ci la frappaient environ une fois par semaine, gâchant les week-ends et les vacances qu'elle passait avec son mari et ses quatre enfants. «Mes migraines étaient si terribles que tout le monde les redoutait, dit-elle. Généralement, je devais passer un jour ou deux au lit.» Elle souffrait de tous les symptômes classiques: troubles visuels, sensibilité à la lumière, troubles de l'élocution, maux de tête lancinants et nausées. «Il m'arrivait, dit-elle, de passer toute la journée dans les toilettes à vomir.»

Pour soulager ses souffrances, Theresa a essayé tout ce que la médecine conventionnelle avait à lui offrir. Lorsque ses maux de tête devenaient insupportables, elle se rendait à la salle des urgences. «On m'injectait alors du Demerol, dit-elle, et me renvoyait chez moi pour que je dorme.» Un médecin lui a prescrit de l'Indéral, un agent bêtabloquant servant à traiter l'hypertension et souvent prescrit pour prévenir les migraines. Ce médicament n'a pas aidé Theresa. «Je suis allée chez un chiropraticien, dit-elle, et j'ai essayé tous les médicaments offerts sur le marché.» Dans les vrais cas d'urgence, elle utilisait un nouveau médicament injectable, le sumatriptan (Imitrex) pour soulager son mal de tête. Lorsqu'elle sentait venir la migraine, elle se précipitait chez le médecin pour y recevoir l'injection. «Un jour, raconte-t-elle, je me suis rendue à son cabinet avec mes lunettes noires pour me protéger de la lumière. J'arrivais à peine à marcher, mais il fallait que j'assiste à un mariage. L'injection a été pour moi un cadeau du ciel.» Cela a été sa dernière migraine; elle n'aurait plus besoin de médicaments conventionnels, car elle allait découvrir le remède naturel qu'est la grande camomille.

Le patron de Theresa, principal de l'école où elle travaillait comme secrétaire, lui a envoyé une coupure de presse portant sur cette plante. Sceptique mais décidée à tout essayer, elle a acheté des comprimés de grande camomille au magasin d'aliments naturels de son centre commercial. «J'ai pris trois comprimés par jour pendant trois mois, raconte-t-elle. Ils ne me coûtaient que 0,10 $ chacun. Aujourd'hui, j'en prends un seul par jour. L'effet a été étonnant. J'avais tout essayé, et voilà que ce petit comprimé chassait mes migraines. Aujourd'hui j'ai mal à la tête tous les six mois et non plus une fois par semaine. Et ces maux de tête n'ont rien de comparable à ce que je souffrais autrefois. Ils ne sont pas violents et ne durent pas longtemps. Cela fait un an que je n'ai plus eu vraiment mal à la tête!»

Theresa connaît les nouveaux comprimés Imitrex capables de soulager la migraine une fois qu'elle frappe. Elle en garde même une boîte dans le tiroir de sa table de chevet pour le cas où une forte migraine l'assaillirait. «Mais je crains les effets secondaires de ce médicament, dit-elle. Je préfère ne pas en consommer toutes les semaines pour soulager un mal de tête alors que je peux le prévenir facilement, sans aucun effet secondaire. Et mon médicament coûte beaucoup moins cher que l'Imitrex. Je me sens bien. Je n'ai pas peur de prendre de la grande camomille.»

Dernièrement, Theresa a participé à une réunion au cours de laquelle un neurologue a présenté des diapositives illustrant tous les médicaments offerts contre la migraine. À la fin de l'exposé, elle lui a demandé s'il avait jamais entendu parler de la grande camomille. Il lui a répondu: «Non. Qu'est-ce que c'est?» «J'ai essayé de le lui dire, raconte-t-elle, mais cela ne semblait pas l'intéresser. Il a rejeté la grande camomille du revers de la main, comme si elle ne valait rien, même si bon nombre des personnes présentes l'utilisaient, elles aussi. Je suppose qu'il ne s'intéressait qu'aux médicaments d'ordonnance puissants; c'est dommage!»

Qu'est-ce que la grande camomille?

Remède ancien, la grande camomille (*Tanacetum parthenium*) est une plante de la même famille que la marguerite.

Depuis la Grèce antique, on s'en sert pour traiter les mêmes troubles que l'aspirine: maux de tête, fièvre et inflammations rhumatismales. Au XVIIe siècle, les médecins anglais la disaient «très efficace contre toutes les douleurs dans la tête». En 1772, John Hill, médecin, écrivait dans son livre *The Family Herbal*: «Dans le cas du pire mal de tête, cette plante est le remède le plus efficace qui soit connu.» La grande camomille est tombée en désuétude pendant quelques siècles, pour retrouver sa respectabilité durant les années 1980, époque où des chercheurs britanniques ont découvert son effet puissant contre la migraine.

Quelles sont les preuves de son efficacité?

Une partie de l'honneur d'avoir redonné sa respectabilité médicale à la grande camomille revient à une Britannique, une certaine Mme Jenkins, qui, s'étant guérie elle-même de sa migraine, a déclenché la première étude de validation scientifique moderne de la grande camomille. Elle était la femme du directeur médical de l'Office du charbon britannique. Âgée de 68 ans à l'époque, elle avait souffert de migraines pendant plus de cinquante ans. La légende veut qu'un ami lui ait recommandé d'essayer un ancien remède de la médecine traditionnelle: mastiquer des feuilles de grande camomille. Elle a commencé à consommer trois feuilles par jour, dose que la rumeur disait efficace. Ses maux de tête sont devenus moins fréquents et moins douloureux; au bout de dix mois, ils avaient disparu.

Son mari médecin a parlé de ce cas au Dr Stewart Johnson, de la City of London Migraine Clinic, qui, intrigué, a décidé d'étudier l'utilisation de cet ancien remède de la médecine traditionnelle contre la migraine. Il a trouvé près de 300 migraineux qui utilisaient régulièrement la grande camomille et les a interrogés. Leurs récits étaient si convaincants que lui et d'autres chercheurs ont lancé des études, dont les résultats ont été publiés dans les plus prestigieuses revues médicales de Grande-Bretagne, qui ont prouvé que la grande camomille contribue à guérir la migraine.

En 1985, le Dr Johnson a rapporté les résultats de ses recherches dans le réputé *British Medical Journal*. Dans son enquête auprès de 270 migraineux, 72 p. 100 de ceux qui mastiquaient des feuilles de grande camomille disaient que leurs maux de tête étaient moins fréquents et moins douloureux. Le Dr Johnson a alors cherché à déterminer si ces affirmations étaient fondées ou si elles relevaient de l'imagination des malades. Il a choisi 17 migraineux qui consommaient régulièrement ces feuilles pour chasser la migraine. Puis il a fabriqué des capsules contenant des feuilles séchées pulvérisées et d'autres ne contenant qu'un placebo. Les sujets, ignorant ce qu'ils prenaient, devaient prendre une capsule tous les jours pendant six mois et consigner l'état de leur migraine. Les résultats de l'expérience, étonnants et convaincants, ont prouvé que l'effet de la grande camomille était bien réel. Ceux qui prenaient les capsules de cette plante étaient relativement épargnés par la migraine, comme auparavant. Mais ceux qui avaient été privés de grande camomille et qui recevaient le placebo souffraient le martyre. Leurs maux de tête étaient trois fois plus fréquents et si invalidants que certains ont cessé de participer à l'expérience. Lorsqu'ils ont recommencé à prendre de la grande camomille, leurs maux de tête sont devenus moins fréquents ou ont disparu.

La preuve irréfutable de l'efficacité de la grande camomille a toutefois été fournie par une autre étude à double insu menée sur des sujets migraineux qui n'avaient jamais utilisé cette plante. Les résultats de cette recherche ont été publiés dans *The Lancet* en 1998, par des chercheurs du University Hospital de Nottingham, en Angleterre. Pendant deux périodes de quatre mois, des migraineux ont pris chaque jour une capsule contenant des feuilles séchées à l'air, soit de grande camomille, soit de chou. Une fois de plus, la grande camomille s'est révélée remarquablement efficace. Chez les sujets qui la consommaient, la fréquence des migraines a été réduite du quart et la douleur était beaucoup moins vive; les vomissements et les troubles visuels diminuaient également. C'est pourquoi vous pouvez trouver aujourd'hui des capsules ou des comprimés de grande camomille qui sont tout aussi efficaces comme antidote contre la migraine que les médicaments pharmaceutiques d'ordonnance.

J'ai pratiquement éliminé le besoin de traiter la migraine chez mes patients en leur recommandant d'essayer la grande camomille.

Le Dr Daniel Tucker, spécialiste des maladies organiques, immunologiste et allergologue, West Palm Beach, Floride

Comment agit-elle?

Dans la grande camomille, l'agent antimigraine le plus probable est le parthénolide. Bon nombre d'experts sont d'avis que la concentration de cette substance dans la grande camomille doit être relativement élevée pour que la plante soit efficace. On a constaté que le parthénolide bloque la libération de la sérotonine. Une surabondance de sérotonine, hormone active dans les cellules et les vaisseaux sanguins du cerveau, déclenche la migraine, sans doute à cause de son effet vasoconstricteur (réduction du calibre des vaisseaux). Ainsi, l'effet de la grande camomille ressemblerait à celui du médicament pharmaceutique Sansert (bimaléate de méthysergide), antagoniste de la sérotonine, conçu pour prévenir la migraine.

Des essais révèlent que la grande camomille a également un effet anti-inflammatoire. Des recherches récentes menées en Grande-Bretagne ont montré que les substances chimiques contenues dans cette plante sont de «très puissants» inhibiteurs de la thromboxane B2 et du leucotriène B4, substances produites par l'organisme qui favorisent l'apparition de l'inflammation et de la douleur. Dans des essais en éprouvette, on a constaté que les feuilles de grande camomille bloquent dans une proportion de 58 p. 100 la libération de ces substances chimiques inflammatoires, ce qui explique l'effet anti-inflammatoire de la plante. Elle a également un effet antithrombotique, un effet antibactérien et un effet antiallergique (elle inhibe la libération de l'histamine par les mastocytes).

Quelle dose prendre?

Si vous consommez les feuilles séchées, deux ou trois par jour constitueront une dose jugée efficace. Les capsules ou comprimés de grande camomille contiennent généralement au moins

300 mg de cette plante. L'étiquette recommande d'en prendre trois par jour. Cela est une bonne dose d'attaque, mais, selon les experts, il arrive souvent qu'un comprimé par jour suffise à prévenir la migraine.

Et la sécurité?

En règle générale, les effets secondaires de la grande camomille sont peu nombreux et légers: irritation mineure de la bouche et réaction gastro-intestinale chez 8 p. 100 des utilisateurs, selon une étude. On a aussi rapporté de rares réactions allergiques et accélérations du rythme cardiaque. Comme cette plante est utilisée depuis des siècles, elle est considérée comme non toxique à court terme; mais aucune étude scientifique à long terme n'a été effectuée sur son utilisation chronique. Au Canada, où la grande camomille est approuvée comme médicament en vente libre contre la migraine, les autorités de la santé recommandent que son utilisation régulière préventive — pendant plus de quatre mois — soit surveillée par un médecin. Le Dr Michael Murray, médecin naturopathe de Seattle, déconseille d'utiliser la grande camomille en même temps que des anti-inflammatoires non stéroïdiens, tels l'aspirine et le Tylenol, car ceux-ci pourraient réduire l'efficacité de la plante.

Qui doit s'abstenir de prendre de la grande camomille?

Les femmes enceintes (la plante peut causer des contractions de l'utérus), les mères qui allaitent et les enfants de moins de 2 ans ne doivent pas prendre de grande camomille. Soyez prudent si vous prenez un anticoagulant, car la grande camomille éclaircit le sang, et une interaction pourrait favoriser le saignement dans de rares cas. La grande camomille est susceptible de provoquer une allergie chez les sujets sensibles à l'herbe à poux.

Préoccupations du consommateur

En raison du goût amer des feuilles de grande camomille, il est plus agréable et plus sûr de consommer le produit sous forme de capsules ou de comprimés. Pour être efficaces, les comprimés ou capsules doivent être normalisés de façon à contenir la bonne quantité de parthénolide, ingrédient ayant l'effet pharmacologique recherché. Selon le Dr Varro Tyler, autorité en la matière, une bonne préparation de grande camomille devrait contenir 0,2 p. 100 de parthénolide (250 µg). Au cours d'une analyse qui a été publiée, deux produits sur trois achetés dans un magasin d'aliments naturels de Louisiane ne contenaient pas du tout de parthénolide. Gardez la grande camomille au réfrigérateur pour en prévenir la détérioration.

Devriez-vous essayer la grande camomille?

Si vous souffrez de migraine, la grande camomille devrait être votre remède de choix, car elle peut la prévenir ou en réduire l'intensité, en présentant beaucoup moins de risques que les médicaments pharmaceutiques d'ordonnance et à moindre prix. Si elle se révèle efficace dans votre cas, vous la trouverez miraculeuse. Dans le cas contraire, vous pourrez essayer autre chose, dont les médicaments conventionnels. Vous n'avez rien à perdre.

À quelle autre fin peut-elle servir?

Les Britanniques utilisent abondamment la grande camomille pour soulager la douleur de la polyarthrite rhumatoïde, ce qui est logique du point de vue de la pharmacologie. Les symptômes de cette maladie s'accentuent lorsque les cellules sont inondées de leucotriènes, agents inflammatoires inhibés par les constituants de la grande camomille. Comme aucune étude clinique valable ne confirme l'efficacité de la grande camomille contre l'arthrite, on ne connaît pas la dose efficace. (Au cours d'une étude, on a constaté que la plante n'avait aucun effet; mais il se peut que la dose ait été trop faible.) On croit que la grande camomille pourrait soulager l'asthme, l'allergie, la dermite et le psoriasis. Toutes ces affections se caractérisant par une réaction inflammatoire, le traitement à la grande camomille semblerait justifié. Faute d'essai clinique, nous ignorons l'efficacité de cette plante dans le traitement de ces maladies.

MÉDICAMENT MIRACLE CONTRE L'ARTHROSE

(GLUCOSAMINE)

C'est le seul agent connu capable de stopper ou de réparer les dommages causés par la maladie la plus invalidante de toutes: l'arthrose. Et il est parfaitement sûr!

Il ne faut pas s'étonner de ce que les personnes atteintes d'arthrose parlent de la glucosamine comme d'un «médicament miracle». Elle l'est vraiment lorsqu'on la compare à ce qu'offre la médecine conventionnelle: «articulations noueuses, douleur inexorable et peu d'espoir d'un remède», comme le dit pertinemment un expert. Une substance naturelle, la glucosamine, parfois combinée à un autre nutriment, la chondroïtine, constitue le médicament le plus puissant que l'on connaisse pour combattre la cause sous-jacente de la dégénérescence des articulations, dont l'exemple type est l'arthrose, maladie qui frappe près de 90 p. 100 d'entre nous, si notre longévité nous le permet.

Voici ce qui se passe. Le cartilage articulaire — tissu lisse, gélatineux et élastique recouvrant l'extrémité des os, qui les empêche de frotter l'un contre l'autre et qui absorbe les chocs — commence à se désintégrer et ne se régénère pas. Il se détériore, sèche et perd sa souplesse. Attaqué par des enzymes, le cartilage se désintègre, se fissure et, dans les cas graves, disparaît, laissant à nu l'extrémité des os. À mesure que le cartilage disparaît, la douleur apparaît, les articulations se raidissent et la mobilité s'en trouve réduite. Cette sombre maladie progresse, attaquant les articulations les unes après les autres, surtout celles des doigts, des genoux et des hanches, sans qu'aucun remède semble exister.

Médicaments généralement prescrits: des analgésiques, comme l'acétaminophène (Tylenol) et l'aspirine, ainsi que des anti-inflammatoires non stéroïdiens, tels l'indométhacine (Indocid) et l'ibuprofène (Motrin, Advil, Aleve), qui peuvent causer des ulcères, des saignements gastro-intestinaux et des lésions hépatiques s'ils sont consommés longtemps. Pis encore, peu de gens se rendent compte que ces analgésiques recommandés ont en fait tendance à détruire le cartilage existant et à inhiber la production de nouveau cartilage, si l'on en croit une étude menée récemment en Italie. Ainsi, non seulement le palliatif courant ne s'attaque pas à la cause sous-jacente de l'arthrose, mais il l'aggrave, même si, puisqu'il atténue la douleur, la plupart des malades ne sont pas conscients de ce qui est vraiment en train de leur arriver.

Et si l'on pouvait reconstruire le cartilage, le régénérer? La médecine conventionnelle américaine affirme que les dommages causés par l'arthrose ne peuvent être réparés ni, dans la plupart des cas, stoppés; on ne pourrait que recourir à des analgésiques et à des anti-inflammatoires puissants pour masquer la douleur, et procéder, en dernier recours, à une arthroplastie (réfection opératoire d'une articulation destinée à lui rendre une mobilité satisfaisante). Pourtant, ce n'est pas le consensus médical qui règne ailleurs dans le monde. En Europe, les patients atteints d'arthrose reçoivent généralement des nutriments spéciaux — glucosamine et chondroïtine — pour stimuler la croissance de nouveau cartilage, ce qui stoppe la progression de l'arthrose et va même jusqu'à en réparer les dommages. Certains médecins et patients américains utilisent désormais ces nutriments avec grand succès. Reste que, par ignorance, des millions d'Américains sont privés d'un médicament efficace, sûr et relativement économique susceptible de les guérir.

LE MIRACLE DE PHYLLIS
«J'ai échappé à l'arthroplastie totale de la hanche»

En 1989, pas même encore dans la cinquantaine, Phyllis Eagleton (il s'agit d'un pseudonyme, mais les détails d'ordre médical sont authentiques), avocate réputée de Washington propriétaire de son propre cabinet, éprouvait de vives douleurs: l'articulation et les muscles de sa hanche gauche se désintégraient. Elle claudiquait au point de devoir se servir d'une canne pour marcher. «J'étais incapable de marcher plus d'un coin de rue ou deux sans souffrir terriblement», se souvient-elle. Les voyages outre-mer que des négociations internationales lui imposaient lui étaient particulièrement pénibles. Il était désormais hors de question de faire du tennis, son sport préféré qu'elle pratiquait depuis l'enfance. Elle a consulté des spécialistes. Les radiographies ont révélé une perte considérable de cartilage et des anomalies osseuses dans l'articulation de la hanche gauche. Diagnostic: arthrose progressive intraitable, sauf par analgésiques et intervention chirurgicale. À contrecœur, elle a commencé à prendre des anti-inflammatoires non stéroïdiens puissants, sur la recommandation de son rhumatologue. Même si elle s'est sentie «un peu mieux», elle a cessé d'en prendre, en craignant les effets secondaires. Deux chirurgiens orthopédistes de Washington lui ont recommandé une arthroplastie totale de la hanche, faute de quoi, lui ont-ils dit, son invalidité s'aggraverait au point où elle ne pourrait plus marcher.

Phyllis a refusé l'opération. «À mon avis, dit-elle, si je souffrais d'arthrite grave dans la hanche, celle-ci n'allait pas tarder à se manifester ailleurs, et le remplacement d'une articulation ne constituait pas une solution globale.» Elle a commencé à chercher des solutions de remplacement: chiropraxie, herbes chinoises, huile de cassis, acupuncture et exercices d'étirement et d'assouplissement destinés à atténuer la douleur et à augmenter la mobilité. Tout cela semblait l'aider un peu, mais, heureusement, Phyllis a entendu parler d'une substance naturelle efficace contre l'arthrite, la glucosamine, recommandée par un médecin de Washington diplômé de l'Université Stanford, Robert Heffron. Elle a commencé à prendre des comprimés de glucosamine; au bout de trois semaines, elle a constaté que la douleur s'était atténuée; durant les mois suivants, son état s'est amélioré de façon remarquable. «Ce médicament a vraiment été efficace pour elle», déclare le Dr Heffron, qui a recommandé la glucosamine à bon nombre de ses patients, dont son propre frère, un joueur de baseball souffrant d'arthrose du genou.

Phyllis utilise depuis deux ans une combinaison de glucosamine, de chondroïtines sulfates et de manganèse (Cosamin) et obtient des résultats qu'elle qualifie de miraculeux. Son arthrose s'est résorbée au point qu'elle la sent à peine. Elle se déplace sans difficulté; elle ne prend ni aspirine ni aucun autre analgésique; elle ne se sert plus de sa canne; elle s'est débarrassée de la douleur. «Je ne jouis pas encore de toute la souplesse que je voudrais, dit-elle, mais je ne ressens pratiquement plus de douleur. L'été passé, j'ai joué au tennis pour la première fois en huit ans — je n'aurais jamais espéré pratiquer de nouveau ce sport —, à raison de trois fois par semaine. C'était extraordinaire. L'an passé, je suis aussi allée faire de la randonnée pédestre en Arizona: je faisais des étapes de huit à dix kilomètres à la fois sans aucune douleur. Je dirais que je suis capable de marcher indéfiniment sur une surface dure et plate.

Bien entendu, Phyllis ne pense plus du tout à une prothèse de la hanche. «C'est hors de question», affirme le Dr Heffron. Mais la compagnie d'assurances de Phyllis ne lui a pas encore pardonné. Même si elle n'est plus du tout handicapée par son arthrose, la compagnie refuse de renouveler sa police d'assurance maladie sous prétexte qu'elle n'a pas subi l'arthroplastie de la hanche recommandée, intervention dont elle n'a évidemment plus besoin aujourd'hui, depuis qu'elle a invalidé l'opinion médicale conventionnelle en se rétablissant sans y avoir recours.

Qu'est-ce que la glucosamine?

La glucosamine est un nutriment qui se trouve en quantités infimes dans les aliments; elle est également fabriquée par les cellules du cartilage humain. Son rôle consiste à susciter la production de longues chaînes de sucre appelées glycosaminoglycanes, nécessaires à la reconstruction du cartilage. Depuis 1992, des vétérinaires utilisent de la glucosamine synthétique comme supplément alimentaire pour traiter l'arthrite chez les chevaux de course, chez les animaux de ferme et chez les animaux de compagnie. Certaines personnes souffrant d'arthrite et certains médecins ont voulu essayer la glucosamine après avoir constaté son efficacité chez leur chien. La chondroïtine est un autre élément constructeur essentiel du cartilage; on en fait un supplément alimentaire à partir du cartilage de vaches, de requins et de baleines.

Quelles sont les preuves de son efficacité?

Depuis le début des années 1980, la glucosamine est le médicament de choix pour le traitement de l'arthrose au Portugal, en Espagne et en Italie. Il ne fait aucun doute que, une fois avalé, le produit atteint rapidement ses cibles: les tissus conjonctifs et le cartilage articulaire, comme le prouvent des analyses faites avec des indicateurs radioactifs. Cinq études à double insu rigoureusement menées durant les années 1980 sur la seule glucosamine ont donné des résultats impressionnants. Au cours d'une étude menée par des chercheurs italiens à l'hôpital Giustinian de Venise, on a constaté que la glucosamine atténuait les symptômes généraux de l'arthrose chronique dans une proportion de 80 p. 100, au bout de 21 jours seulement; l'amélioration était déjà perceptible au bout de 7 jours. Le quart des sujets se sont débarrassés de tous les symptômes après trois semaines de traitement.

Durant une autre étude contrôlée menée au National Orthopedic Hospital de Manille sur des patients souffrant d'arthrose du genou, de 80 à 100 p. 100 des sujets recevant de la glucosamine ont vu leur état s'améliorer, généralement en moins de deux semaines. Dans une autre étude, particulièrement remarquable et convaincante, menée à l'Université de Pavie et aux laboratoires de recherche Rota, en Italie, 80 patients hospitalisés à la suite d'une crise d'arthrose (cou, colonne lombaire ou articulations multiples) ont reçu quotidiennement soit 1500 mg de sulfate de glucosamine, soit un placebo. Les médecins ont constaté que la glucosamine était environ deux fois plus efficace que le placebo, 72 p. 100 de ses utilisateurs l'ayant jugée «excellente ou bonne» au bout de trois semaines. Environ 20 p. 100 d'entre eux ont été soulagés de la douleur et des autres symptômes de la maladie.

Les chercheurs ont prélevé des échantillons de cartilage du genou et de la hanche chez les deux types de sujets pour les examiner au microscope électronique. La différence constatée a été étonnante. Le cartilage des sujets ayant reçu un placebo présentait les cavités et les surfaces fibreuses et rugueuses typiques de l'arthrose grave. Par contre, dans le cas des sujets traités à la glucosamine, le cartilage était «presque lisse» et ne présentait que de légers signes d'arthrose. Cette étude a fourni des preuves visuelles directes de ce que la glucosamine répare le cartilage, en d'autres mots, qu'elle attaque la cause sous-jacente de l'arthrose. Qui plus est, cette régénération s'était produite en trente jours!

MEILLEURE QUE LE MOTRIN

Des recherches menées au Portugal, en Allemagne et en Italie indiquent que, pour ce qui est du soulagement des symptômes, l'efficacité de la glucosamine est égale ou supérieure à celle des médicaments généralement prescrits aux États-Unis, surtout l'ibuprofène (Advil, Motrin ou Nuprin). Au cours d'une étude menée au Portugal sur 40 patients, le Dr Antonio Lopes Vaz, de l'hôpital Saint-Jean d'Oporto, a constaté que l'ibuprofène procurait un soulagement plus rapide de la douleur durant les deux premières semaines. Mais, au bout de huit semaines, le groupe recevant de la glucosamine avait en moyenne un indice de douleur de trois fois inférieur à celui des consommateurs d'ibuprofène. Globalement, la glucosamine était plus efficace que l'ibuprofène chez 29 p. 100 des sujets pour ce qui est d'atténuer la douleur et l'enflure.

Au cours d'une vaste étude d'une durée de neuf mois, menée dans plusieurs centres médicaux portugais, 252 médecins ont comparé la consommation de sulfate de glucosamine (1500 mg par jour) aux autres traitements usuels chez 1506 sujets atteints d'arthrose. La glucosamine l'a emporté sur les anti-inflammatoires, les extraits de cartilage injectables, les vitamines et tous les autres agents administrés par voie orale, réussissant à améliorer l'état de 95 p. 100 des sujets, même parmi ceux qui ne répondaient pas aux autres traitements médicaux. Seuls 5 p. 100 des sujets n'ont pas vu leur état s'améliorer. Conclusion des chercheurs: «Le traitement par voie orale au sulfate de glucosamine réussit à mener vers la guérison totale ou partielle la plupart des personnes atteintes d'arthrose.»

Selon une étude menée en 1994, la glucosamine serait également plus efficace que le piroxicam (Feldene), médicament contre l'arthrite populaire en Europe. Chez les 329 sujets atteints d'arthrose, le Dr Luigi Rovati, des laboratoires de recherche Rota, en Italie, qui a découvert la molécule de sulfate de glucosamine au début des années 1960, a constaté que la glucosamine était plus efficace pour inhiber l'activité de la maladie que le placebo, que le piroxicam et qu'une combinaison de piroxicam et de glucosamine.

Ce qui rend la glucosamine de beaucoup supérieure à ses concurrents, c'est l'absence d'effets secondaires. Par exemple, dans la plus récente étude du Dr Rovati, 15 p. 100 des sujets recevant la glucosamine se sont plaints d'effets secondaires, comparativement à 41 p. 100 des consommateurs de piroxicam, et à 24 p. 100 des sujets ayant reçu un placebo. Au cours d'une autre étude menée en 1994 sur 200 patients répartis dans trois centres médicaux allemands et un centre médical italien, on a constaté que la glucosamine soulageait la douleur tout aussi bien que l'ibuprofène. Cependant, 35 p. 100 des sujets utilisant l'ibuprofène se sont plaints d'effets secondaires indésirables, comparativement à 6 p. 100 dans le cas de la glucosamine.

NOUVELLES PREUVES ENTHOUSIASMANTES AUX ÉTATS-UNIS

Le Dr Amal Das, chirurgien orthopédiste spécialisé en arthroplastie du genou et de la hanche à Hendersonville, Caroline-du-Nord, a été enthousiasmé par un article paru il y a quelques années dans une revue médicale européenne au sujet d'une nouvelle substance capable de ralentir la progression de l'arthrose. «J'étais enthousiasmé, dit-il, parce que je cherchais une solution de remplacement biologique à l'arthroplastie. Les médicaments que nous utilisons aux États-Unis ne ralentissent pas l'évolution de l'arthrose; ils ne font que soulager la douleur.» Le Dr Das était particulièrement intrigué par une étude européenne indiquant que des agents naturels avaient permis d'éviter l'arthroplastie aux deux tiers d'un groupe de patients.

Le Dr Das a exécuté une recherche informatisée dans toute la documentation médicale américaine sans y trouver une seule étude sur l'utilisation de la glucosamine et de la chondroïtine pour le traitement de l'arthrose. Il a décidé d'en mener une lui-même, en se fondant sur les normes scientifiques les plus rigoureuses. Il y a deux ans, sur la foi des découvertes faites en Europe, il a lancé une étude pilote au cours de laquelle il a utilisé ces substances sur ses patients atteints d'arthrose, plus particulièrement ceux chez qui les anti-inflammatoires provoquaient des effets secondaires graves.

Même s'il insiste pour dire que les preuves recueillies sont anecdotiques, celles-ci restent impressionnantes. Beaucoup de ses patients, comme dans les études européennes, ont vu leur état s'améliorer de façon spectaculaire. «La douleur a été atténuée chez un grand nombre de mes patients», dit-il. Il a réussi à reporter l'arthroplastie pour plusieurs de ses patients, puisque la combinaison glucosamine-chondroïtine rendait cette intervention inutile. «Nous avons un physiothérapeute dans notre hôpital qui avait de violentes douleurs dans les deux genoux, déclare le Dr Das. Aujourd'hui, il ne souffre plus du tout.» Le propre père du Dr Das, lui-même médecin et atteint, lui aussi, d'arthrose grave des genoux, a soulagé sa douleur grâce à ces deux substances naturelles.

Existe-t-il une preuve tangible de l'action de la glucosamine-chondroïtine? Le Dr Das a-t-il constaté sur des radiographies que la glucosamine-chondroïtine stimulait la croissance de nouveau cartilage, réparant ainsi les dommages causés par l'arthrose? Réponse: «Oui. J'ai vu des preuves radiographiques de l'amélioration.» Auparavant, le Dr Das était sceptique lorsque des Européens disaient avoir constaté une régénération du cartilage. Il explique que l'arthrose grave se caractérise sur les radiographies par un amincissement de l'interligne articulaire, à mesure que le cartilage disparaît et que les os se rapprochent. «Certaines études européennes montraient que cette interligne se régénérait, mais j'avais tendance à ne pas le croire, dit-il. Aujourd'hui, je dois reconnaître que j'ai constaté une normalisation de l'interligne articulaire sur les radiographies de certains de mes patients qui utilisent ce médicament depuis un an.» Voilà une preuve irréfutable de la régénération du cartilage, c'est-à-dire d'une réparation des dommages causés par la maladie.

Tout cela a poussé le Dr Das à entreprendre la première étude américaine à double insu, contrôlée par un placebo, sur 100 patients atteints d'arthroses légères à graves des genoux ou des hanches, avec administration d'une combinaison de glucosamine-chondroïtine (Cosamin DS). «Puisqu'au moins 18 études européennes prouvent déjà l'efficacité de la glucosamine, nous n'avons rien découvert; nous ne faisons qu'emprunter à l'Europe, déclare-t-il. Mais il est vrai que les médecins américains ne croient pas aux études européennes tant qu'elles n'ont pas été répétées ici.» L'étude du Dr Das devrait être terminée en 1998.

Comment agit-elle?

La glucosamine agit surtout en stimulant la régénérescence du cartilage endommagé. Elle modifie également le métabolisme du cartilage de façon à en prévenir la désintégration. De plus, elle a un effet anti-inflammatoire. Mais, surtout, elle soulage la douleur et réduit l'enflure en reconstruisant le tissu articulaire durci et érodé, cause première de la douleur. La chondroïtine attire en fait du fluide dans le cartilage, ce qui est important parce que le fluide attire les nutriments et aide à hydrater le cartilage, ce qui le rend plus spongieux. La chondroïtine protège le vieux cartilage contre la dégénérescence prématurée et sert de fondation à la création du cartilage nouveau et sain.

Au cours de vastes recherches menées en Europe, on a constaté que la glucosamine à elle seule, sous forme de sulfate de glucosamine, était extrêmement efficace; mais certains experts sont d'avis que l'ajout de chondroïtine en fait un médicament encore plus puissant.

Quelle dose prendre?

Pour vous faciliter la vie, respectez la posologie proposée sur l'étiquette; elle convient à la plupart des malades. Si vous voulez être plus précis, suivez les recommandations du Dr Jason Theodosakis, qui a utilisé ce médicament sur lui-même et sur environ 600 patients, comme il le relate dans son ouvrage, *The Arthritis Cure* (St. Martin's Press, 1997). Voici les doses qu'il recommande, en fonction du poids corporel: «Moins de 54 kg: 1000 mg de sulfate de glucosamine et 800 mg de sulfate de chondroïtine; de 54 kg à 91 kg: 1500 mg et 1200 mg; plus de 91 kg: 2000 mg et 1600 mg.» Il recommande au lecteur de répartir les suppléments de glucosamine et de chondroïtine en deux, trois ou quatre doses, consommées durant la journée avec des aliments. Lui et d'autres experts vous conseillent de modifier la dose en fonction de votre réaction au médicament. Selon le Dr Theodosakis, certains sujets constatent immédiatement une amélioration et réduisent la dose initiale du tiers ou de la moitié. Certains études européennes laissent supposer que les personnes obèses, ou celles qui utilisent des diurétiques, pourraient avoir besoin d'une dose plus élevée.

Quelle est la vitesse de son action?

Certains sujets se sentent un peu mieux au bout d'une ou deux semaines. Généralement, on devrait constater une amélioration de son état au bout de huit semaines. Cependant, il faut comprendre que, même si le soulagement de la douleur et des autres symptômes de la maladie peut être immédiat, la reconstruction du cartilage, qui corrige la cause sous-jacente de la maladie, prend du temps. Ainsi, plus longtemps vous utiliserez ce médicament, plus vous en tirerez profit. En Allemagne, la glucosamine est classée parmi les médicaments «à action lente». Voici l'objectif du traitement: contrôler les symptômes en quelques jours ou quelques semaines pour réduire ou éliminer la consommation d'analgésiques puissants, puis stopper ou ralentir la dégénérescence du cartilage durant le traitement à long terme.

À quoi pouvez-vous vous attendre?

Les personnes atteintes d'arthrose ne verront pas toutes leur état s'améliorer grâce à la glucosamine-chondroïtine, et ce médicament ne garantit pas que vous serez débarrassé de toute douleur ou parfaitement mobile. Toutefois, beaucoup de personnes y réagissent de façon spectaculaire, réduisent ou éliminent la consommation d'anti-inflammatoires non stéroïdiens et autres analgésiques, et retardent ou évitent l'arthroplastie. Vous pouvez accélérer le rétablissement grâce à un programme d'exercices réguliers (plus facile à suivre en l'absence de douleur), à la perte de poids excédentaire et à un régime sain comprenant du poisson riche en acides gras oméga-3.

Plus tôt vous commencerez à utiliser la glucosamine, meilleurs seront les résultats. Des études indiquent qu'elle est très efficace pour les cas d'arthrose naissants ou légers, mais qu'elle l'est moins pour les cas graves ou avancés. Pourquoi? Lorsqu'il ne reste que très peu de cartilage articulaire ou qu'il n'en reste pas du tout, celui-ci ne peut être régénéré ou réparé.

Et la sécurité?

Les effets secondaires sont minimes ou inexistants. Dans une vaste étude portugaise, environ 12 p. 100 des sujets se sont plaints d'effets secondaires de la glucosamine, surtout de troubles gastro-intestinaux légers ou modérés, dont les brûlures d'estomac, la nausée, la douleur gastrique et la dyspepsie (digestion difficile). Au sujet de la toxicité à long terme, des études menées en Italie sur des animaux ont conclu que la glucosamine est au moins de 1000 à 4000 fois plus sûre que l'indométhacine, anti-inflammatoire fréquemment prescrit pour l'arthrose. Après avoir gavé de petits animaux de laboratoire d'une quantité de glucosamine atteignant parfois 150 g par jour, chaque jour pendant un an, on n'a constaté aucune toxicité. Les femmes enceintes doivent consulter leur médecin avant de prendre de la glucosamine. Mieux vaut la prendre avec des aliments, surtout si vous souffrez d'un ulcère gastroduodénal ou si vous avez l'estomac dérangé après l'avoir consommé.

POUVEZ-VOUS PRENDRE LA GLUCOSAMINE EN MÊME TEMPS QUE D'AUTRES MÉDICAMENTS?

Il semblerait que la glucosamine ne nuise pas à l'action des anti-inflammatoires non stéroïdiens ou autres, de l'aspirine et des autres analgésiques. En fait, certaines études menées sur des animaux laissent entendre que la glucosamine pourrait protéger le cartilage contre les dommages causés à long terme par les anti-inflammatoires. Ainsi, l'ajout de glucosamine à votre médication pourrait vous permettre de réduire les doses d'anti-inflammatoires ou de cesser d'en prendre.

Quels sont les autres traitements?

Aux États-Unis, le traitement de l'arthrose repose sur une famille de médicaments connue sous le nom de «médicaments anti-inflammatoires non stéroïdiens», qui comprend l'aspirine et l'ibuprofène. Malheureusement, ils peuvent être très néfastes. Leur utilisation contre l'arthrite a entraîné une épidémie d'ulcères hémorragiques, selon le Dr James F. Fries, professeur de médecine à l'Université Stanford et spécialiste de l'arthrite. Il affirme que cette famille de médicaments provoque chaque année de 10 000 à 20 000 décès, et de 100 000 à 200 000 hospitalisations. Environ le quart des malades qui utilisent l'un de ces médicaments pour soulager la douleur chronique finissent par avoir des ulcères.

Préoccupations des consommateurs

Vous pouvez acheter séparément le sulfate de glucosamine et le sulfate de chondroïtine, en divers dosages, dans les magasins d'aliments naturels, les pharmacies et autres magasins de détail. La glucosamine est plus facile à trouver que la chondroïtine. Même si le Dr Theodosakis affirme avec insistance que toutes les formes de glucosamine (sulfate, chlorhydrate, n-acétyl, d-glucosamine) sont essentiellement identiques, un autre expert en glucosamines, Michael Murray, exprime vigoureusement son désaccord à ce sujet. Il fait remarquer que, dans presque toutes les études européennes où l'arthrose a été traitée avec succès, on a utilisé le sulfate de glucosamine, et non pas une autre forme de glucosamine, et on l'a utilisé seul, et non pas en combinaison avec la chondroïtine. Il déclare qu'il n'existe aucune preuve clinique de ce que l'utilisation de la glucosamine en conjonction avec la chondroïtine serait plus efficace que l'utilisation de sulfate de glucosamine seul.

Le supplément utilisé par les deux personnes citées dans ce chapitre — Phyllis Eagleton et Mollie Hauck — et par le Dr Das dans sa nouvelle étude est une combinaison de glucosamine et de chondroïtine vendue sous la marque Cosamin DS (pour «double strength») par la Nutramax Company de Baltimore. Chaque comprimé contient 500 mg de chlorhydrate de glucosamine, 400 g de sulfate de chondroïtine, ainsi que 66 mg de vitamine C et 10 mg de manganèse. L'Osteo-Bi-Flex 450 de la Sundown et le GlucoPro 900 de la Thompson Nutritional Products sont des préparations semblables à celle de la Nutramax Company.

Devriez-vous essayer la glucosamine?

Absolument. La glucosamine devrait être le remède de choix pour l'arthrose, le premier à utiliser. Elle pourrait soulager la douleur et vous permettre de reporter ou d'éviter l'arthroplastie. Si elle n'est pas efficace dans votre cas, vous vous en rendrez compte au bout de deux mois sans en avoir souffert, puisque ses effets secondaires sont négligeables.

Quel type de glucosamine devriez-vous essayer?

Il semble probable que le sulfate de glucosamine consommé seul (comme l'ont prouvé de nombreuses études) ou qu'une combinaison glucosamine-chondroïtine, dont le Cosamin (comme l'indiquent plusieurs histoires de cas) soit efficace. Le seul moyen de découvrir lequel de ces médicaments est le plus efficace dans votre cas consiste à les expérimenter: faites l'essai des deux et choisissez celui qui vous apporte le plus grand soulagement.

Ce médicament est-il efficace contre d'autres formes d'arthrite?

Peut-être. Le pharmacien Robert Henderson, concepteur du Cosamin et président de Nutramax, affirme que son produit a été mis à l'essai avec succès sur des rats contre la polyarthrite rhumatoïde: un seul animal sur les 24 qui consommaient du Cosamin aurait été atteint d'une dysfonction auto-immune menant à une arthrite de type rhumatoïde, comparativement à plus de la moitié des animaux qui n'avaient pas reçu de Cosamin. Selon Robert Henderson, la combinaison glucosamine-chondroïtine devrait théoriquement contribuer à stopper la destruction du cartilage dans les cas de polyarthrite rhumatoïde comme dans les cas d'arthrose. On le saura lorsque des études auront été menées à ce sujet, mais on connaît déjà quelques cas de réussite pour ce qui est de la polyarthrite juvénile.

LE MIRACLE DE MOLLIE
«Si cela guérit les chevaux de course, pourquoi pas moi?»

Le jour où Mollie, 3 ans, s'est réveillée le matin avec une forte fièvre, ses parents, Kathy et Sam Hauck, ont cru qu'il s'agissait d'un virus qui disparaîtrait rapidement. Cela n'a pas été le cas. Selon sa mère, Mollie est devenue si malade qu'elle ne pouvait plus bouger du tout: elle était complètement immobilisée. Après quelques semaines, l'enfant se trouvait à l'unité des soins intensifs de l'hôpital local, en Oregon, luttant pour rester en vie. «Nous étions en train de la perdre, raconte sa mère. Elle souffrait beaucoup. On aurait dit que son organisme s'enrayait. Nous étions sûrs qu'elle allait mourir.» Et personne ne savait quelle maladie était en train de l'emporter.

Paniqués, ses parents l'ont transférée dans un autre hôpital, où l'on a diagnostiqué une polyarthrite rhumatoïde juvénile et prescrit immédiatement un corticostéroïde (prednisone). Au bout de dix jours, les parents de Mollie ont été rassurés: leur enfant survivrait. Cela se passait il y a quatre ans. Aujourd'hui âgée de 7 ans, Mollie souffre encore beaucoup. Mais ses parents disent qu'elle était beaucoup plus handicapée avant de prendre un médicament contre l'arthrite peu orthodoxe généralement réservé aux animaux, notamment aux chevaux de course.

Il s'agit de substances que le corps fabrique naturellement: la glucosamine et la chondroïtine. Le parrain de Mollie, vétérinaire, s'inquiétait du fait que, à long terme, les fortes doses de stéroïdes qu'elle consommait finiraient par détruire son système immunitaire. Il s'est demandé: «Pourquoi ne pas essayer la glucosamine naturelle, qui est efficace pour le traitement de l'arthrite chez les animaux? Mollie a commencé à prendre une grosse capsule blanche — littéralement un remède de cheval — que ses parents vidaient et dissolvaient dans du jus de pomme ou dans du Kool-Aid.

Deux ans plus tard, Mollie en prend toujours, parce que ses parents sont d'avis que ce médicament a soulagé sa douleur et amélioré de façon spectaculaire le fonctionnement de son système immunitaire. Elle n'est plus sujette aux rhumes et autres infections comme autrefois. De plus, elle se déplace sans son fauteuil roulant, qu'elle n'utilise plus que lorsqu'elle est fatiguée ou qu'elle a mal aux pieds. «Avant le Cosamin, nous devions porter Mollie partout où nous allions, dit sa mère. Nous devions la sortir du lit et l'y mettre, l'emmener au magasin et ainsi de suite. Tout cela est fini aujourd'hui. Le médicament permet à Mollie de se mouvoir et de vivre pleinement ses activités quotidiennes. Elle ne souffre plus 24 heures sur 24; elle n'est plus immobilisée. J'ai été sidérée de découvrir que ce médicament est utilisé depuis des années pour garder les animaux en bonne santé et soulager leur arthrite, mais qu'on en a privé les êtres humains. Bien entendu, on ne peut pas tout simplement se rendre chez le vétérinaire et lui demander le médicament qu'il donne aux chevaux contre l'arthrite. Mais s'il est efficace, pourquoi pas?»

Mollie prend encore des médicaments conventionnels, mais ses parents espèrent qu'elle finira par ne plus en avoir besoin, car ils en craignent les effets secondaires à long terme. «Il est triste que notre société dépende d'un si grand nombre de médicaments», dit Kathy Hauck. On croit que Mollie a été la première enfant à utiliser cette forme de glucosamine. Depuis lors, Robert Henderson a entendu parler d'autres réussites de ce traitement dans des cas de polyarthrite juvénile, mais aucune étude contrôlée n'a encore été menée pour en confirmer l'efficacité.

À quelle autre fin peut-elle servir?

Vous pourriez essayer la glucosamine pour presque tous les types de douleur ou de blessure articulaire, si l'on en croit le biochimiste Luke R. Bucci, Ph.D., expert en glucosamines et auteur de *Pain-Free: The Definitive Guide to Healing Arthritis, Low-Back Pain, and Sports Injuries Through Nutrition and Supplements*, premier ouvrage à traiter du traitement à la glucosamine de l'arthrite, de la lombalgie et des blessures survenues durant la pratique d'un sport. «Les suppléments, dit-il, devraient contribuer au traitement de toute affection requérant la réparation du cartilage et des articulations (...) dont l'arthrose, la polyarthrite rhumatoïde, la spondylarthrite ankylosante, les affections des disques intervertébraux, la chondromalacie (ramollissement des cartilages articulaires, surtout fréquent au niveau de la rotule), la tendinite, la bursite, la réparation postopératoire des lésions traumatiques aux articulations et la ténosynovite.» Il émet l'hypothèse que la glucosamine pourrait avoir un effet thérapeutique sur la réparation des fractures, ainsi que sur celle des tendons et ligaments déchirés.

UNE ARME UNIQUE CONTRE L'INFECTION

(ÉCHINACÉE)

C'est la plante médicinale la plus populaire en Amérique contre le rhume, la grippe, les virus et les infections de toutes sortes. Si vous voulez savoir pourquoi 30 millions d'Américains l'utilisent, et pourquoi les chercheurs allemands en font l'éloge, essayez-la donc vous-même.

Si un rhume ou une autre infection d'origine bactérienne vous frappe, vous pouvez tenter de vous défendre en recourant aux antibiotiques, qui perdent de plus en plus de leur efficacité du fait que les bactéries commencent à y résister. Si le coupable est un virus, vous êtes pratiquement laissé à vous-même parce que nos plus grands esprits pharmaceutiques ont été incapables de mettre au point des agents antiviraux efficaces, ne serait-ce contre le rhume. Le moment n'est-il pas venu d'adopter une nouvelle approche, d'essayer de nous armer contre l'envahisseur afin de le rendre moins susceptible de nous rendre malades et de nous tuer? Beaucoup de savants travaillent à la mise au point de médicaments ou de «stimulants» du système immunitaire qui renforcent nos défenses naturelles contre les agents infectieux et contre le cancer. Un remède naturel est déjà utilisé couramment; il est facile de se le procurer; il est bon marché; et s'il ne réussit pas à guérir votre infection, au moins il ne vous aura pas fait de tort.

Ce qui rend l'échinacée unique, c'est qu'elle n'agit pas comme les remèdes spécifiques, les fameux «projectiles magiques», de la médecine conventionnelle. La différence? Si vous avez une infection, vous pouvez essayer de la guérir en prenant un médicament qui: enrayera les symptômes, désamorcera ou détruira le microorganisme qui cause l'infection, ou renforcera vos défenses immunitaires générales pour qu'elles viennent à bout de l'agent infectieux et que vos symptômes finissent par disparaître. Dans le cas d'un rhume, par exemple, les décongestionnants réduiront l'écoulement nasal, mais n'auront aucun effet sur la maladie elle-même. Les antibiotiques, eux, peuvent tuer le microbe qui cause une maladie telle la pneumonie. Par contre, un médicament comme l'interféron peut stimuler l'organisme pour qu'il crée une armée de soldats — anticorps et macrophages capables de capturer et d'ingérer bactéries et virus — et, ce faisant, qu'il augmente sa résistance générale à divers agents infectieux non spécifiques. C'est un peu comme repousser l'ennemi, soit en faisant feu sur lui pour le tuer, soit en se protégeant mieux contre l'attaque en se donnant une armure qui repousse tous les agresseurs.

Si vous voulez stimuler votre système immunitaire pour vous protéger des infections (et des autres maladies qui, comme le cancer, profitent de la faiblesse du système immunitaire pour se développer), le «remède de choix», le premier à essayer, est l'échinacée. L'échinacée a fait ses preuves sur le plan médical, surtout dans des études menées en Europe, en tant que stimulant du système immunitaire, qui renforce l'organisme contre les agents infectieux de toutes sortes, qu'il s'agisse de virus ou de bactéries. L'échinacée ne tue pas directement ni ne désamorce les bactéries. Cependant, des recherches récentes laissent croire qu'elle attaque directement les virus, ce qui fait d'elle un oiseau rare parmi les médicaments de toutes sortes, même les médicaments pharmaceutiques. L'échinacée est surtout employée contre le rhume et la grippe, mais son utilisation contre toute une gamme de pathogènes semble prometteuse. C'est le remède le plus vendu dans les magasins d'aliments naturels américains; la vente en a augmenté de 25 p. 100 en 1996. Et des millions d'utilisateurs la trouvent efficace, parfois là où tous les autres médicaments ont échoué.

LE MIRACLE DE GAYLE
«Mon virus mystérieux a enfin disparu»

Gayle Carter, 29 ans, journaliste pour le supplément dominical de Gannett, *USA Weekend*, se souvient très bien du calvaire qu'elle a vécu. En mars 1996, elle a cru avoir un rhume. Mais celui-ci a duré pendant des semaines. «Impossible de m'en débarrasser», raconte-t-elle. Un médecin lui a prescrit des antibiotiques, mais son état a empiré. «J'ai commencé à ressentir une vive douleur dans le cou et dans les oreilles», dit-elle. Croyant qu'il s'agissait d'une otite, elle a consulté un oto-rhino-laryngologiste. Elle avait 38 °C de fièvre. Le matin, au réveil, elle était en nage. Son nouveau médecin a attribué son état à un «quelconque virus», peut-être la mononucléose ou le virus d'Epstein-Barr, et l'a renvoyée chez elle «dormir et laisser la maladie suivre son cours». La douleur dans le côté droit de son cou était si intense qu'elle n'arrivait plus à dormir. Pas même une ordonnance de Motrin extra-fort n'arrivait à la soulager. Huit semaines plus tard, elle faisait encore 37 °C de fièvre, avait terriblement mal à la gorge et ressentait des douleurs dans tout le corps, même sous la plante des pieds. Elle s'est rendue chez un spécialiste des maladies infectieuses qui, alarmé par la douleur qu'elle avait au cou, lui a fait subir un test d'imagerie par résonance magnétique pour s'assurer qu'il n'y avait pas de tumeur.

C'est alors que des amis de Gayle lui ont parlé de l'échinacée. «J'ai acheté un ouvrage sur les plantes médicinales, dit-elle. Je me suis renseignée sur cette plante et j'ai commencé à en prendre deux comprimés de 400 mg par jour. Ma fièvre est tombée au bout d'une semaine.» Gayle était ravie. Elle avait moins mal à la gorge. Elle a cessé de prendre l'échinacée pendant quelques jours; la fièvre est revenue. «J'ai recommencé à en prendre, et la fièvre a de nouveau disparu, raconte-t-elle. Dès que je me suis remise à l'échinacée, je me suis sentie beaucoup mieux.»

La fièvre et le mal de gorge ayant presque disparu, Gayle a pu reprendre ses activités. «Je revenais enfin à la vie.» Mais elle ressentait encore de la douleur. On avait diagnostiqué chez elle une fibromyalgie, forme d'arthrite, peut-être reliée à son infection chronique du virus d'Epstein-Barr. En juillet 1996, elle a consulté le Dr James Gordon, professeur clinicien à la faculté de médecine de l'Université de Georgetown et directeur du Center for Mind-Body Medicine de Washington. Il lui a recommandé de poursuivre le traitement à l'échinacée pendant trois ou quatre semaines pour lutter contre le virus et stimuler son système immunitaire. De plus, il lui a conseillé de prendre quotidiennement 3000 mg de vitamine C, un comprimé de multivitamines et de minéraux, et plusieurs plantes, dont l'astragale, la pivoine rouge et la réglisse. Il lui a également recommandé l'acupuncture, le yoga et la chiropraxie du cou et du haut du dos pour soulager la douleur. Le Dr Gordon attribue à la fibromyalgie la plus grande partie de la douleur que Gayle ressentait dans la mâchoire et dans le cou, mais une partie de cette douleur était due à un mauvais alignement des vertèbres résultant de blessures mineures subies dans un accident de voiture. La douleur s'est progressivement dissipée; Gayle s'est rétablie.

Elle est convaincue de l'efficacité de l'échinacée: «Cette plante m'a vraiment fait du bien. Je sais qu'elle renforce mon système immunitaire.» Le Dr Gordon est du même avis: «L'échinacée semble l'avoir aidée, ce qui ne m'étonne pas: la recherche indique que cette plante a une activité antivirale et qu'elle renforce l'immunité. Moi-même, j'en prends chaque fois que je sens venir un rhume ou une grippe.» Le Dr Gordon insiste cependant sur le fait que l'échinacée, malgré son efficacité, n'est pas une solution miracle aux affections chroniques telle la fibromyalgie. «Vous devez adopter une approche intégrée, dit-il, qui s'attaque directement aux causes multiples et complexes de la maladie, et non seulement aux symptômes.» Malheureusement, selon lui, les médecins qui se fient exclusivement à la médecine conventionnelle occidentale ont tendance à traiter isolément tel ou tel symptôme, en négligeant l'état global du patient.

Durant les quatre mois qu'a duré sa quête d'un soulagement, Gayle a consulté douze médecins: quatre spécialistes des maladies organiques, deux oto-rhino-laryngologistes; trois spécialistes des maladies infectieuses; un rhumatologue; un radiologiste et, finalement, le Dr Gordon.

Qu'est-ce que l'échinacée?

L'échinacée, dont le nom scientifique est *Echinacea purpurea*, est une espèce indigène d'Amérique. Elle a fait son apparition dans la pratique médicale américaine en 1887; elle a été couramment utilisée pendant une quarantaine d'années pour le traitement des infections mineures, tels le rhume et la grippe. En 1938, une compagnie pharmaceutique allemande a entrepris des recherches scientifiques sur la plante américaine et mis au point un produit qui a suscité dans le monde entier un vaste intérêt pour cette plante. La plupart des essais scientifiques ont été menés en Allemagne, où l'échinacée est approuvée comme médicament en vente libre destiné au renforcement du système immunitaire ainsi qu'à la lutte contre les infections respiratoires et les infections de l'appareil urinaire.

Quelles sont les preuves de son efficacité?

Selon le Dr Varro Tyler, spécialiste des plantes médicinales et doyen émérite de l'école de pharmacie de l'Université Purdue, l'échinacée combat l'infection en renforçant le système immunitaire. Il cite à ce sujet de récentes études menées en Allemagne. Par exemple, en 1992, deux études ont conclu que l'échinacée aide les malades à se débarrasser plus vite de leur rhume et de leur grippe, dont elle atténue la gravité. La plante est particulièrement efficace chez les sujets dont le système immunitaire est affaibli. Une étude a été menée sur 108 personnes sujettes aux infections, âgées de 13 à 84 ans, qui avaient connu au moins trois infections reliées à un rhume l'hiver précédent. Pendant huit semaines, la moitié du groupe a reçu deux fois par jour 4 ml de jus d'échinacée (*Echinacin Liquidum*), tandis que l'autre moitié recevait un placebo. Résultats: les utilisateurs d'échinacée ont réduit de 36 p. 100 leur risque d'attraper un rhume. En outre, leur rhume était généralement «léger». Ils ont présenté 33 p. 100 de moins de symptômes «modérés à graves» du rhume. Les chercheurs ont conclu que, selon les normes les plus rigoureuses, l'échinacée renforce le système immunitaire, prévenant les rhumes et en écourtant la durée. De plus, les personnes les plus susceptibles d'en tirer bénéfice sont les plus vulnérables d'entre toutes: celles dont le système immunitaire est affaibli, c'est-à-dire dont le sang contient le moins de lymphocytes T, cellules qui détruisent les microorganismes.

Dans une autre étude allemande menée sur 180 volontaires sains, âgés de 18 à 60 ans, l'échinacée a réduit la durée des rhumes et atténué les symptômes se manifestant dans les voies respiratoires supérieures. La dose utilisée était supérieure à la dose habituelle. À une dose quotidienne de deux compte-gouttes pleins (90 gouttes ou 450 mg), l'échinacée n'a pas été plus efficace que le placebo. Mais une dose quotidienne de quatre compte-gouttes pleins (180 gouttes ou 900 mg) a donné selon les médecins des résultats de «bons à très bons», et a réduit de façon spectaculaire les symptômes généraux du rhume en trois ou quatre jours. Ces symptômes — obstruction nasale, éternuements, frissons, faiblesse, maux de gorge, maux de tête, douleurs musculaires — ont été réduits de 75 p. 100 chez les utilisateurs d'échinacée, comparativement à 37 p. 100 dans le cas des sujets recevant un placebo.

Autrement dit, l'échinacée s'est révélée environ deux fois plus efficace que le placebo.

LES ALLEMANDS APPRÉCIENT L'ÉCHINACÉE

L'une des façons pour les scientifiques de se faire une idée d'un médicament consiste à examiner toutes les études qui ont été menées sur des humains: anciennes études, études récentes, études peu rigoureuses et études qui respectent les normes d'essai modernes les plus élevées. En 1994, c'est ce qu'a fait pour l'échinacée une équipe de chercheurs dirigée par le professeur Hildebert Wagner, à l'Université de Munich. Ils ont recensé 26 essais contrôlés; la qualité de la plupart des anciennes études, faut-il s'en étonner, laissait quelque peu à désirer. Mais le professeur Wagner a conclu que bon nombre d'études plus récentes établissaient clairement l'effet de renforcement du système immunitaire et de combat de l'infection que produit l'échinacée, utilisée seule ou avec d'autres plantes. L'échinacée s'est révélée efficace pour la prévention et le traitement des infections des voies respiratoires supérieures, tels les rhumes, selon trois études de qualité irréprochable. La meilleure étude portant sur l'utilisation de l'échinacée seule confirme l'efficacité de la dose forte de 900 mg par jour. Le professeur Wagner estime que l'utilisation répandue de l'échinacée comme stimulant du système immunitaire est fondée sur le plan scientifique; mais il ajoute que le meilleur type et la meilleure dose restent à déterminer.

Comment agit-elle?

On croit que l'échinacée prévient l'infection surtout en stimulant la fonction immunitaire, mais aussi en s'attaquant aux virus. Le processus exact qui est en jeu et la nature des ingrédients qui stimulent l'activité immunitaire ne sont pas encore bien connus, même si plusieurs des constituants de cette plante ont présenté une activité antivirale et une activité de stimulation immunitaire dans des douzaines d'essais en laboratoire dirigés contre des agents infectieux divers, tels ceux de l'influenza, de l'herpès et de la polio.

Le professeur Wagner émet l'hypothèse suivante: l'échinacée stimulerait la fonction immunitaire en incitant les cellules-souches de la moelle osseuse et de la lymphe à produire des leucocytes plus forts et plus nombreux, dont les lymphocytes T, pour combattre l'infection. Une étude a permis de constater que l'échinacée augmentait l'activité des lymphocytes T de 20 à 30 p. 100 de plus qu'un agent conçu spécialement pour stimuler cette activité. Dans une autre étude, l'échinacée a fait monter le taux de certains leucocytes plus rapidement chez les personnes atteintes exclusivement d'une infection virale que chez celles qui étaient atteintes d'une infection surtout bactérienne, ce qui indique que l'échinacée est plus efficace contre les infections virales que bactériennes.

Voici une autre explication particulièrement intéressante: L'échinacée stimule la production d'interféron, substance organique naturelle de première importance pour le système de défense de l'organisme. Plus précisément, l'interféron active les «cellules tueuses» naturelles, les incitant à s'attacher aux cellules infectées par un virus ou aux cellules d'une tumeur, provoquant ainsi leur désintégration. De plus, l'interféron déclenche la libération d'enzymes qui perturbent la machine génétique (ADN) du virus, inhibant ainsi sa capacité de reproduction et de propagation. Si le virus ne peut se reproduire, l'infection est stoppée ou de courte durée. L'échinacée semble donc avoir aussi le pouvoir d'enrayer les virus. Il est certain que tout agent capable de stimuler la production d'interféron est une bénédiction. L'interféron synthétique, vous vous souviendrez, a fait l'objet d'études sérieuses comme moyen de renforcer le système immunitaire pour combattre le cancer.

LE MIRACLE DU PETIT MATTHEW
«La solution de remplacement aux antibiotiques»

Comme beaucoup d'enfants de 2 ans, Matthew Saunders (il s'agit d'un pseudonyme, mais les détails d'ordre médical sont authentiques) a souffert d'une infection de l'oreille, une otite. Traitement standard: antibiotiques. Quand les antibiotiques se révèlent inefficaces, le médecin insère généralement un petit tube dans l'oreille de l'enfant pour la drainer. C'est un traitement cher qui n'offre pratiquement aucun avantage de longue durée. Mais, heureusement pour lui, Matthew n'a reçu aucun de ces deux traitements. Son pédiatre est le Dr Jay Gordon, du Cedars Sinai Medical Center, également professeur clinicien au centre médical de l'UCLA (aucun lien de parenté avec le Dr James Gordon, dont nous venons de parler). Matthew a plutôt reçu trois fois par jour de cinq à dix gouttes d'échinacée diluée dans un verre de jus. Son infection s'est résorbée au bout de deux, trois jours. Qui plus est, les rhumes, la toux et les infections à répétition ont cessé.

Depuis une quinzaine d'années, le Dr Gordon utilise avec succès l'échinacée comme traitement de premier recours pour les otites des bébés et des enfants. «J'ai traité des centaines, voire des milliers de cas d'otites avec l'échinacée, dit-il. Je sais qu'elle est efficace. J'ai rarement à prescrire des antibiotiques ou à insérer des tubes dans les oreilles de mes patients pour enrayer l'infection.» Même s'il ne tient pas de registre de statistiques et qu'il n'a pas mené d'études contrôlées, le Dr Gordon estime que l'échinacée contribue dans la plupart des cas à enrayer l'infection, ce qui rend cette substance beaucoup plus efficace et économique que les traitements conventionnels aux antibiotiques ou aux tubes. Il reconnaît qu'elle ne guérit pas tous les cas et qu'elle n'élimine pas le besoin d'antibiotiques, mais il affirme qu'elle est utile dans tous les cas pour renforcer la fonction immunitaire. Le Dr Gordon recourt également à l'échinacée pour combattre tous les types d'infection chez les bébés et les enfants, dont le rhume et la grippe. Il recommande généralement d'utiliser cette substance pendant deux semaines, d'interrompre ensuite le traitement pendant deux semaines, puis de le recommencer, et de continuer cette façon d'administrer le produit en alternance jusqu'à la guérison.

Quelle dose prendre?

Du fait que l'échinacée se présente sous plusieurs formes, liquides ou solides, qu'elle provient de la fleur ou de la racine, la posologie recommandée varie. Pour connaître la dose appropriée, consultez l'étiquette. En règle générale, pour combattre un rhume, une grippe ou une autre infection, les experts sont d'avis que les adultes auront besoin de 900 mg par jour d'extrait normalisé solide. Répartissez la dose en trois prises quotidiennes de 300 mg. Pour les enfants de moins de 6 ans, le Dr Donald Brown, de Seattle, réduit de moitié la dose des adultes.

Aux premiers signes d'un rhume ou d'une grippe, il recommande de prendre de l'échinacée sans interruption pendant une période de 10 à 14 jours.

Et la sécurité?

L'échinacée peut provoquer de légers effets secondaires, comme des troubles digestifs et la diarrhée, mais on ne signale aucune toxicité. Les experts mettent certains malades en garde contre l'utilisation de cette substance: ceux qui sont atteints de maladies auto-immunes, comme le lupus, ou d'autres maladies générales progressives, comme la tuberculose, la sclérose en plaques, le diabète et le sida. (Il existe des preuves que l'échinacée pourrait même faciliter l'infection au VIH.) Le Dr Brown ajoute qu'il ne faut pas prendre d'échinacée si l'on est allergique aux fleurs de la famille des marguerites.

La Commission E recommande aussi de ne pas prendre d'échinacée pendant plus de huit semaines sans interrompre le traitement. Pourquoi? Pas du tout parce qu'une utilisation continue serait nocive, mais plutôt parce qu'une telle utilisation diminue l'efficacité de l'échinacée. Selon le Dr Varro Tyler, la Commission E ne fait qu'exprimer le principe général selon lequel il ne faut prendre aucun médicament dont on n'a pas vraiment besoin.

Devriez-vous l'essayer?

Oui, surtout pour le rhume, la grippe et les infections aiguës des voies respiratoires, de préférence dès les premiers stades de la maladie. Si vous sentez venir un rhume ou une grippe, prenez de l'échinacée tous les jours pendant environ deux semaines ou jusqu'à la disparition des symptômes. L'échinacée peut aussi contribuer à combattre d'autres infections virales ou bactériennes, comme la pharyngite streptococcique, les staphylococcies, les infections vaginales à champignons, les infections des voies urinaires, l'herpès, la bronchite et l'otite.

Attention! Même si l'on peut soigner soi-même à l'échinacée ses rhumes et grippes, il est risqué de diagnostiquer et de soigner soi-même à l'échinacée des infections chroniques. Celles-ci pourraient avoir une cause sous-jacente et peut-être réversible nécessitant des soins médicaux. Mieux vaut discuter avec un médecin de l'utilisation de l'échinacée et le consulter si les symptômes de l'infection ne disparaissent pas au bout de deux semaines de traitement à l'échinacée.

LE MIRACLE DE KERRY
«Les infections de l'enfant ont disparu»

Pouvez-vous utiliser l'échinacée de façon continue pour prévenir les infections ou pour contrôler les infections chroniques? Même si vous entendez souvent dire qu'il faut utiliser cette plante de façon cyclique, c'est-à-dire interrompre le traitement pour le recommencer plus tard, bon nombre d'experts sont d'avis que son utilisation continue est sans danger et efficace. Kerry Bone, autorité internationale en la matière, praticien de la médecine par les plantes et fondateur de MediHerb, le fabricant le plus important de médicaments d'origine végétale en Australie, affirme que lui et bon nombre de ses compatriotes consomment de l'échinacée pendant de longues périodes pour renforcer leur système immunitaire et que cette pratique est tout à fait efficace.

Comme exemple, il relate le cas d'une fillette de 3 ans que lui avait amenée sa mère, en désespoir de cause. «Sa mère pleurait et ne savait plus à quel saint se vouer: son enfant était sujette aux infections au point que, à 3 ans, elle avait déjà subi vingt-cinq cures aux antibiotiques! Elle souffrait constamment d'infections des voies respiratoires supérieures et inférieures, de rhumes et de bronchites, en plus d'être asthmatique.» Après avoir traité les symptômes de la bronchite, Bone lui a fait prendre quotidiennement de l'échinacée. «Pendant toute l'année où je l'ai vue, elle n'a eu aucune infection, dit-il. Lorsqu'une plante fait des miracles comme cela, la nouvelle se répand vite.» Aux yeux de la mère, l'échinacée a été miraculeuse.

Bone est d'avis que ce cas est l'illustration parfaite de la différence entre la médecine par les plantes et la médecine conventionnelle. «La médecine par les plantes, explique-t-il, s'attaque à la cause de la maladie, et non pas simplement à ses symptômes apparents. Le médecin peut prescrire un antibiotique pour enrayer une infection, mais cet antibiotique ne prévient pas l'infection suivante, parce que le système immunitaire du malade ne fonctionne pas bien. Celui qui recourt aux plantes essaie de renforcer son système immunitaire afin que l'infection ne se reproduise pas.»

Le Dr Luke Bucci, autorité américaine dans le domaine des plantes médicinales, est d'avis, lui aussi, que la théorie selon laquelle il faudrait utiliser l'échinacée de façon cyclique n'a aucun fondement scientifique: «Je crois qu'on peut l'utiliser de façon continue pour stimuler le système immunitaire si on en a besoin.»

Préoccupations du consommateur

Divers types et marques d'échinacée sont en vente. On peut se la procurer sous différentes formes. Le produit qui a fait l'objet du plus grand nombre d'expériences et qui est le plus consommé au monde s'appelle Echinacin en Allemagne. On peut se procurer de l'échinacée dans les magasins d'aliments naturels et dans les pharmacies où il y a des comptoirs de produits naturels.

LE VALIUM DE LA NATURE

(VALÉRIANE)

C'est un excellent somnifère et un remède à l'anxiété qui ne vous fait pas vous sentir mal plus tard. Que demander de plus?

Aimeriez-vous avoir une bonne nuit de sommeil sans la sensation de gueule de bois que donnent généralement les somnifères le lendemain matin? Ou trouver un remède contre l'anxiété sans subir les effets exagérés des sédatifs puissants? Ou encore trouver un myorelaxant qui ne provoque pas les effets secondaires du Valium? La valériane, sédatif doux et naturel, pourrait être la solution. Environ 40 millions d'Américains souffrent de troubles du sommeil et 30 millions d'autres éprouvent occasionnellement de la difficulté à s'endormir ou à rester endormis. Les ventes de sédatifs et de tranquillisants d'ordonnance, comme le Valium et l'Halcion, ont atteint des proportions astronomiques: chaque année, 10 millions d'utilisateurs y recourent, surtout pour remédier à des troubles du sommeil. Ces médicaments ont des effets secondaires épouvantables, dont le risque de dépendance et de surdose, en plus d'entraîner des problèmes de sevrage. L'Halcion provoque de terribles effets secondaires chez certains utilisateurs, notamment des réactions psychotiques, des amnésies et des hallucinations. L'ampleur du problème est telle qu'on peut se demander pourquoi personne n'est capable de produire un sédatif efficace, doux et sans danger.

Eh bien, cela a été fait il y a des millénaires, et des millions de gens connaissent ce médicament et l'utilisent. La valériane est un tranquillisant sûr et doux, qui ne présente aucun risque de dépendance, et qui est utilisée sur une grande échelle et approuvée dans de nombreux pays comme solution de remplacement à nos sédatifs puissants et dangereux. Certains l'appellent le «Valium de la nature». Et les preuves de son efficacité ne manquent pas: elle calme l'individu, apaise le cerveau, réduit l'anxiété, favorise le sommeil, soulage le stress et relaxe même les muscles, tout cela sans provoquer la gueule de bois ni causer de dommages permanents. Alors, si vous avez à choisir entre le Valium fait par l'homme et le Valium de la nature, pourquoi ne pas essayer l'ancienne version, dont l'efficacité est prouvée par des milliers d'années d'utilisation par l'homme, avant de choisir ses imitations?

LE MIRACLE DU Dr BROWN
«La valériane l'a soulagé de son anxiété et lui a permis de renoncer au Xanax»

Le Dr Donald J. Brown, médecin naturopathe réputé à travers les États-Unis, enseigne à l'Université Bastyr de Seattle et donne souvent des conférences aux médecins des facultés sur la science des remèdes naturels. Il est l'auteur de nombreux ouvrages, dont *Herbal Prescriptions for Better Health.* La valériane est l'une des substances naturelles dont il parle souvent. Il vante l'efficacité de ce tranquillisant naturel et le recommande à ses patients comme remède de premier choix contre les troubles du sommeil. «Elle est beaucoup meilleure et plus sûre que, disons, la mélatonine», affirme-t-il. Le Dr Brown aime raconter aux autres médecins les succès éclatants qu'il a obtenus avec la valériane dans le traitement de l'anxiété et des crises de panique, ainsi que dans le sevrage des patients qui consomment des tranquillisants d'ordonnance comme le Xanax.

Il relate souvent un cas en particulier, celui d'un musicien de jazz âgé de 34 ans qui avait commencé à prendre du Xanax contre l'anxiété qui le frappait, surtout durant ses tournées. Pour atténuer ses crises de panique, qui s'aggravaient lorsqu'il devait prendre l'avion, il prenait du Xanax en doses assez fortes depuis environ un an et demi. Il avait essayé deux fois de renoncer à ce médicament, craignant la dépendance. Pour se sevrer, il avait réduit sa dose quotidienne à 0,5 mg seulement. Mais dès qu'il cessait d'en prendre, un «effet rebond» semblait se produire: l'anxiété et les crises de panique revenaient avec encore plus de force qu'avant. En fait, il était anxieux au point de ne plus pouvoir voyager du tout. Pour survivre, il avait dû se remettre au Xanax. Découragé et inquiet, il a consulté le Dr Brown, qui lui a proposé de commencer à prendre de la valériane, en réduisant graduellement la dose de Xanax. Au bout d'environ cinq semaines, le musicien a complètement cessé de prendre le Xanax, tout en continuant le traitement à la valériane. L'anxiété et les crises de panique ne se sont plus manifestées. Il a pu très bien se tirer d'affaire avec la valériane seule. Et lorsqu'il a décidé de ne plus en prendre régulièrement, il n'a ressenti aucun symptôme de sevrage. Aujourd'hui, il ne prend qu'occasionnellement de la valériane, pour prévenir les crises d'angoisse lorsqu'il est dans une situation qu'il trouve difficile, comme celle de prendre l'avion.

Comment la valériane a-t-elle pu permettre un sevrage si aisé du Xanax? Le Dr Brown émet l'hypothèse suivante: celle-ci se fixerait aux mêmes récepteurs que le Xanax. Lorsque le sujet cesse de consommer le Xanax, ces récepteurs «cherchent quelque chose d'autre à quoi se fixer». S'il n'y a rien d'autre, les récepteurs «s'agitent». Mais si vous substituez la valériane au Xanax, les récepteurs, satisfaits, se calment. Le Dr Brown dit que bon nombre de médecins recourent désormais à la valériane pour assurer un sevrage en douceur et sans danger du Xanax.

Qu'est-ce que la valériane?

La racine de la valériane, plante de grande taille ressemblant à une fougère, est utilisée depuis des millénaires comme sédatif doux. De 1820 à 1942, elle figurait dans la USP (pharmacopée américaine) en tant que tranquillisant. On l'utilise beaucoup en Europe, où elle est approuvée comme hypnotique léger favorisant le sommeil et soulageant l'anxiété. Chaque année, plus de 5 millions d'unités de valériane se vendent en Allemagne, et environ 10 millions en France. Au Royaume-Uni, la valériane est un somnifère populaire, approuvé par le gouvernement. La vente libre de la valériane en tant que médicament contre l'insomnie est autorisée en Belgique, en Suisse et en Italie.

Quelles sont les preuves de son efficacité?

De tous les sédatifs d'origine végétale, la valériane semble la plus efficace, selon l'expert en plantes médicinales, le Dr Varro Tyler. Les preuves de son efficacité et de son innocuité sont si convaincantes qu'un regroupement de fabricants européens de phytomédicaments (médicaments à base d'une ou de plusieurs matières premières végétales) ont présenté une requête à la FDA américaine pour pouvoir mettre en marché la valériane comme un médicament en vente libre favorisant le sommeil. Au cours des trente dernières années, plus de 200 études scientifiques ont été publiées sur la pharmacologie de la valériane, surtout en Europe.

La valériane est une potion somnifère éprouvée depuis longtemps. Au moins six études contrôlées menées en Europe indiquent qu'elle réduit le temps qu'il faut pour s'endormir, qu'elle prolonge la durée du sommeil, qu'elle allonge les périodes de sommeil non paradoxal (profond), qu'elle augmente l'activité onirique, qu'elle réduit le nombre d'éveils durant la nuit et qu'elle améliore considérablement la qualité du sommeil chez les dormeurs normaux et chez les insomniaques. Vers le milieu des années 1980, une étude devenue classique a été menée en Suisse, aux laboratoires de recherche Nestlé, sur 128 sujets. Pendant trois nuits d'affilée, ceux-ci prenaient soit un extrait de valériane, soit un placebo. La valériane l'a emporté haut la main: 37 p. 100 des sujets en ayant reçu ont dit qu'ils s'étaient endormis plus vite, comparativement à 23 p. 100 dans le cas du placebo. De plus, 43 p. 100 des premiers ont dit qu'ils avaient mieux dormi, comparativement à 25 p. 100 dans le cas du placebo. Même 45 p. 100 des «dormeurs normaux» recevant de la valériane ont dit avoir mieux dormi. Mais ce sont les sujets atteints de troubles du sommeil qui ont bénéficié le plus de la valériane. Ces résultats sont semblables à ceux d'une autre étude à double insu menée celle-là en Suède. Quarante-quatre pour cent des sujets ayant le sommeil difficile ont rapporté avoir «dormi parfaitement» après avoir pris un produit contenant 400 mg de valériane; 89 p. 100 d'entre eux ont dit que leur sommeil s'était amélioré.

Valériane ou Halcion?

Comme somnifère, la valériane a même égalé le puissant Halcion. En effet, en 1992, une étude a été menée en Allemagne pour comparer la pilule de valériane (160 mg de valériane et 80 mg de mélisse) à l'Halcion (0,125 mg de triazolam), grâce au concours de 20 sujets, âgés de 30 à 50 ans. Sur une période de neuf nuits, la pilule de valériane a endormi les sujets aussi rapidement que l'Halcion et les a fait dormir tout aussi bien. La valériane s'est surtout révélée efficace chez les «mauvais dormeurs». Cependant, contrairement aux sujets qui avaient reçu celle-ci, les consommateurs d'Halcion se sont réveillés avec la gueule de bois et ont présenté une perte de concentration le lendemain.

Presque tous les essais révèlent clairement la grande différence qui existe entre la valériane et les médicaments d'ordonnance, comme le Valium et l'Halcion. La plante ne provoque pas au réveil de réactions comme la somnolence, la perte de concentration et la diminution du rendement physique. Elle n'a pas non plus avec l'alcool d'interaction qui accentue la diminution des capacités, comme c'est le cas pour les médicaments d'ordonnance. Une étude allemande de 1995 a conclu qu'il n'y avait entre la valériane et l'alcool aucune interaction qui réduise la concentration, l'attention, le temps de réaction ou le rendement au volant. Bref, vous pouvez prendre de la valériane lorsque vous êtes éveillé et actif et lorsque vous allez vous coucher, ce qui en fait un médicament à privilégier, surtout dans le cas des personnes qui souhaitent tout simplement atténuer l'anxiété et le stress durant la journée.

Néanmoins, les experts font remarquer que la valériane provoque beaucoup moins d'effets secondaires que bon nombre de médicaments d'ordonnance, parce que, beaucoup plus douce que ces derniers, elle n'assomme pas le cerveau comme une massue. «La valériane et les phytomédicaments, déclare le Dr Varro Tyler, n'ont pas le même degré d'activité que les médicaments d'ordonnance; par conséquent, ils n'en ont pas non plus les inconvénients.»

Comment agit-elle?

Le mécanisme d'action de la valériane sur le cerveau serait semblable à celui des benzodiazépines Valium et Halcion. Ces derniers ont tendance à stimuler l'activité du médiateur chimique qu'est l'acide Y-aminobutyrique (localisé dans la substance grise cérébrale) et qui atténue le système d'excitation cérébrale. Chez les animaux, la valériane a le même effet: elle déclenche la libération de cet acide dans le cortex cérébral. Chez les souris, la valériane et le Valium prolongent tous deux le sommeil. Une recherche menée à l'Institut de biologie pharmaceutique de Marburg, en Allemagne, indique que les composants sédatifs de la valériane peuvent se fixer aux mêmes récepteurs des cellules cérébrales que les barbituriques et les benzodiazépines. En fait, la valériane a chassé les benzodiazépines des récepteurs dans les cellules cérébrales animales.

Lesquels des composants de la valériane ont un effet sédatif sur le système nerveux central? La réponse reste sujette à débats. On en a identifié plusieurs, dont l'acide valérianique et les valépotriates, substances chimiques spécifiques à la valériane. L'acide valérianique, constituant principal des produits européens, est souvent combiné à d'autres herbes légèrement sédatives comme la mélisse, la passiflore et la camomille. Selon le naturaliste Stephen Foster, plus de 120 substances chimiques actives ont été isolées dans la valériane. Il croit que la synergie d'une combinaison de ces composés favorise la sédation.

Qui devrait prendre de la valériane?

Vous pouvez utiliser la valériane comme remède pour vous détendre et mieux dormir, pour soulager les moments de légère anxiété et de stress — par exemple, avant de parler en public ou de prendre l'avion, si vous avez peur de voler —, ou comme relaxant musculaire. Vous pouvez en prendre le jour ou le soir pour dormir. La valériane peut également atténuer les symptômes du sevrage du Xanax, du Valium et des autres benzodiazépines, ou se substituer à ces médicaments dans les cas légers ou modérés d'anxiété et d'insomnie.

LE MIRACLE DE SKIP DANE
Une solution de fortune sans douleur

Skip Dane, professeur en sciences de la santé à l'Université Brigham Young, titulaire d'un doctorat de l'Université de Chicago, a soulevé de son support un poids de 295 kilos, l'a posé sur ses épaules, s'est accroupi, puis a commencé à se redresser. Deux ans auparavant, le jour de son cinquantième anniversaire, il avait établi un record à son université, record qu'il a plus tard battu en réussissant à s'accroupir avec un poids de 363 kilos sur les épaules. Mais, ce soir-là, au moment où il commençait à se redresser, il a senti lâcher le muscle quadriceps de sa cuisse gauche. Il a laissé tomber le poids et s'est affaissé. La douleur était atroce. Il a réussi à étirer le muscle suffisamment pour pouvoir rentrer en claudiquant chez lui, où il a passé la nuit sans prendre d'analgésiques.

Dane, champion d'haltérophilie engagé dans la recherche sur l'«entraînement à la force» à son université, savait qu'une blessure comme la sienne prenait normalement de trois à quatre semaines à guérir si on la traitait avec des analgésiques conventionnels. Mais son médecin, le Dr Dennis Remington, ne lui a pas recommandé de prendre des analgésiques. Médecin également formé en naturopathie, il a préféré lui prescrire la valériane, le chou palmiste et le massage. «Au bout de six jours seulement, je pouvais déjà soulever 272 kilos», déclare Dane, émerveillé. Selon lui, la valériane a agi comme un myorelaxant, soulageant ainsi la douleur, et le chou palmiste a accéléré le processus de guérison en réduisant l'inflammation. «Si vous avez une lésion musculaire et que vous arrivez à détendre le muscle et à réduire l'inflammation, le processus de guérison s'en trouve considérablement accéléré», déclare Dane. C'est ce qu'ont fait les deux remèdes végétaux. Durant la période de rétablissement de six jours, Dane a pu continuer de s'entraîner en faisant des développés au banc, mais pas d'accroupissements ni d'extensions des jambes.

Coût total du traitement: 10 $ US. Dane et sa famille sont assurés par l'American West Life Insurance, l'une des rares compagnies d'assurances qui remboursent le coût des remèdes à base de plantes.

Quelle dose prendre?

Commencez par une dose faible et, au besoin, augmentez-la progressivement. Comme somnifère, le Dr Donald Brown recommande de prendre de 300 à 500 mg d'extrait normalisé de valériane environ une heure avant le coucher. Réduisez la dose de moitié si vous vous en servez durant la journée comme tranquillisant léger contre l'anxiété. Une dose de 150 à 300 mg, cela consiste en une demi à une cuillerée à thé d'extrait liquide, ou en une cuillerée à une cuillerée et demie de teinture. Vous devriez en ressentir l'effet au bout de 30 à 45 minutes.

Et la sécurité?

Les effets secondaires aux doses recommandées sont mineurs, le plus souvent des troubles digestifs. Cependant, à forte dose, la valériane peut causer des maux de tête, de l'agitation, des nausées et une somnolence matinale. (Si vous êtes somnolent le matin, la dose est peut-être trop forte pour vous: réduisez-la.) La valériane, contrairement aux somnifères d'ordonnance, ne provoque ni dépendance ni troubles mentaux. Chez les humains comme chez les animaux, on n'a rapporté aucun cas d'intoxication grave ni de mort causée par une surdose de valériane. Cependant, des cliniciens ont constaté que certaines personnes ont à ce produit une réaction paradoxale (contraire à celle qui est attendue) d'agitation et d'hyperactivité.

Dans le seul cas connu de surdose de valériane, une femme suicidaire a avalé 50 capsules de poudre de racine de valériane (470 mg chacune, produit de Nature's Way). Une demi-heure plus tard, elle se sentait fatiguée, et elle avait des crampes abdominales, une sensation de serrement dans la poitrine, des étourdissements ainsi que des tremblements aux pieds et aux mains. Tous ces symptômes ont disparu en moins de 24 heures. Les médecins ont conclu qu'une surdose de 20 g (20 000 mg) de valériane n'a pas de toxicité aiguë. La FDA classe la valériane parmi les substances généralement reconnues comme inoffensives.

Attention! Vous pouvez utiliser de votre propre chef la valériane contre les cas légers d'anxiété et de troubles du sommeil. Mais si vous êtes atteint d'anxiété ou d'insomnie grave, ou qu'on a diagnostiqué chez vous un trouble psychiatrique, ou encore que vous prenez des médicaments psychotropes, consultez votre médecin avant d'amorcer l'autotraitement. Étant donné le risque d'apparition de symptômes de sevrage, la substitution de la valériane aux médicaments d'ordonnance doit se faire sous la surveillance d'un médecin.

Qui ne devrait pas prendre de valériane?

La valériane est déconseillée aux femmes enceintes et à celles qui allaitent, aux enfants de moins de 2 ans, ou aux personnes qui consomment des tranquillisants ou somnifères d'ordonnance ou en vente libre.

Important: Si vous souffrez d'insomnie chronique, n'abusez pas de la caféine; les doses élevées de cette substance neutralisent certains des effets sédatifs de la valériane.

Préoccupations du consommateur

La plus grande partie de la recherche menée en Europe a porté sur des produits contenant un extrait de valériane normalisé. Pour obtenir cette valériane de catégorie recherche, lisez les étiquettes et choisissez le produit où l'on indique la présence d'un extrait hydrosoluble normalisé quant à son contenu en acide valérianique (0,8 p. 100 d'acide valérianique).

UNE PETITE PILULE POUR LE FOIE VRAIMENT EFFICACE

(CHARDON-MARIE)

Qui n'a pas besoin d'aide pour soigner son foie? À peu près personne. Les lésions au foie sont la peste des temps modernes. Voici un moyen naturel de les guérir.

Ayez pitié de votre pauvre foie! Tous les terribles poisons que vous absorbez doivent traverser cette petite usine de désintoxication. Si le foie reçoit plus de toxines qu'il ne peut en traiter, ses cellules sont détruites, la fonction hépatique risque de décliner, et cet organe essentiel pourrait finir par ne plus fonctionner du tout. Si, comme la plupart des Américains, vous ne vous souciez pas beaucoup de votre foie, vous avez tort. Votre foie est assailli par les rejetons toxiques de la civilisation moderne: substances chimiques rejetées dans l'environnement, polluants atmosphériques, pesticides, gaz d'échappement des véhicules, médicaments d'ordonnance ou non, et alcool. Toutes ces substances peuvent causer à votre foie de graves dommages. En fait, l'alcool est la cause de 80 p. 100 des maladies hépatiques dans le monde occidental. Même les buveurs modérés présentent souvent un foie trop gras, signe de lésions hépatiques naissantes. Et si votre foie est endommagé, vous trouverez peu d'espoir de guérison dans la médecine conventionnelle, qui privilégie comme traitement de puissants stéroïdes et immunodépresseurs, et, en dernier recours, la transplantation pure et simple du foie.

C'est pourquoi, si vous buvez un peu plus que vous ne le devriez, si vous prenez des médicaments susceptibles d'endommager le foie — comme les médicaments anticholestérol, l'acétaminophène et les antidépresseurs —, si vous utilisez des pesticides, si votre travail vous expose à des produits chimiques industriels comme le tétrachlorure de carbone, ou si vous présentez déjà des symptômes d'affaiblissement de la fonction hépatique, vous devriez apprendre à connaître les merveilleuses graines d'une plante fantastique appelée *Silybum marianum* ou chardon-Marie. Cette plante est la solution qu'offre la nature au bombardement constant du corps par des substances toxiques.

En Europe, où le foie fait l'objet de plus d'attention qu'ici et où les gens le protègent vigoureusement au moyen de toniques et de traitements, le chardon-Marie est un médicament végétal populaire pour le foie. Des preuves scientifiques solides montrent qu'il peut prévenir et guérir les lésions hépatiques en régénérant les cellules et de vastes zones de tissu hépatique. La plus grande partie de la recherche a été menée en Allemagne, où le gouvernement a approuvé l'utilisation du chardon-Marie comme traitement de soutien dans les cas de cirrhose et d'affections liées à l'inflammation chronique du foie.

Le chardon-Marie mérite toute notre attention comme moyen de prévenir la «catastrophe hépatique» causée par les périls de la vie moderne. Cette plante pourrait vous permettre d'espérer une guérison miracle ou d'éviter d'avoir un jour besoin d'en espérer une.

Qu'est-ce que le chardon-Marie?

Le chardon-Marie, comme son nom l'indique, est un chardon à bractées épineuses rouge violacé contenant des graines. Ces graines peuvent être extraordinairement bienfaisantes pour le foie. On considère depuis fort longtemps le chardon-Marie comme un médicament pour le foie. Pline l'Ancien, écrivain et naturaliste romain du premier siècle, la recommandait, comme l'ont fait plus tard les médecins, du Moyen-Âge jusqu'au XIXe siècle. Cette plante est tombée dans l'oubli au XXe siècle, jusqu'à son récent regain de popularité attribuable à des recherches de pointe menées en Allemagne.

Quelles sont les preuves de son efficacité?

Durant les années 1970, des chercheurs de l'Université de Munich ont validé la réputation attribuée depuis longtemps au chardon-Marie comme médicament traditionnel pour le foie en identifiant les agents pharmacologiques que contiennent les graines de sa fleur et en expliquant même en détail leur activité contre les toxines les plus dangereuses à attaquer le foie. Au cours d'une série d'études qui ont fait époque, ils ont démontré que donner à des rats un produit chimique à action lente contre le foie tuait la totalité des cobayes au bout de 130 jours. Mais lorsque ces animaux recevaient également du chardon-Marie, 70 p. 100 d'entre eux survivaient!

Depuis, plus de 200 études cliniques et expérimentales laissent supposer que le chardon-Marie est un traitement efficace contre diverses maladies du foie, dont la stéatose hépatique — courante même chez les consommateurs d'alcool modérés —, les hépatites aiguë et chronique, les lésions hépatiques causées par les médicaments et par l'exposition à des produits chimiques toxiques, voire la cirrhose avancée, généralement irréversible et contre laquelle bien peu de médicaments pharmaceutiques ont quelque efficacité. Une vaste étude allemande menée en 1992 rapporte les bienfaits phénoménaux de l'administration de chardon-Marie sur 2637 patients atteints de troubles hépatiques, dont la stéatose hépatique, l'hépatite et la cirrhose. Après avoir pris quotidiennement pendant huit semaines un extrait normalisé de chardon-Marie, 63 p. 100 des sujets ont dit que leurs symptômes (nausée, fatigue, perte d'appétit, distension abdominale) avaient disparu. Des analyses en laboratoire ont confirmé que les taux élevés d'enzymes dans le foie, signes de lésions hépatiques, étaient tombés de façon spectaculaire, réduction pouvant atteindre les 46 p. 100. En outre, 27 p. 100 des foies hypertrophiés ont repris leur volume normal, tandis que 56 p. 100 ont considérablement réduit de volume. Qui plus est, moins de 1 p. 100 des consommateurs de chardon-Marie ont dû cesser le traitement à cause de ses effets secondaires, comme les troubles digestifs, la nausée et la diarrhée légère.

RÉPARATION DES DOMMAGES CAUSÉS PAR L'ALCOOL

Fort heureusement, le chardon-Marie s'attaque au problème exactement là où il le faut. C'est en travaillant sur les cellules endommagées par l'alcool qu'il se révèle le plus efficace. Selon les recherches, il contribue à reconstruire l'architecture des cellules du foie, redonnant à celles-ci leur capacité métabolique. Au cours d'une rigoureuse étude à double insu regroupant 116 sujets atteints de lésions hépatiques causées par l'abus d'alcool, des chercheurs allemands ont fait l'essai du chardon-Marie en doses quotidiennes de 420 mg. En moins de deux semaines, la plante a eu un effet thérapeutique profond, mesuré par l'amélioration des taux d'enzymes, marqueurs des lésions cellulaires hépatiques. En fait, selon les chercheurs, l'amélioration se serait fait sentir au bout de sept jours; le chardon-Marie aurait contribué à restaurer la fonction hépatique normale et à enrayer la maladie. Au cours d'une autre étude tout aussi remarquable, dont les résultats ont été publiés dans une revue médicale allemande en 1981, les chercheurs ont testé le chardon-Marie sur 29 sujets atteints d'affections du foie d'origine éthylique, notamment de stéatose hépatique, d'hépatite alcoolique et de cirrhose. Des analyses ont révélé une amélioration importante au bout de deux mois de la fonction hépatique de ces sujets. De plus, ils se sentaient plus forts, avaient meilleur appétit et souffraient moins de nausées. Dans une autre étude menée sur 57 patients atteints de stéatose hépatique due à l'alcoolisme, le chardon-Marie a réduit de 80 p. 100 le taux d'aspartate aminotransférase, marqueur privilégié de souffrance tissulaire, particulièrement de nature hépatique.

L'HÉPATITE

Il existe des preuves que le chardon-Marie peut contribuer à accélérer le rétablissement dans les cas d'hépatites causées par un virus ou par l'alcool. Selon des recherches allemandes, cette plante a contribué à guérir l'hépatite B, forme courante de l'hépatite attribuable le plus souvent à un virus. Elle pourrait également être efficace dans le traitement de l'hépatite C; des études destinées à le confirmer ont été entreprises. Des preuves considérables montrent que le chardon-Marie contribue au traitement de l'hépatite chronique d'origine virale. Dans toute une série d'études, des médecins allemands ont donné aux patients atteints de telles hépatites une dose quotidienne de 420 mg de silymarine (chardon-Marie) sur une période moyenne de neuf mois. Le médicament a réparé les lésions hépatiques, comme l'ont montré des biopsies et la réduction du taux de transaminase sanguin. La transaminase est une enzyme hépatique dont le taux sérique s'élève en cas d'hépatite virale du fait d'une sécrétion accrue dans les cellules détériorées du parenchyme hépatique. Les chercheurs ont conclu que le chardon-Marie était efficace contre l'hépatite chronique.

Des chercheurs italiens ont également mis à l'épreuve un produit relativement nouveau du chardon-Marie, dont on dit qu'il est d'absorption particulièrement facile; la silybine, le composant le plus actif de la silymarine, est combinée à une autre substance chimique, la phosphatidylcholine, pour donner du IdB 1016 aussi connu sous le nom de Silipide. En 1993, des chercheurs de l'Institut de médecine clinique de Florence ont mis ce produit à l'essai sur 60 patients atteints d'hépatite chronique d'origine virale ou éthylique. Ils ont constaté une réduction remarquable du taux d'enzymes entraînant une amélioration considérable de la fonction hépatique. Au cours d'un essai touchant 8 patients âgés atteints d'hépatite B et d'hépatite C chroniques et actives, ce même produit du chardon-Marie a amélioré de 15 p. 100 la fonction hépatique, comme l'a prouvé le taux d'enzymes dans le sang.

Le chardon-Marie est-il efficace contre la cirrhose?

Le chardon-Marie ne semble pas réparer les dommages causés par la cirrhose avancée dont les symptômes sont évidents, comme l'ascite (épanchement liquidien dans la cavité péritonéale) et les saignements œsophagiens ou rectaux. Cependant, d'excellentes études à double insu ont déterminé que l'utilisation à long terme du chardon-Marie ralentit la progression de cette maladie, qui cause environ 30 000 décès chaque année aux États-Unis. Les chercheurs ont découvert que, lorsque les cirrhotiques prennent du chardon-Marie, ils sont susceptibles de vivre plus longtemps, comme l'illustre une vaste étude menée en Allemagne en 1987 sur 170 patients atteints de cirrhose. Pendant deux ans, ceux-ci ont reçu soit 420 mg de silymarine par jour, soit un placebo. Au bout de deux ans, la mortalité de ceux qui recevaient le placebo a été de 60 p. 100 supérieure à celle des utilisateurs de chardon-Marie. La plante s'est surtout révélée efficace chez les sujets atteints d'une cirrhose d'origine éthylique.

De toute évidence, le chardon-Marie lutte mieux contre la cirrhose lorsque le malade cesse de consommer de l'alcool. Ne comptez pas sur cette plante pour vous sauver si vous continuez d'endommager par l'alcool votre foie affaibli par la cirrhose.

Si vous consommez des médicaments pharmaceutiques, le chardon-Marie pourrait atténuer en partie leurs effets néfastes sur le foie. Au cours d'un essai mené dans un hôpital psychiatrique italien sur 60 femmes, une dose de 400 mg de silymarine, prise deux fois par jour pendant trois mois, a atténué les effets néfastes pour le foie des phénothiazines et butyrophénones, médicaments psychotropes que les patients consommaient depuis au moins cinq ans. Le chardon-Marie semble protéger le foie contre la toxicité de l'acétaminophène (Tylenol). De fortes doses de cet analgésique peuvent endommager les cellules du foie. Selon des études canadiennes et allemandes sur les cellules humaines, le chardon-Marie bloque les effets toxiques du médicament. Chez les souris, cette plante a également prévenu les dommages causés par l'acétaminophène et par le cisplatine, médicament antinéoplasique.

Bonnes nouvelles pour ceux qui, à cause de leur travail, sont exposés à des produits chimiques dangereux et qui en respirent les vapeurs: le chardon-Marie peut les protéger contre les dommages au foie. Environ 25 p. 100 d'un groupe de 200 travailleurs hongrois exposés aux vapeurs de toluène et de xylène sur une période de 5 à 20 ans ont présenté des signes de lésion du foie. Certains ont reçu du chardon-Marie pendant 30 jours, d'autres pas. Les analyses de fonction hépatique ont révélé une nette amélioration de l'état des premiers.

Et pour le cancer?

L'hépatite chronique inflammatoire est souvent le prélude au cancer du foie. Ainsi, traiter l'inflammation, ce dont est capable le chardon-Marie, devrait contribuer à enrayer la progression du cancer. On ignore si le chardon-Marie peut ou non traiter le cancer du foie, l'un des plus difficiles à soigner. On apprend grâce au réseau Internet que certains patients en prennent pour traiter leur cancer du foie, mais aucune étude n'a été menée sur l'efficacité de cette plante contre cette maladie.

Le chardon-Marie a protégé des souris contre le cancer des reins et le cancer de la peau. Incidemment, on a remarqué que cette plante stimule la régénération des cellules saines seulement, et non celle des cellules cancéreuses. Ainsi, elle ne devrait pas favoriser la propagation du cancer. Certains médecins allemands recommandent le chardon-Marie à leurs patients atteints d'un cancer du foie, convaincus qu'elle ne peut leur nuire mais qu'elle peut leur faire du bien, surtout dans les cas où la médecine conventionnelle n'a rien à offrir.

LE MIRACLE DU MENUISIER
La disparition d'un cancer du foie

Lorsqu'un menuisier de 52 ans s'est présenté au centre hospitalier de l'Université de Munich, en juillet 1990, il ne faisait aucun doute qu'il était atteint d'un cancer du foie. L'examen au tomodensitomètre a clairement révélé une grosse tumeur (4,5 cm) sur le lobe droit du foie; une biopsie a confirmé que le cancer s'était propagé dans le lobe droit et même dans le gauche. Buveur et fumeur invétéré, il avait bu chaque jour trois litres de bière pendant vingt ans et, depuis l'adolescence, fumait quotidiennement une vingtaine de cigarettes. L'équipe de médecins traitants, dont faisait partie le Dr Mathis Grossman, aujourd'hui attaché au Centre de biotechnologie médicale de l'Université du Maryland, estimait qu'une intervention chirurgicale était inutile, vu l'état avancé du cancer. Les médecins ont renvoyé le patient chez lui, s'attendant à ce que la maladie l'emporte rapidement. Les malades dont le cancer est inopérable ne survivent généralement que de trois à six mois après le diagnostic.

Les médecins ont donc été étonnés un an plus tard, en juin 1991, lorsque le menuisier est revenu à l'hôpital en meilleure forme. Il avait cessé de fumer et de boire un an auparavant, dès le diagnostic de cancer. Il avait pris 7 kilos et disait se sentir en bonne forme. Le plus étonnant de tout, c'est que son cancer avait disparu: les médecins n'en ont trouvé aucune trace. L'échographie n'a indiqué aucune tumeur; la tomodensitométrie n'a révélé que les empreintes d'un ancien cancer. Au cours de multiples biopsies sur le tissu où se trouvait la tumeur, on n'a trouvé aucune cellule maligne. Le cancer du menuisier avait disparu! Selon ses médecins, une rémission totale spontanée d'un quelconque cancer est un phénomène rare ne se produisant qu'une fois sur 60 000 à 100 000 cancéreux. Dans toute la documentation médicale mondiale, seuls huit cas de régression totale d'un cancer du foie ont été recensés.

Que s'est-il donc passé? Qu'est-ce qui a chassé le cancer? Y a-t-il quelque chose de particulier qui ait provoqué cette rémission totale «spontanée»? Les médecins, intrigués et perplexes, ont émis l'hypothèse suivante. Le cancer, étrangement, est peut-être mort de faim, ou l'élimination de l'alcool et du tabac a peut-être joué un rôle. Mais, selon eux, une autre possibilité doit être envisagée: dès son départ de l'hôpital en 1990, le malade atteint d'un cancer du foie incurable a commencé à prendre une dose quotidienne de 450 mg de silymarine, prescrite par le médecin de sa localité. Il avait suivi le traitement à la lettre, tous les jours pendant 11 mois. Ses médecins ne connaissaient aucun autre cas de traitement réussi du cancer du foie au moyen du chardon-Marie et n'en ont trouvé aucun dans la documentation médicale. Coïncidence? Le chardon-Marie a-t-il joué un rôle dans la guérison de ce cancer? Personne ne le sait. Mais les médecins s'entendent pour dire que l'utilisation du chardon-Marie est raisonnable dans le cas d'un cancer du foie incurable, puisqu'il ne peut pas faire de tort. En outre, on sait que cette plante neutralise les radicaux libres et régénère les cellules du foie.

Malheureusement, le menuisier qui semblait s'être guéri lui-même de son cancer est mort en 1991 des complications d'un cancer primitif de l'estomac sans aucun rapport avec le cancer du foie. Ce fait n'invalide pas le rôle anticancer qu'a peut-être joué le chardon-Marie pour le foie de cet homme. On ne peut s'attendre à ce que cette plante combatte tous les types de cancer, puisque son activité principale s'exerce sur le foie.

Comment agit-il?

Les composants actifs du chardon-Marie sont un complexe de bioflavonoïdes antioxydants appelé silymarine. Selon des recherches poussées, ce complexe unique exercerait ses pouvoirs curatifs en prévenant les dommages aux cellules saines du foie et en stimulant la régénération des cellules endommagées. Plus précisément, la silymarine monte la garde devant les récepteurs des cellules, empêchant les toxines de désintégrer les membranes cellulaires et de pénétrer à l'intérieur. De plus, la silymarine neutralise les substances toxiques qui réussissent à pénétrer dans les cellules.

La silymarine a également la capacité unique de stimuler la synthèse des protéines dans les cellules du foie en augmentant l'activité génétique (ADN et ARN), ce qui contribue à la régénération des cellules endommagées. De plus, le chardon-Marie stimule d'autres défenses antioxydantes dans les cellules du foie pour neutraliser les envahisseurs toxiques. Par exemple, l'un des antioxydants les plus puissants de l'organisme et l'un des agents majeurs de désintoxication du foie est le glutathion. Chez l'être humain en bonne santé, la silymarine a augmenté de 35 p. 100 la concentration de glutathion dans le foie. Le chardon-Marie déclenche également l'activité d'un autre antioxydant puissant, la superoxyde dismutase, dans les cellules des personnes atteintes d'une maladie de foie. Fait intéressant à noter, cet antioxydant semble particulièrement convenir à l'élimination du type de radicaux libres que l'alcool génère dans le foie.

UNE EXPÉRIENCE MIRACLE

L'une des raisons qui font que les scientifiques sont convaincus de l'efficacité du chardon-Marie, c'est qu'il a sauvé la vie de bien des personnes qui avaient consommé un champignon mortel, l'amanite, aussi appelée amanite phalloïde. En 1981, le chercheur G. Vogel, de l'Université de Munich, a mené une étude sur 49 patients — allemands, autrichiens, italiens, suisses et français — intoxiqués par ce champignon: tous ont reçu une injection quotidienne d'ingrédients actifs du chardon-Marie, en plus du traitement conventionnel. Vogel qualifie les résultats obtenus d'«étonnants» et de «spectaculaires». Généralement, le taux de mortalité de l'amanite est de 30 à 40 p. 100. Le chardon-Marie a ramené ce taux à 0 p. 100. Aucune des victimes n'est décédée, même si elles ont toutes été soignées de deux à trois jours après l'intoxication. Selon lui, ces résultats prouvent que le chardon-Marie a gêné la circulation du poison dans les cellules du foie, prévenant d'autres dommages et guérissant les cellules endommagées.

Quelle dose prendre?

L'extrait de chardon-Marie se présente généralement sous forme de pilules et, occasionnellement, de sirop. L'extrait normalisé qui a été mis à l'essai en Europe et approuvé en Allemagne pour les cas de maladies du foie et de troubles de la fonction hépatique contient de 70 à 80 p. 100 de silymarine. La dose quotidienne recommandée est de 420 mg de silymarine répartie en trois prises. Dès qu'il y a amélioration de l'état du patient, constatée par analyse sanguine de la fonction hépatique, la dose quotidienne peut être réduite à 280 mg de silymarine. C'est cette dernière dose que certains médecins recommandent pour prévenir les troubles et les lésions hépatiques.

Quelle est la vitesse de son action?

Le chardon-Marie de haute qualité est facilement absorbé par l'organisme, et sa concentration dans le sang atteint son maximum une heure après l'ingestion. Ce qui est étonnant, c'est qu'on remarque souvent une amélioration au bout de 5 à 8 jours: réduction du taux d'enzymes et de l'hypertrophie du foie, et atténuation de la jaunisse. Selon des études, la réparation des dommages causés par l'alcool pourrait prendre un mois ou deux. Pour évaluer la guérison, il est essentiel de procéder à des analyses sanguines mesurant le taux d'enzymes dans le foie et aussi à une biopsie du foie. Le chardon-Marie abaisse le taux d'enzymes dans le foie, ce qui indique que les cellules hépatiques sont en voie de guérison. Les patients alcooliques doivent généralement continuer de prendre du chardon-Marie pendant plusieurs mois. La rémission de l'hépatite chronique a été réalisée sur une période allant de six mois à un an au moyen de cette plante.

Et la sécurité?

Contrairement aux autres médicaments ayant un effet sur le foie, le chardon-Marie ne provoque que des effets secondaires mineurs, comme des troubles digestifs, chez moins de 1 p. 100 des utilisateurs, si l'on en croit les études réalisées. On note plus particulièrement son effet légèrement laxatif, surtout les premiers jours d'utilisation. Rien ne laisse croire que le chardon-Marie soit toxique ou qu'il y ait interaction entre cette plante et d'autres médicaments. Des études menées sur des animaux concluent à l'absence de toxicité aiguë ou chronique, de génésotoxicité (nocivité pour l'appareil reproducteur) et de mutagénicité (mutations provoquées dans une cellule) notamment, même à très forte dose. Étonnamment, en Allemagne, on croit tellement en l'innocuité du chardon-Marie que le gouvernement n'a pas jugé bon de faire inscrire sur les contenants une mise en garde contre son utilisation, même durant la grossesse et l'allaitement.

Préoccupations du consommateur

Bon exemple de produit normalisé de chardon-Marie, le Thisilyn de Nature's Way, contient 70 p. 100 de silymarine. Fabriqué par Madaus, grand producteur allemand, il a été utilisé dans beaucoup de recherches en Europe.

Devriez-vous essayer le chardon-Marie?

Oui, si vous craignez subir des lésions au foie, par exemple si vous buvez trop, si vous avez ou avez eu une hépatite ou une cirrhose, si vous travaillez à proximité de produits chimiques industriels, si vous vivez dans un milieu particulièrement pollué ou si vous prenez des médicaments pharmaceutiques susceptibles d'être nocifs pour le foie, comme certains médicaments anticholestérol — le Mevacor et le Zocor, par exemple — ou certains antidépresseurs. En fait, l'extrait de chardon-Marie peut en partie vous protéger contre tout médicament susceptible d'avoir des effets secondaires néfastes pour le foie. Un médicament capable de renforcer la résistance de votre foie contre les périls de la civilisation moderne vaut la peine que vous l'essayiez. Si vous êtes fortement exposé à des éléments toxiques pour le foie, une dose préventive raisonnable serait de 280 mg de silymarine par jour. La dose thérapeutique est de 420 mg par jour, jusqu'au rétablissement, celui-ci devant être confirmé par des analyses médicales.

Attention! Si vous avez reçu un diagnostic de maladie hépatique, telle l'hépatite ou la cirrhose, ou que vous avez des raisons de croire que vous en êtes atteint, recourez au chardon-Marie sous la surveillance d'un médecin, qui pourra demander des analyses de la fonction hépatique, afin de documenter l'évolution de votre état. De plus, il est essentiel de réduire votre consommation d'alcool si vous souffrez d'une maladie du foie ou de lésions hépatiques.

UN MYSTÉRIEUX MÉDICAMENT CONTRE LE RHUME DES FOINS

(POLLEN D'ABEILLES)

Personne ne sait pourquoi ni comment il fonctionne; mais s'il est efficace pour vous, vous pourrez dire adieu au rhume des foins — probablement pour toujours.

Lorsque la saison du rhume des foins arrive, environ un Américain sur cinq ferait à peu près n'importe quoi pour se débarrasser de ses symptômes: picotement nasal et oculaire suivi d'éternuements, d'un écoulement nasal et d'une obstruction du nez. Les antihistaminiques et les injections antiallergiques sont ce que la médecine conventionnelle a de mieux à offrir. Mais un autre remède a commencé à attirer l'attention de beaucoup d'Américains, dont des législateurs, pour la simple raison qu'il est efficace pour eux, malgré l'absence d'études scientifiques contrôlées le prouvant. À cause de cette absence de preuves, l'establishment médical refuse de le recommander; mais, pour bon nombre d'Américains, dont des médecins, le pollen d'abeilles et d'autres remèdes naturels valent la peine qu'on les essaie, surtout s'ils sont les seuls à procurer un soulagement.

LA GUÉRISON MIRACULEUSE DU SÉNATEUR HARKIN

Fini le supplice du rhume des foins

Pendant des années, le sénateur démocrate du Minnesota, Tom Harkin, a essayé de venir à bout de son rhume des foins au moyen de médicaments antihistaminiques d'ordonnance. Mais, ses allergies ayant continué d'empirer et les histaminiques ayant cessé de faire effet, son médecin lui a prescrit une dose plus forte. Au bout d'un an, celle-ci s'est révélée tout à fait inefficace. C'est pourquoi, au printemps 1993, à l'arrivée de la saison des cerisiers en fleurs et des forts taux de pollen dans l'atmosphère, le sénateur était mal en point, malgré tous les comprimés contre le rhume et les allergies en vente libre qu'il se procurait. Il avait les yeux gonflés, il était secoué la nuit par des crises d'éternuements, devait interrompre ses réunions pour se moucher et avait de la difficulté à respirer tant son nez était bouché. Il utilisait une demi-boîte de papiers-mouchoirs chaque jour.

«Je m'éveillais la nuit en éternuant. J'avais de la difficulté à respirer. Je me servais d'un vaporisateur nasal; je prenais du Seldane, mais ce n'était plus efficace. Je prenais aussi du Sudafed et du Benadryl. Je rendais ma femme folle», a-t-il raconté au journaliste du *Des Moines Register.* Avec ses éternuements, il distrayait constamment son collègue d'alors, Berkley Bedell, représentant de l'Iowa. Bedell lui a alors conseillé d'essayer un autre remède, un comprimé de pollen d'abeilles de marque Aller-Be-Gone, fabriqué par l'entreprise de l'un de ses amis. «J'étais sceptique, dit Harkin, mais je n'avais rien à perdre. J'en avais assez d'avaler des médicaments qui n'avaient aucun effet.»

Il a commencé à utiliser le médicament selon le mode d'emploi: prise de quelques comprimés suivie d'une attente de 10 minutes. (Il est essentiel d'être prudent et d'amorcer lentement le traitement au début, afin de vous assurer que vous n'aurez pas de réaction allergique au pollen. Lisez attentivement les conseils sur la sécurité se trouvant à la fin de la présente section.) Harkin, n'obtenant aucun résultat, a avalé une douzaine de comprimés de plus. Le principe consiste à répéter le cycle prise-attente jusqu'à ce que les symptômes commencent à disparaître. Après avoir avalé 60 comprimés par jour, il a constaté que les yeux lui piquaient moins. Le sixième jour, le miracle s'est produit: les symptômes de l'allergie ont tout simplement disparu. À son grand étonnement, il n'avait plus le rhume des foins: «Mon nez ne coulait plus. Mes yeux s'étaient dégagés. Finis les éternuements. Aujourd'hui, je ne prends plus aucun médicament pharmaceutique.»

Il continue d'avaler six comprimés de pollen d'abeilles par jour à titre préventif, augmentant la dose au début du printemps et à l'automne, au besoin. Même si certains médecins lui ont affirmé que le traitement au pollen d'abeilles était une idiotie, il refuse de nier sa propre guérison miraculeuse et soudaine, qui lui a apporté un bien-être incroyable après des années de souffrances, même s'il est incapable de l'expliquer. Il avoue ignorer comment agit le pollen d'abeilles, mais il persiste à dire: «Je sais qu'il m'a guéri de mes allergies. C'est un miracle. Je n'ai jamais rien vu de mieux.» Il n'en démord pas: même en l'absence d'une explication scientifique conventionnelle, il sait ce qui lui est arrivé. L'expérience vécue par le sénateur Harkin a eu plus d'effet que toute autre sur la politique médicale du gouvernement. Convaincu de l'efficacité des traitements non conventionnels, Harkin a joué un rôle important dans la mise sur pied de l'Office of Alternative Medicine du NIH, qui finance et coordonne la recherche sur les traitements dits «alternatifs», dont celui qui a pour base le pollen d'abeilles.

Quelles sont les preuves de son efficacité?

Aucune étude scientifique rigoureuse susceptible de convaincre les médecins de recourir au pollen d'abeilles pour lutter contre les allergies n'a été menée. Mais plusieurs rapports publiés dans des revues médicales depuis 1916 affirment que le pollen d'abeilles réduit les symptômes de l'allergie et du rhume des foins. Durant les années 1920, le traitement au pollen d'abeilles est devenu populaire; un médecin a rapporté à l'époque qu'il avait traité avec succès plus de 150 cas d'asthme et de rhume des foins. Au cours d'une étude plus récente menée en 1991, encore non publiée, feu le Dr Maurice M. Tinterow, alors attaché au Bio-Communications Research Institute de Wichita, au Kansas, a mis à l'essai un produit contenant du pollen d'abeilles (comprimés Bee All Free) sur 195 sujets présentant des symptômes d'allergie, d'asthme, de rhume des foins, de sinusite chronique et de bronchopneumopathie chronique obstructive. On a dit à tous les sujets, à qui l'on avait remis un chronomètre, de prendre autant de comprimés qu'il le fallait jusqu'à ce que les symptômes disparaissent. Le pollen d'abeilles s'est révélé efficace sur tous les sujets sauf quatre. Le délai moyen avant le soulagement a été de 10 minutes, et le nombre moyen de comprimés nécessaires, de 15 unités. L'un des sujets a avalé 120 comprimés. L'effet le plus rapide s'est produit chez une fillette de 4 ans: après avoir avalé 3 cuillerées à soupe de Bee All Free liquide, elle a été complètement soulagée au bout de 92 secondes. Trois des sujets — qui n'ont pas été soulagés — ont éprouvé une nausée légère après avoir consommé les comprimés. Le Dr Tinterow a conclu que le pollen d'abeilles avait guéri définitivement la plupart des sujets; en d'autres mots, les symptômes ne sont jamais revenus. Dans le cas des sujets qui ont plus tard éprouvé les mêmes symptômes, une petite dose de pollen d'abeilles a suffi à les enrayer.

Comment agit-il?

On dit que le pollen d'abeilles désensibilise l'organisme aux allergies, comme le font les injections antiallergiques. Lorsque l'organisme est exposé à une petite quantité de l'agent perturbateur (l'allergène), il déploie ses défenses immunitaires (anticorps) contre cet agent envahisseur, ce qui prévient la réaction allergique (écoulement nasal, difficulté respiratoire). Mais nous ignorons lesquels des composants (sans doute les protéines) du pollen d'abeilles produisent l'effet recherché. Le Dr Tinterow a émis l'hypothèse qu'il s'agit probablement d'une combinaison de composants. Le mécanisme d'action de ce médicament n'a pas été étudié ni défini. Mais le Dr Tinterow a avancé que, à court terme, le pollen d'abeilles provoque une «cassure dans la chaîne histaminique», ce qui fait instantanément disparaître les symptômes. Les symptômes ne se manifestent plus jamais, a-t-il écrit, parce que le pollen d'abeilles a tendance à «modifier la déficience du système immunitaire» qui causait l'allergie.

LE MIRACLE DU Dr JIM GORDON
«Un rayon de miel m'a guéri de mes allergies»

Le Dr James S. Gordon, diplômé de l'Université Harvard, professeur clinicien à la faculté de médecine de l'Université Georgetown, souffrait d'allergies «très ennuyeuses» depuis son enfance. Celles-ci se sont aggravées au début des années 1970, lorsqu'il a emménagé dans une ferme située près de Washington. «Je travaillais dans le jardin; l'atmosphère était remplie de pollen, dit-il. Je prenais constamment des antihistaminiques et des décongestionnants, mais ils n'avaient aucun effet sur mes allergies. Ils arrivaient tout juste à soulager quelque peu les symptômes, en me stimulant ou en me calmant.» Un jour, un guérisseur indien rencontré à Londres lui a recommandé un vieux remède traditionnel: le rayon de miel. Gordon a décidé de l'essayer: «Je savais que ce produit ne pouvait pas me faire de tort; l'expérience m'a montré qu'il m'a fait beaucoup de bien.»

Il n'a pas eu de crise de rhume des foins ou d'allergie au pollen depuis vingt ans. Les allergies qui l'avaient fait souffrir toute sa vie ont disparu en quelques mois. Voici comment il a procédé. Il a acheté des rayons de miel dans un magasin d'aliments naturels. («Les rayons provenant de votre localité sont les meilleurs, parce qu'ils contiennent exactement les pollens auxquels vous êtes sensible», dit-il.) Il les a débarrassés de la plus grande partie du miel contenu, afin de ne pas être obligé de consommer des superdoses de miel. Il a découpé les rayons en cubes d'environ 3 cm de côté, puis en a mâché un trois fois par jour pendant trois mois. «Une fois habitué à la texture cireuse un peu déplaisante du rayon, vous avez l'impression de mâcher de la gomme», dit-il.

À la fin du premier mois, le Dr Gordon a constaté une légère amélioration de ses allergies. Au bout de trois mois, elles avaient presque disparu. Depuis plus de vingt ans, il n'a jamais eu d'épisodes allergiques graves. S'il se rend dans un endroit où les pollens ne lui sont pas familiers, son organisme réagit quelque peu; mais ce n'est pas le cas dans sa région. «Je ne ressens presque rien», dit-il. En d'autres mots, contrairement aux injections antiallergiques et aux médicaments destinés à soulager les symptômes, auxquels on est forcé de recourir régulièrement toute sa vie, l'utilisation de très courte durée du rayon de miel l'a guéri de ses allergies, sans doute définitivement, en modifiant de façon permanente les réactions de son système immunitaire.

Le Dr Gordon est d'avis que ce produit a été beaucoup plus efficace pour lui que toutes les injections et tous les médicaments allergiques du monde. Pourquoi? «Je n'en ai aucune idée, répond-il; nous ne connaissons pas la composition exacte d'un rayon de miel. Il contient du pollen d'abeilles et peut-être une douzaine d'autres composants qui ne se trouvent pas dans les injections antiallergiques ni dans les comprimés de pollen d'abeilles.» Selon lui, le rayon de miel a théoriquement un effet semblable à celui de l'injection antiallergique: «Sauf qu'il ne s'agit pas d'une injection. C'est un produit très naturel, conçu à dessein pour le bénéfice de l'homme. Il est probable que, lorsque j'en prends une petite dose comme c'est mon cas, mon système immunitaire se mobilise, s'adapte aux allergènes et devient immunisé contre eux. C'est là le moyen naturel de s'immuniser.»

Lorsqu'on lui demande s'il existe des études scientifiques contrôlées prouvant l'efficacité du rayon de miel contre les allergies, le Dr Gordon répond franchement: il n'en connaît aucune, parce que leur financement n'offre aucun avantage aux apiculteurs et à l'industrie du miel: «Je n'ai pas essayé ce produit en raison de quelconques études sur son efficacité, mais bien parce que les herboristes et les guérisseurs l'utilisent depuis des siècles. À mon avis, s'il est efficace et qu'il ne présente aucun danger (voir la section suivante), je n'ai pas besoin d'études contrôlées à double insu pour le savoir. Je crois que les gens devraient l'expérimenter et voir s'il est efficace pour eux. Le rayon de miel guérira peut-être leurs allergies, comme cela a été le cas pour moi.»

Et la sécurité?

Certaines personnes sont allergiques aux piqûres d'abeilles, susceptibles de provoquer chez eux un choc anaphylactique. On rapporte également que le pollen d'abeilles peut provoquer de graves réactions allergiques. Le Dr Daniel Tucker, allergologue et immunologiste à West Palm Beach, en Floride, lui-même consommateur de pollen d'abeilles comme supplément alimentaire, est d'avis que ce produit peut présenter des risques graves, dont le choc anaphylactique, chez l'individu qui serait très allergique à l'un des pollens du produit ou aux antigènes de l'abeille. Il conseille aux personnes qui décident d'essayer le pollen d'abeilles de commencer par n'en prendre qu'une petite quantité pour s'assurer qu'une réaction allergique ne se manifeste pas. Si c'est le cas, elles doivent cesser immédiatement d'en prendre. Il fait remarquer que c'est là ce que font les médecins lorsqu'ils vérifient si un sujet est allergique: «Nous plaçons sur la peau du sujet une très petite quantité du produit, pour voir si une très petite réaction allergique se produira.» Pour une personne allergique, plus la dose est élevée, plus le risque d'une mauvaise réaction l'est aussi. C'est pourquoi il faut commencer le traitement progressivement. Le Dr Tucker a également constaté que certaines personnes souffrent de troubles digestifs après avoir consommé du pollen d'abeilles.

Attention! Commencez toujours par prendre de très petites doses de pollen d'abeilles ou de rayon de miel, pour ensuite les augmenter progressivement. Si vous constatez une réaction quelconque — par exemple, rougeur de la peau, mal de tête, respiration sifflante —, cessez immédiatement le traitement. Si vous avez déjà eu une réaction allergique aux piqûres d'abeilles ou aux produits de l'apiculture, bien entendu n'essayez pas le pollen d'abeilles ou ne le faites qu'en présence d'un professionnel de la santé, conseille le Dr Tucker.

Croit-il que le pollen d'abeilles et le rayon de miel peuvent être efficaces? «Bien sûr, répond-il. Il est fort possible que, en "inondant leur système" d'antigènes provenant du pollen d'abeilles, les utilisateurs se désensibilisent à certains des agents qui déclenchent le rhume des foins.»

LE REMÈDE ANTINAUSÉE DE LA NATURE

(GINGEMBRE)

Cela ne fait aucun doute: lorsque vous souffrez de nausées, le gingembre est le meilleur remède que vous puissiez trouver.

Si vous avez tendance à souffrir du mal des transports (cinépathie) lorsque vous êtes en bateau, en avion, en voiture ou ailleurs, ou si vous souffrez occasionnellement de nausées, votre premier choix de remède miracle devrait être le gingembre. C'est le remède contre la nausée le plus sûr, le plus ancien et le plus efficace qui soit. Semblant agir principalement sur l'appareil digestif et non sur le cerveau, il ne provoque pas les effets secondaires désagréables sur le système nerveux, telle la somnolence, qui sont typiques des médicaments antinausée en vente libre. Des siècles d'expérience, de multiples études scientifiques contrôlées et d'innombrables utilisateurs le confirment: le gingembre combat les nausées de toutes sortes.

LA GUÉRISON MIRACULEUSE DE JUDY
«Je ne crains plus d'avoir la nausée»

Il y a une vingtaine d'années, Judy Stevens, alors âgée de 30 ans, est partie en vacances à Londres avec son mari.

Même si elle avait déjà pris l'avion pour de courts vols nationaux, elle a vite compris qu'elle serait malade durant son premier vol transatlantique. Peu après le décollage, elle s'est sentie extrêmement nauséeuse, état qui a persisté durant les huit heures qu'a duré le vol. Elle redoutait le retour. Le mal des transports, dans les airs et sur l'eau, faisait partie de sa vie. «Dans un avion, même un gros porteur, j'ai la nausée. J'ai toujours envie de vomir», dit-elle. Deux ou trois ans plus tard, au cours de vacances au Mexique, elle est allée à la pêche en haute mer. Pour enrayer la nausée, elle a pris un comprimé de Dramamine qui l'a rendue si somnolente qu'elle a passé la journée couchée sur le pont, ratant les plus beaux moments de l'expédition.

Du fait qu'elle ne prenait pas l'avion régulièrement, le mal des transports n'était pas pour elle une source constante d'inquiétude. Durant les années 1990, cependant, elle a commencé à monter fréquemment à bord d'une petite navette aérienne qui la transportait de Hagerstown, au Maryland, jusqu'à Baltimore, où un vol de correspondance à destination du sud lui permettait d'aller rendre visite à des parents. «C'était pire pour moi; dans un petit avion, je suis vraiment angoissée et je me sens encore plus malade parce que c'est moins stable que les gros avions.» Un jour, quelqu'un lui a parlé du gingembre. La première fois qu'elle en a pris, Judy a dissous une demi-cuillerée à thé de gingembre moulu dans son thé avant le décollage. Elle apportait toujours une quantité supplémentaire de gingembre pour en verser dans son thé à l'aéroport lorsqu'elle devait changer d'avion. Elle a été étonnée de l'effet: «Le gingembre était vraiment efficace. Je n'avais pas du tout la nausée, aucune angoisse, rien. Lorsque j'en prends, je suis tout à fait bien.»

Au printemps 1994, elle a emmené en voyage sa fille de 13 ans, Jessica. Elles devaient faire escale deux fois avant d'arriver à destination. Jessica avait toujours la nausée en voiture. Pour lui faciliter l'ingestion du gingembre, Judy en avait acheté en capsules de 500 mg. Elle et sa fille ont chacune pris deux capsules un peu moins d'une demi-heure avant l'embarquement. «Jessica n'a présenté aucun symptôme du mal des transports, raconte Judy. Le voyage a été très agréable pour nous deux. Le gingembre est vraiment remarquable. Je ne sais pas ce que je ferais sans lui. Il ne m'est arrivé qu'une fois d'être malade dans un petit avion à cause de turbulences, mais tous les autres passagers étaient encore plus mal en point que moi. Je ne crois pas que quelque chose aurait pu nous aider dans une telle situation. Mais le gingembre est efficace tout le reste du temps, je dirais à 100 p. 100 dans mon cas. Depuis que j'en prends, je me sens bien à l'embarquement comme au débarquement.»

LA GUÉRISON MIRACULEUSE DE FRED
«Le gingembre m'a sauvé quand les médicaments étaient inefficaces»

Pendant quatorze ans, Fred Thomas, 33 ans, a souffert le martyre. Les anti-inflammatoires non stéroïdes qu'il prenait pour soulager la douleur de sa maladie rhumatoïde lui donnaient la nausée au point qu'il lui était impossible de manger quoi que ce soit avant 19 h. En plus, ils provoquaient une diarrhée grave. «C'est une sensation constante que celle d'être malade», dit Fred, étudiant en sciences informatiques à Portsmouth, en Angleterre. Malheureusement, l'Indocin, le médicament qui soulageait le mieux la douleur dans les hanches et dans la colonne vertébrale que lui causait sa spondylarthrite ankylosante, était aussi celui qui provoquait chez lui le plus de troubles digestifs. Il a essayé en vain bon nombre de médicaments pour son estomac: «J'ai tout essayé, tous les comprimés que m'a prescrits mon généraliste.»

Un jour, à la fin de 1993, il a remarqué dans sa pharmacie les capsules de gingembre qui restaient du temps où sa femme, Allison, en prenait contre la nausée au début de sa grossesse. Se disant qu'il n'avait rien à perdre à l'essayer, il en a avalé une capsule.

«Vous ne me croirez pas si je vous dis à quel point je me suis senti mieux après avoir avalé une seule capsule, raconte Fred. C'était absolument incroyable. Je me sentais vraiment bien, comme du temps où je ne souffrais pas encore de l'estomac.» Il a pu prendre un petit-déjeuner le matin pour la première fois en trois ans. Fred avale encore une capsule de gingembre au lever et au coucher. Même si ce produit n'a pas fait disparaître entièrement ses nausées, il a amélioré son état de façon spectaculaire: «Rien d'autre, aucun autre médicament, n'a fait pour moi ce qu'a fait le gingembre. Je ne pourrais trop en vanter les bienfaits. Quiconque souffre de troubles digestifs quelconques devrait l'essayer. En outre, il ne coûte pas cher et il n'a provoqué chez moi aucun effet secondaire.

«J'avais déjà entendu dire qu'on donnait des biscuits au gingembre aux enfants pour qu'ils n'aient pas la nausée en voiture; mais je croyais que c'étaient des histoires de grand-mères. Ce ne l'est sûrement pas. Je recommande le gingembre à quiconque souffre de l'estomac.»

Qu'est-ce que le gingembre?

La racine de gingembre, plus exactement le rhizome du plant de gingembre, est utilisée en Chine, en Inde et dans d'autres pays asiatiques depuis vingt-cinq siècles pour faciliter la digestion et soulager la nausée. Dans bien d'autres pays, les services de santé et les médecins la reconnaissent comme médicament contre la nausée.

En Allemagne, l'utilisation du gingembre contre le mal des transports et l'indigestion est approuvée par la Commission E; dans ce pays, on en vend chaque année 400 000 capsules pour combattre le mal des transports. Au Danemark, on en vend environ 14 millions de capsules par année comme traitement, approuvé par le gouvernement, «du rhumatisme et du mal des transports». Au Royaume-Uni, le gingembre est considéré comme un médicament en vente libre.

Quelles sont les preuves de son efficacité?

Les études complètement nouvelles menées par le psychologue Daniel Mowrey, originaire de l'Utah, et publiées dans la prestigieuse revue médicale britannique *The Lancet* en 1982, ont établi la crédibilité scientifique des effets antinausée du gingembre. Mowrey a constaté que des sujets placés dans un fauteuil incliné en rotation étaient moins susceptibles d'avoir la nausée si on leur donnait au préalable environ 1000 mg de gingembre en poudre (deux capsules) plutôt que de la Dramamine ou un placebo.

Une autre étude menée sur 80 cadets de la marine danoise a révélé que ceux qui prenaient des capsules de gingembre — une maigre demi-cuillerée de gingembre moulu — environ une demi-heure avant de naviguer sur une mer houleuse étaient mieux prémunis contre le mal de mer que ceux à qui on donnait un placebo. Le gingembre a réduit les vomissements dans une proportion de 72 p. 100; globalement, il a protégé 38 p. 100 des sujets contre le mal de mer. Cette protection durait environ quatre heures.

La nausée post-opératoire provoquée par l'anesthésie affecte environ 30 p. 100 des patients. Selon des recherches, le gingembre pourrait être efficace dans ce cas-là aussi. En effet, au cours de l'étude contrôlée qu'il a menée à l'hôpital St. Bartholomew's de Londres, le Dr M. E. Bone a constaté que le gingembre (environ un tiers de cuillerée à thé) a été plus efficace pour prévenir la nausée post-opératoire dans son groupe d'étude de 60 femmes que l'injection de métoclopramide, antiémétique couramment utilisé à cette fin. Une étude menée en 1993 sur 120 patients devant subir une intervention chirurgicale sous anesthésie générale a conclu la même chose. On a également constaté que le gingembre est efficace pour supprimer la nausée et les vomissements que cause la chimiothérapie, selon une étude faite à l'Université de l'Alabama.

NAUSÉE MATINALE DE LA FEMME ENCEINTE

Certains professionnels de la santé, dont des obstétriciens, recommandent aujourd'hui à la femme enceinte de prendre un peu de gingembre le matin pour combattre ce que l'on appelle la nausée matinale — c'est-à-dire la nausée et les vomissements accompagnant le début de la grossesse —, qui est due au développement de l'œuf et n'a aucune cause organique. Les raisons motivant cette recommandation sont convaincantes: le gingembre est généralement efficace et semble beaucoup moins susceptible d'être tératogène (susceptible, par son action sur l'embryon, de provoquer la naissance d'un monstre) que les autres médicaments antinausée utilisés durant la grossesse. Au cours d'une étude contrôlée menée en Allemagne sur 27 femmes, on a constaté que le gingembre est efficace contre l'hyperémèse (terme souvent employé pour désigner les vomissements incoercibles et parfois inquiétants de la grossesse) chez environ 70 p. 100 des sujets. La prise de capsules de 250 mg de gingembre moulu, quatre fois par jour, a réduit la gravité des nausées et le nombre de crises de vomissements en début de grossesse (moins de vingt semaines). Les auteurs de l'étude affirment n'avoir trouvé, dans leur propre étude et dans celles qui sont rapportées dans la documentation médicale, aucun motif d'inquiétude à propos de la nocivité du gingembre pour le fœtus. Stephen Fulder, Ph.D., spécialiste britannique des phytomédicaments, après une analyse exhaustive de la documentation médicale, a affirmé en 1996 l'«innocuité parfaite durant la grossesse» des «doses normales» de gingembre. Néanmoins, les femmes enceintes devraient toujours consulter un médecin avant de prendre quelque agent médicinal que ce soit, y compris le gingembre.

Comment agit-il?

Personne ne peut dire avec certitude quels sont les composants du gingembre qui ont un effet antinausée. Mais deux de ceux-ci — les shogaols et les gingerols —, extraits du rhizome, ont présenté des propriétés antiémétiques chez des animaux. Selon le consensus scientifique, le gingembre agit presque exclusivement dans l'appareil digestif, même s'il a peut-être, d'après une étude récente menée sur des grenouilles, un léger effet dépresseur sur le système nerveux central.

Quelle dose prendre?

Pour prévenir la nausée et les vomissements causés par le mal des transports, prenez deux capsules de 500 mg de gingembre environ une demi-heure avant de prendre l'avion, le bateau ou un autre véhicule. Prenez encore une ou deux capsules si vous avez plus tard la nausée. La dose initiale devrait prévenir l'apparition des symptômes pendant environ quatre heures.

Et la sécurité?

Le gingembre est utilisé en toute sécurité depuis des siècles, comme aliment et comme médicament. Aucune étude menée sur des humains n'a révélé d'effets secondaires indésirables provoqués par le gingembre, et la documentation médicale ne rapporte aucun cas où il aurait été toxique. Des études menées sur des animaux ont démontré que le gingembre n'est pas toxique, même à très forte dose. C'est pourquoi la FDA classe le gingembre parmi les substances que l'on nomme en anglais GRAS (généralement reconnues comme inoffensives). Cependant, la recherche indique qu'il a un effet anticoagulant. Ainsi, les personnes sujettes aux hémorragies et celles qui utilisent des anticoagulants doivent faire preuve de prudence et ne pas consommer de fortes doses de gingembre. En outre, selon des spécialistes allemands, une trop grande consommation de gingembre peut faire monter la tension artérielle et être néfaste pour les personnes ayant des calculs biliaires.

Attention! Si vous êtes enceinte, ne vous servez du gingembre contre la nausée matinale que sur le conseil de votre médecin. N'en prenez pas plus de 1000 mg par jour, dose utilisée en toute sécurité dans les études. L'utilisation du gingembre pour combattre la nausée provoquée par la chimiothérapie risque de favoriser l'hémorragie gastro-intestinale dans les cas de thrombopénie (diminution du nombre de plaquettes). Demandez toujours l'avis de votre médecin avant de prendre du gingembre durant la chimiothérapie.

Quels sont les autres traitements?

Tous les ingrédients antinauséeux des médicaments en vente libre qui sont approuvés par la FDA agissent sur le système nerveux central et, par conséquent, ont des effets secondaires: étourdissements, bourdonnements d'oreilles, fatigue, incoordination, vision trouble, euphorie, nervosité, insomnie et tremblements. De plus, vous ne devriez pas utiliser ces médicaments si vous souffrez d'asthme, d'emphysème ou d'autres affections respiratoires. Vous ne devez pas non plus les combiner avec l'alcool, les sédatifs ou les tranquillisants. Le gingembre ne présente aucun de ces inconvénients. «Contrairement aux autres médicaments antiémétique qui agissent sur le système nerveux central, le gingembre semble agir directement sur l'appareil digestif; par conséquent, il ne provoque aucun des effets secondaires indésirables sur le système nerveux qui sont typiques des antiémétiques conventionnels», peut-on lire dans la requête présentée à la FDA par l'European-American Phytomedicines Coalition afin que le gingembre soit approuvé comme médicament en vente libre.

Préoccupations du consommateur

Se fondant sur des preuves scientifiques récentes et sur l'utilisation de longue date du gingembre dans d'autres pays, l'European-American Phytomedicines Coalition a présenté en 1995 une requête à la FDA américaine pour qu'elle approuve la présentation du gingembre comme «médicament en vente libre contre la nausée et le mal des transports». En 1997, malgré le poids des preuves scientifiques, la FDA ne s'y était pas encore résolue.

À quelle autre fin peut-il servir?

Le gingembre est très polyvalent du point de vue de la pharmacologie. Il a des effets anticoagulants et anti-inflammatoires. Dans ses recherches, le Dr Krishna C. Srivastava, de l'Université d'Odense, au Danemark, a découvert que la racine fraîche et la racine moulue du gingembre (moins d'une cuillerée à thé par jour) peuvent toutes deux soulager les symptômes de l'arthrite et aider à prévenir la migraine, en raison sans doute de son effet anti-inflammatoire.

NOUVEAU TRANQUILLISANT EXOTIQUE

(KAVA)

Cette pilule magique en provenance des mers du Sud est un nouveau moyen de combattre le stress et l'anxiété.

Vous êtes tendu? Anxieux? Vous avez besoin de vous calmer, de vous détendre — ou de glisser dans un sommeil profond et réparateur? Le stress accompagne la vie trépidante moderne. En un seul instant, nos glandes surrénales peuvent sécréter une certaine quantité d'adrénaline et d'autres hormones pour activer notre organisme afin qu'il affronte un danger perçu. (Il s'agit d'une réaction de défense primitive, appelée réaction de lutte ou de fuite, qui s'exprime par un comportement d'attaque ou de fuite devant une menace.) Mais la montée de substances chimiques qui accélère le rythme cardiaque et élève la tension artérielle est généralement exagérée par rapport à la banale réalité de la situation qui la déclenche: frustration dans les embouteillages, soucis causés par des factures impayées, hurlement de la sirène d'une voiture de police. Certains d'entre nous vivent dans un état de stress chronique ou souffrent de troubles anxieux, voire de crises de panique, et recherchent frénétiquement un soulagement. La solution, ils la trouvent parfois dans l'alcool, les analgésiques, les tranquillisants, comme le Valium et le Xanax, et les somnifères, comme le Halcion.

Tous ces médicaments procurent un soulagement qui coûte cher: dépendance, confusion, perte de la concentration et de la mémoire, et symptômes de sevrage.

Pourtant, vous pourriez trouver le même soulagement dans un remède naturel des plus inusités, auquel on recourt depuis des siècles dans le Pacifique Sud et qui fait désormais l'objet de nombreuses études en Europe. C'est une solution de remplacement de plus en plus populaire aux médicaments pharmaceutiques massues. Une plante exotique, le kava, peut calmer et soulager l'anxiété tout aussi bien que les tranquillisants d'ordonnance, sans en présenter les effets secondaires dangereux et le coût élevé. Le kava, selon nombre de ses utilisateurs, provoque une légère euphorie, réduit l'agitation, soulage la douleur musculaire en relaxant les muscles du dos, du cou et des mâchoires, et permet un sommeil réparateur.

LA GUÉRISON MIRACULEUSE DE MARK

«Il est merveilleux pour procurer un sommeil paisible»

Mark Blumenthal est un homme plein d'énergie. Il parle vite, il est drôle et exubérant, toujours pressé de communiquer sa passion pour les plantes et d'expliquer sa mission, qui est de leur donner la place qui leur revient de droit dans le système de santé américain. À titre de directeur de l'American Botanical Council, à Austin, au Texas, il est amené à voyager à travers le monde pour assister à toutes sortes de réunions portant sur la pharmacologie et la politique des plantes. Et il perd ainsi beaucoup d'heures de sommeil. Pour compenser, il prend depuis des années du kava pour s'accorder un «sommeil profond et réparateur» lorsqu'il sait qu'il n'aura pas son compte d'heures de sommeil.

«Quand je me couche tard, dit-il, et que je dois me lever tôt, je prends deux ou trois jets de teinture de kava avant de me coucher. Par exemple, hier, je me suis envolé de Austin à Boston. Le décollage a été retardé à cause d'ennuis mécaniques. Nous sommes restés sur la piste pendant trois heures. Il était trois heures du matin quand je suis arrivé à mon hôtel; j'avais une réunion à huit heures. J'ai pris du kava au coucher, sachant que je m'éveillerais frais et dispos, même après quatre petites heures de sommeil, parce que cette substance favorise le sommeil paradoxal. Le kava réduit l'anxiété; c'est un relaxant musculaire doux. Mais ce qu'il y a de plus merveilleux, c'est qu'il ne vous enfume pas l'esprit. C'est un remède formidable!»

Aucune autre plante que le kava ne peut procurer une telle détente tout en vous permettant de garder l'esprit clair et vif.
Peggy Brevoort, spécialiste en herboristerie de l'Oregon.

Qu'est-ce que le kava?

Le kava est une variété de poivrier (*Piper methysticum*) qui pousse en Polynésie et dont la racine sert depuis des siècles à la fabrication d'une boisson euphorisante, non alcoolisée, à usage cérémoniel, qui détend son consommateur et le rend plus sociable. Médicalement, on s'en sert dans le Pacifique Sud pour soigner la gonorrhée, la bronchite et le rhumatisme. En Europe, son utilisation comme sédatif léger est répandue. Le kava y constitue un substitut sans danger aux tranquillisants benzodiazépines et aux somnifères — Valium, Xanax, Halcion, Librium et Dalmane — pour traiter l'anxiété, la fatigue mentale et l'insomnie.

L'expert en plantes médicinales Kerry Bone, directeur technique et fondateur de MediHerb, le plus grand producteur de phytomédicaments en Australie, a récemment décrit les effets du kava dans un article publié dans le *British Journal of Phytotherapy*. À petite dose, dit-il, le kava provoque une légère euphorie, la relaxation et un sommeil réparateur. «Le kava a d'abord un effet engourdissant et astringent dans la bouche, écrit-il.

S'installe ensuite un état de détente et de sociabilité où la fatigue et l'anxiété sont atténuées. S'ensuit finalement un sommeil profond et réparateur, duquel l'utilisateur émerge le lendemain matin tout à fait dispos, sans aucun symptôme de la gueule de bois.» Cependant, Bone note ceci: «Une consommation excessive de kava peut provoquer des étourdissements et un état de stupeur; il existe un syndrome de l'abus de kava.»

À quoi sert-il?

Le plus grand bienfait du kava, à dose appropriée, est de soulager l'anxiété; plus important encore, il est efficace sans diminuer votre vigilance. C'est également un relaxant efficace et sûr des muscles du squelette, et il convient donc parfaitement au traitement des spasmes musculaires et des maux de tête dus à la tension nerveuse. Il soulage l'insomnie légère du fait qu'il est un bon hypnotique. En Allemagne, il est approuvé comme médicament en vente libre pour l'«anxiété nerveuse, le stress et l'agitation». Au Royaume-Uni, il figure sur la liste des phytomédicaments approuvés.

Quelles sont les preuves de son efficacité?

Cinquante années de recherche — des douzaines d'études irréprochables, la plupart menées en Allemagne — prouvent hors de tout doute que le kava est une substance psychoactive, psychotonique et légèrement sédative. Depuis la fin des années 1950, des expériences ont démontré que les extraits de kava, et ses principaux constituants chimiques, endorment les animaux et génèrent chez les humains des ondes cérébrales semblables à celles qui sont induites par les médicaments anxiolytiques. Cependant, contrairement aux tranquillisants de type Valium, le kava favorise mystérieusement le sommeil sans causer de sédation. Selon une théorie, le kava ne toucherait pas dans le cerveau les mêmes récepteurs que les médicaments de type Valium. Des essais révèlent que le kava relaxe les muscles du squelette et les muscles lisses.

Le kava est indéniablement efficace chez les humains, selon de nombreuses études contrôlées à double insu, étalon-or de la science actuelle. Par exemple, une telle étude menée en 1996 sur 58 sujets allemands souffrant d'anxiété (d'origine non psychotique) a conclu que trois prises par jour d'une dose de 100 mg d'extrait de kava (normalisé pour qu'il contienne 70 mg de kavalactones) soulage considérablement l'anxiété. Les sujets ont vu leur état s'améliorer de façon spectaculaire au bout d'une semaine. Au cours d'une autre étude récente menée sur 84 sujets anxieux, une dose quotidienne de 400 mg d'un produit du kava appelé Kavain a fait du bien à leur mémoire et réduit leur temps de réaction. Le kava s'est également révélé efficace pour réduire l'anxiété, la dépression et d'autres symptômes chez les 40 Allemandes ménopausées qui ont participé en 1991 à une étude.

Comment le kava se compare-t-il aux médicaments conventionnels? Il est aussi efficace que les tranquillisants d'ordonnance, selon des essais comparatifs contrôlés à double insu. Dans un cas, 38 patients souffrant d'angoisse névrotique ont reçu soit du kava (Kavain) soit de l'oxazépam (sédatif anxiolytique faisant partie du groupe des benzodiazépines, comme le Valium). Le kava s'est révélé tout aussi efficace que le tranquillisant pour réduire l'anxiété, selon des mesures établies de l'effet anxiolytique. Sur une période de quatre semaines, les deux médicaments ont permis aux patients d'obtenir progressivement de meilleures notes sur l'échelle d'anxiété.

En outre, selon des recherches, le kava se révèle supérieur aux tranquillisants de type Valium parce qu'il ne vous «drogue» pas, c'est-à-dire que vous restez mentalement vigilant durant son utilisation. Une étude à double insu menée en 1993 par le scientifique allemand H. J. Heinze, chercheur de premier plan en matière de kava, a découvert que les sujets, après avoir pris de l'oxazépam, répondaient plus lentement et avec moins de justesse dans des tests de psychométrie. Cela n'a pas été le cas après l'ingestion de kava. Au contraire, le kava a amélioré la rapidité de leurs réactions et leur performance durant des tests de mémoire. De plus, le kava est beaucoup moins susceptible de causer de la somnolence que les tranquillisants. Quarante sujets en bonne santé, après avoir reçu un extrait de kava normalisé, n'ont présenté aucune diminution de leur capacité à conduire des véhicules ou à faire fonctionner des machines. La dose normalisée de kava n'a pas non plus aggravé les effets d'une légère consommation d'alcool, comme le font les tranquillisants.

Dans une étude menée en 1994 sur 12 volontaires, des chercheurs allemands ont comparé l'extrait de kava (normalisé pour qu'il contienne 120 mg de pyrones du kava) à un comprimé de Valium de 10 mg. Les deux produits ont provoqué la même augmentation de l'onde cérébrale lente, selon l'électroencéphalogramme, et la même diminution d'intensité de l'onde alpha. Le Valium est entré en action plus rapidement, atteignant son effet maximal sur le cerveau au bout de deux heures. Le kava, lui, a atteint son effet maximal en six heures. Cependant, seul le kava a amélioré la note des sujets à des tests simples visant à mesurer la rapidité de leurs réaction et à des tests plus complexes à choix multiple, ce qui a indiqué, une fois de plus, que le kava apaise sans sédation et sans affaiblir l'acuité mentale.

Comment agit-il?

Les composants psychoactifs du kava sont relativement bien connus; ce sont des substances chimiques appelées kavalactones, propres à cette plante. Dans des essais effectués sur des humains et sur des animaux, elles ont sur le cerveau des effets sédatifs, hypnotiques et anticonvulsivants, comme l'ont confirmé des électroencéphalogrammes. Cependant, elles n'agissent pas de la même façon ni au même endroit dans le cerveau que les tranquillisants et antidépresseurs synthétiques. Une importante étude électroencéphalographique allemande laisse supposer que le kava agit dans les zones les plus profondes du cerveau sur le système limbique, système qui joue un rôle dans les émotions. C'est peut-être ce qui explique pourquoi le kava est considéré comme une substance psychotonique.

Quelle dose prendre?

En consultant les étiquettes, assurez-vous d'abord d'obtenir des produits normalisés quand à leur teneur en kavalactones.

Dans les situations qui vous stressent ou lorsque vous voulez dissiper votre anxiété, une dose quotidienne correspondant à 180 mg de kavalactones devrait suffire, selon les experts. Si vous achetez des comprimés contenant 60 mg de kavalactones, vous devrez donc en avaler trois par jour. C'est la dose qui a été utilisée dans la plupart des études du kava en tant que tranquillisant ou agent anxiolytique. Normalement, vous ressentirez vite l'effet relaxant du produit, généralement dans la demi-heure suivant l'ingestion. Pour favoriser le sommeil, une dose unique de 120 à 180 mg de kavalactones, prise une heure avant le coucher, suffit généralement, selon Kerry Bone, expert en kava. «Si je souffre du décalage horaire et que je n'arrive pas à m'endormir, dit-il, je prends deux ou trois comprimés d'extrait normalisé. Je trouve cette dose très efficace.»

Et la sécurité?

En Allemagne, pour ce qui est des doses thérapeutiques, les autorités de la santé déclarent que le kava ne présente aucun effet secondaire indésirable, sauf un léger jaunissement de la peau, des cheveux et des ongles si vous le consommez régulièrement trop longtemps. La couleur jaune disparaît dès que cesse le traitement. Sont également possibles, mais rares: réaction allergique cutanée, dilatation des pupilles et troubles de l'équilibre physique. Les autorités de la santé en Allemagne déconseillent de prendre régulièrement du kava pendant plus de trois mois sans consulter un médecin. De plus, les fortes doses absorbées régulièrement sur une longue période peuvent provoquer une affection cutanée singulière dans laquelle la peau devient sèche et squameuse, surtout sur les paumes, la plante des pieds, les avant-bras et le dos.

Ne prenez pas de kava si vous êtes enceinte, si vous allaitez (évidemment, le kava serait transmis au nourrisson dans le lait maternel), si vous souffrez d'une dépression endogène ou si vous avez la maladie de Parkinson. De plus, le Dr Donald Brown de Seattle, autorité en matière de phytomédicaments, déconseille de prendre du kava en combinaison avec toute substance agissant sur le système nerveux central: l'alcool, par exemple, les médicaments d'ordonnance tels les tranquillisants et les antidépresseurs, ainsi que les phytomédicaments comme la valériane et le millepertuis.

Attention! Même si le kava ne provoque pas une dépendance aussi marquée que l'alcool, les drogues et certains médicaments pharmaceutiques, le kavaïsme est une toxicomanie possible. Des doses excessives de kava peuvent provoquer les symptômes de l'ébriété. Dernièrement, à Salt Lake City, un homme a été arrêté pour conduite avec facultés affaiblies par le kava. Il se serait «enivré» en buvant seize tasses d'infusion de kava. L'expert australien en kava, Kerry Bone, affirme que le kavaïsme est de plus en plus fréquent dans beaucoup d'îles des mers du Sud, comme Fidji, et chez certaines populations d'Australie. Les consommateurs qui abusent du kava prendraient selon lui de trois à cinq fois la dose thérapeutique, soit environ une quinzaine de comprimés normalisés par jour.

À quelle autre fin peut-il servir?

Des expériences laissent supposer que le kava est un analgésique puissant, bien que des études cliniques n'aient pas encore été effectuées à ce sujet. Certaines personnes y recourent pour soulager les douleurs musculaires causées par la tension, comme les maux de dos et de cou, ainsi que celles de la dysfonction temporo-mandibulaire, manifestation pathologique se traduisant par des troubles divers (algies cervico-faciales, spasmes musculaires, troubles salivaires).

LA PLANTE À EFFET ANTABUSE

(KUDZU)

En Chine, elle aide les alcooliques à s'affranchir de leur dépendance. Elle pourrait vous aider aussi. Des essais scientifiques sur les humains viennent d'être entrepris.

De toute évidence, toute substance — médicament d'ordonnance ou phytomédicament en vente libre — susceptible de guérir l'alcoolisme serait une bénédiction, car ce fléau cause des souffrances humaines incommensurables, et entraîne souvent la mort. Malgré toutes les recherches, aucune panacée n'est encore apparue. La plupart des thérapies recourant aux médicaments, dont les antidépresseurs et l'Antabuse, ont échoué, en plus de présenter des risques d'effets secondaires. Mais, aujourd'hui, des scientifiques des plus grands centres médicaux du pays, notamment de Harvard et de l'Université de la Caroline du Nord, croient avoir trouvé un traitement pharmacologique des plus prometteurs contre l'alcoolisme, traitement utilisé en Chine depuis 1300 ans: le kudzu.

Qu'est-ce que le kudzu?

Le kudzu est une légumineuse vivace très vigoureuse, à sarments volubiles et rampants pouvant atteindre de 8 à 10 m de long, qui croît de préférence dans les régions méridionales, dont le Sud des États-Unis. En Chine, ses tubercules pleins d'amidon servent de médicaments depuis 2200 ans. Le kudzu s'est fait une réputation d'agent de lutte contre l'abus d'alcool, comme l'a noté la pharmacopée chinoise en l'an 600 de notre ère.

Quelles sont les preuves de son efficacité?

Des essais sur les humains viennent tout juste d'être entrepris aux États-Unis, mais il est déjà prouvé que le kudzu inhibe la consommation d'alcool chez les animaux de laboratoire, et on l'utilise depuis longtemps en Chine pour combattre l'abus d'alcool. Aujourd'hui encore, le kudzu est en Chine un traitement courant contre l'alcoolisme; bon nombre de patients et de médecins traditionnels, aussi appelés herboristes, en vantent l'efficacité. Mais comme ces praticiens de la médecine traditionnelle ne conservent pas de dossiers sur leurs patients ni ne publient les résultats de leurs expériences, il est difficile de trouver des preuves scientifiques de l'efficacité de cette plante, selon Wing-Ming Keung, biochimiste à la faculté de médecine de Harvard. C'est pourquoi il a décidé de trouver lui-même ces preuves.

Au cours d'un récent voyage d'enquête à Hong-Kong, son pays natal, Keung a interrogé 13 médecins modernes et médecins traditionnels, et compilé 300 cas de patients atteints d'alcoolisme chronique et traités avec du thé de kudzu ou des médicaments à base de kudzu. «Dans tous les cas, rapporte Keung, les médicaments ont été considérés comme efficaces pour contrôler et supprimer l'envie d'alcool, et pour améliorer le fonctionnement des organes vitaux touchés par l'alcool. Les médecins chinois n'ont rapporté aucun effet secondaire.» Il ajoute que le kudzu a considérablement réduit l'envie de consommer de l'alcool en une semaine. Plus impressionnant encore, après une période de 2 à 4 semaines, 80 p. 100 des alcooliques ont déclaré que leur envie d'alcool avait tout à fait disparu.

Ces résultats ont incité Keung et Bert L. Vallee, professeur à Harvard, à effectuer le premier essai scientifique du kudzu sur une lignée de hamsters connue pour son goût inné pour l'alcool.

Lorsqu'on leur présente de l'eau et de l'alcool, ces animaux choisissent chaque fois l'alcool, qu'ils consomment en quantité phénoménale (comparable à celle d'un être humain qui boirait cinq caisses de vin par jour). Mais, comme l'ont rapporté les chercheurs en 1993, lorsque ces animaux ont reçu un extrait de kudzu pour la première fois et qu'on leur a présenté de l'alcool, ils en ont bu la moitié moins! En outre, les animaux alcooliques ont manifesté la même aversion pour l'alcool après avoir reçu deux composés extraits de la racine du kudzu (daïdzine et daïdzéine). Lorsqu'ils ont cessé de recevoir leur dose quotidienne de kudzu, ils se sont remis à boire. «Nous avons trouvé les résultats de cette expérience spectaculaires», a déclaré Bert L. Vallee.

Un thé pour vous dégriser?

En 1996, une équipe composée de chercheurs de l'Université de la Caroline du Nord à Chapel Hill et du Research Triangle Park a également démontré l'efficacité du kudzu sur leurs animaux de laboratoire. Lorsqu'on a donné du kudzu, par voie orale ou par injection, à des rats amateurs d'alcool, ceux-ci ont diminué de moitié leur consommation d'alcool. Les scientifiques ont constaté que le kudzu supprime les effets intoxicants de l'alcool après l'entrée de cette substance dans le sang, ce qui tend à prouver la prétention ancienne selon laquelle la prise de kudzu avant celle de l'alcool contribue à prévenir l'ébriété et la gueule de bois. En fait, c'est le Dr David Lee, chimiste spécialisé en produits naturels au Research Triangle Institute, qui a donné l'idée de cette recherche. Durant une visite en Chine, il avait remarqué que le kudzu fait partie d'un «thé pour le lendemain de la veille», appelé *xing-jiu-ling*, qui signifie à peu près «dégriser». Les chercheurs se sont servis de kudzu importé de Chine, traité de façon à ce qu'en soient extraits les composants qu'ils jugeaient être les principaux agents actifs.

Plus intéressant encore, l'équipe de recherche de l'Université de la Caroline du Nord, dirigée par le Dr Amir Rezvani, maître de conférences en psychiatrie, a fait l'essai du kudzu sur des singes, nos cousins biologiques les plus proches. La plante a enrayé leur envie d'alcool. Après avoir provoqué la dépendance à l'alcool chez ces derniers, les chercheurs leur ont donné du kudzu pendant une semaine. Selon le Dr Lee, les singes ont réduit d'environ 25 p. 100 leur consommation d'alcool, ce qui est un résultat aussi bon, voire meilleur, que celui de la naltrexone (médicament approuvé par la FDA pour le traitement de l'alcoolisme). Puisque les singes sont presque identiques aux êtres humains sur le plan biologique, les chercheurs tiennent pour acquis que ce qui est efficace pour eux l'est pour nous. C'est ce qui rend si convaincants les résultats des essais menés sur des singes. Quoi qu'il en soit, les chercheurs procéderont bientôt à une étude scientifique contrôlée du kudzu sur des humains alcooliques. Selon le Dr Lee, ces études sont nécessaires pour convaincre la communauté médicale et pour déterminer la posologie du produit: «Nous devons calculer la dose de kudzu dont un humain a besoin pour en bénéficier.»

Ce qui rend le kudzu particulièrement intéressant, c'est qu'il n'a pas d'effets secondaires. La naltrexone peut attaquer le foie; l'Antabuse est efficace à cause de ses effets secondaires: nausées et vomissements. Le Dr Lee déclare: «Le plus beau côté du kudzu, c'est son innocuité. Il ne présente aucune toxicité pour le foie.»

«Comme c'est souvent le cas pour les remèdes de ce genre qui sont utilisés par la population depuis des millénaires, le kudzu a été ignoré par la science moderne», explique le Dr Vallee. Le Dr Hans Jornvall, chercheur réputé spécialisé en alcoolisme à l'institut Karolinska de Stockholm, est d'avis qu'«il est bon de chercher des solutions dans la nature et dans la médecine traditionnelle, car on ne tarde pas à constater qu'elles ont toutes deux beaucoup à nous apprendre».

Comment agit-il?

Les efforts déployés en Occident dans le but de «disséquer» les composants actifs du kudzu ont donné des résultats qui nous laissent perplexes. Les chercheurs de Harvard ont déclaré que ce sont deux composants semblables du kudzu — la daïdzéine et, surtout, la daïdzine — qui expliquent sa capacité à réduire la consommation d'alcool des hamsters. De plus, ils ont démontré que la daïdzine modifie les enzymes qui métabolisent l'alcool dans l'organisme. Plus précisément, la daïdzine bloque l'enzyme qui métabolise l'acétaldéhyde, sous-produit de l'alcool absorbé. Voilà qui est logique, puisque l'accumulation d'acétaldéhyde dans l'organisme est ce qui cause la nausée lorsque que quelqu'un boit de l'alcool et prend du disulfirame (Antabuse). Ainsi, il semble que le kudzu est aussi efficace que l'Antabuse, l'un des deux médicaments approuvés aux États-Unis pour le traitement de l'alcoolisme. Cependant, les chercheurs de Harvard n'ont décelé aucune accumulation d'acétaldéhyde dans l'organisme de leurs hamsters. Il semble que le kudzu n'agisse pas de la même façon que l'Antabuse (en provoquant la nausée), ce qui rend la plante encore plus intéressante. Les chercheurs de Harvard sont de retour à la case de départ pour ce qui est de comprendre l'action du kudzu.

De leur côté, les chercheurs de l'Université de la Caroline du Nord travaillent sur une autre hypothèse. Ils ont isolé et breveté trois composants actifs du kudzu qui, selon eux, agissent d'une autre façon: ils enrayent l'envie d'alcool en intervenant directement sur le système nerveux. Le Dr Rezvani émet l'hypothèse que ces composés augmenteraient le taux d'amines «opioïdes» naturelles dans le cerveau, dont la sérotonine et la dopamine, ce qui réduirait l'envie d'alcool. Il fait remarquer que les personnes dont le taux de ces neuromédiateurs est faible ont tendance à avoir envie d'alcool. Si c'est le cas, le kudzu pourrait également contribuer à réduire l'envie d'autres substances toxicomanogènes, comme le tabac, les drogues dures, voire certains aliments.

Et la sécurité?

La toxicité du kudzu est très faible. Selon une étude, une dose de 100 g (3,5 oz) n'a eu aucun effet indésirable. Le Dr Keung recommande de ne pas combiner le kudzu et les médicaments d'ordonnance, sauf si un médecin l'approuve, car la plante peut modifier la manière dont ces médicaments sont métabolisés.

Comme c'est le cas pour toute autre substance inhabituelle, les femmes enceintes ne doivent pas consommer de kudzu, sauf si leur médecin les y autorise.

Préoccupations du consommateur

En Chine, le kudzu se vend sous forme de racine ou d'extrait. Vous pouvez y acheter, comme aux États-Unis, les extraits dans les magasins d'aliments naturels. Le kudzu se vend aussi en cubes, en teinture et en comprimés. Selon le Dr Lee, ces extraits grossiers contribueront sans doute à éviter la gueule de bois et l'abus d'alcool. Cependant, leur teneur en ingrédients actifs est incertaine. En Chine, les comprimés sont normalisés de façon que 10 mg correspondent à 5 g de racine. Certains experts conseillent de prendre un de ces comprimés normalisés deux ou trois fois par jour, pour atténuer l'envie d'alcool.

Devriez-vous l'essayer?

Il est vrai que, au moment où j'écris ces lignes, aucune étude scientifique contrôlée du kudzu n'a été menée sur des humains. Mais toute l'expérience humaine acquise en Chine au fil des siècles ne compte-t-elle pas? Cette longue expérience et les résultats convaincants des études menées récemment sur des animaux nous portent à croire en l'efficacité du kudzu. Cependant, son utilisation pour combattre l'alcoolisme se fait encore par tâtonnements, puisque l'on ne sait pas quels sont les types et les doses les plus efficaces. Il semble y avoir peu de risques à essayer le kudzu pour soigner la gueule de bois ou pour voir s'il émousse l'envie d'alcool. Mais il n'est sûrement pas une solution de remplacement aux traitements conventionnels de l'alcoolisme, bien qu'on puisse l'inclure dans un programme de traitement complet.

À quelle autre fin peut-il servir?

Le kudzu pourrait être bon pour le cœur. La recherche indique que les substances chimiques du kudzu et des extraits de sa racine présentent une action pharmacologique de protection. Elles peuvent dilater les artères coronariennes et cérébrales, ce qui augmente le débit sanguin et l'oxygénation des tissus. On rapporte que le kudzu a réduit la tension artérielle d'êtres humains et d'animaux. Le kudzu a également une action antioxydante susceptible de retarder l'obstruction des artères. En Chine, on l'utilise depuis des siècles pour traiter les maux de tête, l'hypertension, les fièvres légères, les allergies, la diarrhée, l'angine de poitrine et les troubles digestifs, bien qu'aucune étude de type occidental n'ait été menée pour justifier ces usages médicinaux de la plante.

LE REMÈDE MIRACLE UNIVERSEL

(HUILE DE POISSON OU ACIDES GRAS OMÉGA-3)

Il peut être bénéfique pour le cœur, le sang, les articulations, le côlon et même le cerveau. C'est un médicament puissant et unique.

Vos articulations sont arthritiques et douloureuses? Vous avez la colite ou une autre maladie inflammatoire de l'intestin? L'anomalie de votre rythme cardiaque vous expose à une crise cardiaque? Vous avez trop de triglycérides dans le sang ou vos vaisseaux sanguins sont légèrement obstrués, et vous craignez qu'une artère ne se bouche et ne cause une crise cardiaque ou un accident cérébrovasculaire? Vous êtes mal en point sur le plan mental: vous êtes un peu irritable ou déprimé; vous vous concentrez moins bien et moins facilement qu'avant?

Peut-être avez-vous besoin de l'un des remèdes les plus merveilleux et les plus polyvalents de la nature — ces acides gras uniques que l'on trouve dans le poisson. De nouvelles et remarquables recherches démontrent que ce singulier type d'acides gras est essentiel à vos cellules, tellement qu'elles ne fonctionneront pas bien si vous en manquez, ce qui déclenchera une cascade d'«accidents» qui vous invalideront de façons dont on ne s'était jamais douté jusqu'à tout récemment. Il n'est pas exagéré de dire que l'huile de poisson, ou son composant majeur les acides gras oméga-3, est une substance tout à fait extraordinaire sur le plan pharmacologique, à tel point que votre organisme s'effondrera sans ces substances.

Pourquoi? Parce que l'huile de poisson, avec les autres types de gras contenus dans la membrane entourant la cellule, contrôle le comportement de la cellule. Ce qui se passe dans les cellules se répercute sur le reste de l'organisme. Un léger déséquilibre dans les acides gras des cellules peut les dérégler, et ce dérèglement créera le chaos dans l'organisme.

Ce n'est que durant la dernière décennie que des scientifiques ont commencé à comprendre comment la teneur en gras des cellules peut favoriser l'apparition de maladies et comment, en donnant aux cellules la teneur en gras appropriée, on peut corriger le déséquilibre des gras et, ce faisant, faire en sorte que les cellules se comportent correctement et que les symptômes de maladie disparaissent. Entre autres choses, les acides gras oméga-3 provenant du poisson adoucissent les attaques inflammatoires des cellules contre d'autres cellules, gardent aux membranes cellulaires l'élasticité leur permettant de franchir facilement la paroi des vaisseaux sanguins, renforcent les défenses antioxydantes, et modulent la transmission des messages électrochimiques dans les cellules du cerveau et du cœur.

Les acides gras oméga-3 de l'huile de poisson contredisent la définition des médicaments conventionnels parce qu'ils ne cadrent pas avec le principe pharmaceutique selon lequel un agent ne traite qu'un seul symptôme ou trouble. Les pouvoirs thérapeutiques de l'huile de poisson sont si vastes qu'ils pourraient sembler grossièrement exagérés s'ils n'étaient pas scientifiquement fondés. Dans le monde entier, des scientifiques réputés reconnaissent que l'huile de poisson est un génie thérapeutique, rempli de surprises.

Que sont les acides gras oméga-3?

Ce type particulier d'acides gras contenus dans l'huile de poisson est unique en son genre. Ce sont des acides gras à longue chaîne. Certains aliments d'origine végétale — huile de colza (canola), huile de lin, noix — contiennent également des oméga-3, qui sont cependant moins puissants que ceux du poisson. Il existe deux types d'oméga-3 — l'acide eicopentaénoïque, dont on connaît depuis longtemps le rôle dans la prévention des maladies du cœur, et l'acide docohexaénoïque, qui est important pour les fonctions cérébrales. Vous absorbez cette huile de poisson lorsque vous consommez des poissons gras, comme le maquereau, la sardine, le saumon et le hareng. L'huile de poisson contenant une quantité précise d'acides gras oméga-3 est conditionnée en capsules molles que vous pouvez prendre comme médicament.

Comment agissent-ils?

Aussi étonnant que cela puisse paraître, le type d'acides gras contenus dans vos cellules orchestre une myriade de phénomènes qui déterminent votre bien-être. Ce qui compte le plus, c'est l'équilibre entre les types d'acides gras contenus dans les cellules. Un excès d'acides gras de type oméga-6 (majoritaires dans l'huile de maïs, par exemple) incite les cellules à libérer des substances chimiques inflammatoires qui provoquent de vives douleurs dans les articulations ainsi qu'une inflammation de la tunique interne du tube digestif. Les oméga-3 (majoritaires dans le poisson), elles, ont tendance à apaiser l'inflammation, processus sous-jacent à toutes sortes de maladies dont l'arthrite, l'asthme, la colite, le psoriasis et même les artériopathies. L'huile de poisson déclenche également la libération de substances chimiques capables d'influer sur l'activité cardiaque, d'apaiser le cerveau, de favoriser la concentration et d'avoir un effet psychotonique.

Percées dans la connaissance du cerveau

Si les scientifiques comprennent depuis des années que l'huile de poisson peut jouer un rôle positif contre les maladies du cœur, l'arthrite et d'autres maladies inflammatoires, ce n'est que depuis peu qu'ils ont concentré leur attention sur l'effet qu'exerce cette huile sur le cerveau. De nouvelles études démontrent que l'huile de poisson pourrait avoir un effet thérapeutique dans les cas de dérèglement de l'humeur et de perturbations cérébrales. Le Dr Norman Salem, du National Institute of Mental Health, affirme qu'il existe un lien entre la carence en oméga-3, surtout en acide docohexaénoïque (très présent dans le saumon), et la dépression, le comportement agressif, les lésions cérébrales dues à l'alcool, le trouble déficitaire de l'attention et peut-être même la maladie d'Alzheimer. Selon le Dr Salem, une carence en acide docohexaénoïque et autres acides gras oméga-3 peut compromettre de plusieurs façons le fonctionnement adéquat du cerveau. Il explique que l'acide docohexaénoïque contribue à la régulation de celles des fonctions des membranes cellulaires qui sont engagées dans la transmission des signaux entre les cellules cérébrales. Les recherches indiquent qu'il est plus facile pour les substances chimiques du cerveau, telle la sérotonine, de transmettre les bons messages lorsque la consistance du gras des membranes entourant les cellules cérébrales est fluide et élastique, comme c'est le cas de l'huile de poisson, plutôt que rigide et durcie comme le saindoux.

Si vous ne donnez pas suffisamment à vos membranes cellulaires du cerveau le bon type de gras, les messages risquent d'être court-circuités ou brouillés. Cela entraînera une perturbation de l'humeur, de la concentration, de la mémoire, de l'attention et du comportement. Les acides gras oméga-3 sont également essentiels au développement cérébral du fœtus, du bébé et des jeunes enfants, ainsi qu'aux fonctions cérébrales de l'adulte. Selon le Dr Salem, le poisson serait véritablement une nourriture pour l'esprit.

LE MYSTÈRE DU TROUBLE DÉFICITAIRE DE L'ATTENTION

Les enfants souffrant d'une carence en oméga-3 sont davantage sujets aux problèmes de comportement et d'apprentissage, que l'on appelle «trouble d'hyperactivité avec déficit de l'attention (THADA)», selon des recherches menées récemment à l'Université Purdue. Les chercheurs Laura Stevens et John R. Burgess ont vérifié la teneur sanguine en oméga-3 de 96 garçons, âgés de 6 à 12 ans, chez la moitié desquels on avait diagnostiqué le THADA. «Chez les garçons dont la teneur sanguine en oméga-3 était faible, disent les chercheurs, la fréquence de ces troubles du comportement était plus élevée.» Ces troubles comprennent l'hyperactivité, l'impulsivité, l'anxiété, les accès de colère et les troubles du sommeil.

Une consommation accrue d'oméga-3 et des autres acides gras appropriés corrige-t-elle cette carence et, ce faisant, atténue-t-elle le THADA? Burgess et Stevens, comme bon nombre de chercheurs britanniques, ont entrepris des recherches dans l'espoir de donner une réponse à cette question. Il semble évident que ce soit le cas chez certains enfants. Le Dr Salem est d'avis que l'essai de ces acides est justifié du point de vue scientifique: «Les acides gras contenus dans les cellules cérébrales sont très puissants.»

LA DOUBLE GUÉRISON MIRACULEUSE DE RICHARD ET DE JAY
De l'échec scolaire jusqu'au diplôme universitaire avec mention

Lorsque ses deux fils, Richard et Jay, n'étaient encore que des bambins, avec trois ans de différence, Jennifer Hill (il s'agit d'un pseudonyme, mais les détails d'ordre médical sont authentiques) a constaté qu'ils étaient tous deux hyperactifs et avaient un comportement perturbé. Ils n'étaient jamais assez calmes pour pouvoir s'amuser avec des jouets ou des jeux. À leur entrée à l'école, elle a senti qu'ils iraient d'échec en échec. Après avoir diagnostiqué chez Richard un trouble d'apprentissage, on l'a placé dans une classe spéciale. Désespérée, Jennifer a tout essayé, notamment le célèbre régime Feingold qui élimine le sucre, le chocolat, le lait et les additifs alimentaires. L'état de Richard s'est à peine amélioré.

À contrecœur, elle a accepté que Richard prenne du Ritalin, recommandé dans son cas, mais l'état de l'enfant a empiré. Jay, le benjamin, n'allait pas bien, lui non plus: il accusait un retard d'élocution et avait de terribles accès de colère. Lui aussi a pris du Ritalin, mais sans grand succès. Richard, à 12 ans, a commencé à souffrir de fortes migraines.

C'est à ce moment qu'un médecin ami de la famille a parlé à Jennifer de deux médecins d'avant-garde, les Drs Sidney Baker et Leo Galland, du Gesell Institute of Human Development, à New Haven, Connecticut. «Ils ont fait toutes sortes de tests sur Richard, raconte Jennifer, et constaté que les résultats de l'analyse des acides gras étaient des plus singuliers. Ils lui ont prescrit une dose énorme de capsules d'huile de poisson, jusqu'à 12 g par jour, et ses maux de tête ont commencé à disparaître. Richard a également pris de l'huile de lin et de l'huile d'onagre, qui l'ont calmé et ont amélioré son état général.»

Les médecins ont effectué les mêmes tests sur Jay: carence en acides gras chez lui aussi, mais avec une légère différence. Jay aussi a commencé à prendre des capsules d'huile de poisson, de marque MaxEpa, et de l'huile de lin. Sa mère se souvient clairement de l'efficacité extraordinaire du traitement. L'année suivante, les notes de Jay l'ont fait passer du 60e au 90e rang centile à l'échelle nationale. «Mon mari et moi débordions de joie, dit Jennifer. C'était le début d'une nouvelle ère pour notre famille.»

Quant à Richard, il a surmonté son «trouble d'apprentissage». À la fin de ses études secondaires, il était troisième de sa classe; plus tard, il a reçu son diplôme avec mention d'une grande université du midwest. Aujourd'hui, il travaille à un doctorat. Jay a, lui aussi, fini ses études secondaires parmi les premiers de sa classe; il fréquente une prestigieuse université de Californie. «Ce traitement a changé nos vies du tout au tout, dit Jennifer. J'ai envie de pleurer lorsque je pense à ce qui aurait pu arriver, au désastre auquel nous courions si nous n'avions pas découvert cette carence en acides gras et ne l'avions pas corrigée. Il est difficile de comprendre comment un petit acide gras peut avoir un tel effet sur le cerveau et sur le comportement d'un enfant. Mais l'expérience nous prouve qu'il en a bien un.» Richard et Jay, aujourd'hui au milieu de la vingtaine, prennent religieusement leurs capsules d'huile de poisson et d'huile de lin, en doses relativement faibles, afin de préserver l'équilibre des acides gras dans leur sang.

Au sujet de ce cas: À l'époque, il y a une quinzaine d'années, lorsque ces garçons ont été traités aux acides gras essentiels, on ne connaissait pratiquement rien des effets pharmacologiques de ceux-ci sur le cerveau. Mais grâce à deux pionniers de la médecine, qui ont perçu les indices qu'il fallait dans la documentation médicale, l'expérimentation a porté fruit. Aujourd'hui, les scientifiques comprennent que les acides gras ont un effet sur le cerveau et peuvent modifier le comportement. Même si la plus grande partie de la recherche reste à faire sur le rapport entre la carence en acides gras, le cerveau et le comportement, le traitement en question reste une possibilité raisonnable pour les parents dont les enfants sont perturbés.

SI VOUS VOULEZ ESSAYER LES ACIDES GRAS CONTRE LE THADA

Conseils de John Burgess et Laura Stevens, chercheurs de l'Université Purdue

- Commencez par déterminer si votre enfant atteint de THADA souffre d'une déficience en acides gras, dont les signes principaux sont: soif excessive, mictions fréquentes, peau sèche, cheveux secs et rebelles faisant penser à de la paille, pellicules, petites bosses dures sur les bras, les cuisses ou les coudes.
- Augmentez la teneur en acides gras de l'alimentation de votre enfant. Faites-lui consommer davantage d'huile de colza (canola), d'huile de lin et, plus important encore, d'acides gras oméga-3 (saumon, thon frais, maquereau et

sardines). Quelle quantité de quels acides gras peut aider un enfant atteint du THADA? En ce moment, on ne le sait pas avec certitude. Des recherches sont en cours, mais, pour l'instant, il faut y aller par tâtonnements.

- Ne cessez pas de donner à votre enfant son médicament pharmaceutique (comme le Ritalin) pour y substituer des acides gras sans d'abord consulter un professionnel de la santé.
- Ne comptez pas sur les oméga-3 et autres acides gras pour régler le THADA de votre enfant. Le THADA est un syndrome complexe dont le traitement exige le recours à diverses techniques, la modification du comportement en est un exemple. On ne sait pas de quel type d'huiles, et en quelle quantité, l'enfant a besoin.
- *En résumé:* Si vous voulez essayer les suppléments d'acides gras sur un enfant atteint du THADA, travaillez de concert avec des professionnels de la santé; ne cessez pas les autres traitements ou médications sans un avis médical éclairé.

DÉCOUVERTES ÉTONNANTES AU SUJET DU CŒUR

Si vous souffrez d'une maladie du cœur et risquez l'arythmie cardiaque (anomalie du rythme cardiaque), susceptible d'entraîner la mort subite, assurez-vous que votre alimentation est suffisamment riche en huile de poisson. De nouvelles études indiquent que l'huile de poisson peut contribuer à empêcher le rythme cardiaque de se dérégler.

Environ 250 000 Américains meurent subitement chaque année, à cause d'une anomalie soudaine et fatale de leur rythme cardiaque. Cette anomalie est attribuable à une perturbation dans la transmission des impulsions électriques régissant les battements du cœur. Même si cela peut arriver à n'importe qui n'importe quand, les personnes qui ont déjà subi une crise cardiaque sont les plus vulnérables. Aujourd'hui, toutefois, une nouvelle recherche remarquable indique que l'huile de poisson pourrait être un extraordinaire médicament pour réguler le rythme cardiaque et ainsi prévenir l'arythmie fatale. Ce rôle prometteur de l'huile de poisson est quelque chose de tout à fait nouveau.

Même si les chercheurs savent depuis des années que la consommation de poissons gras aide à prévenir les maladies du cœur, on croyait que l'huile de poisson agissait surtout en protégeant les artères contre les accumulations de dépôts et en éclaircissant le sang. Les chercheurs soupçonnent maintenant que les effets bénéfiques les plus profonds de cette huile découlent directement du fait qu'elle protégerait le cœur contre une perturbation électrique entraînant la mort subite.

Le Dr Alexander Leaf, professeur émérite de médecine à l'Université Harvard, explique que l'huile de poisson influe sur l'activité électrique et l'«excitabilité» des cellules cardiaques, comme elle le fait pour les cellules cérébrales. Au cours d'impressionnantes recherches, le Dr Leaf a démontré qu'il est beaucoup plus difficile de provoquer une arythmie cardiaque chez des chiens qui ont reçu préalablement de l'huile de poisson. Dans chaque expérience, il a observé qu'il fallait un stimulus électrique deux fois plus fort pour provoquer une arythmie quand la teneur en acides gras oméga-3 des cellules cardiaques est élevée. Le Dr Leaf a entrepris une nouvelle recherche pour valider ces résultats sur des humains. Dans celle-ci, des patients ayant subi une crise cardiaque et portant un stimulateur cardiaque (stimulateur relais ou sentinelle) recevront pendant un an soit des capsules d'huile de poisson, soit un placebo. L'étude révélera si l'huile de poisson réduit le nombre de décharges que l'appareil électronique doit produire pour corriger une arythmie.

Au moins deux études majeures, en Angleterre et en France, tendent à confirmer indirectement le pouvoir thérapeutique des oméga-3 de supprimer les arythmies fatales postérieures à une crise cardiaque. Dans des études portant sur 1600 patients, ceux qui consommaient des oméga-3, sous forme de poisson gras, de capsules d'huile de poisson, ou d'huile de canola, étaient moins susceptibles de subir une crise cardiaque fatale (mais pas nécessairement une crise non fatale) que les autres sujets. En fait, dans l'une de ces études, pas un seul patient recevant de fortes doses d'oméga-3 n'a succombé à une crise cardiaque. Une nouvelle étude menée au Danemark sur 55 patients cardiaques vient appuyer ces résultats. La moitié des sujets ont reçu pendant trois mois des capsules d'huile de poisson (5 g, soit environ 15 capsules, par jour). L'huile de poisson a eu sur leur cœur un effet d'inhibition de l'arythmie fatale.

Le plus remarquable, selon le Dr Leaf, c'est que le «médicament» aux oméga-3 semble assurer une protection rapide contre la crise cardiaque mortelle. Les chercheurs ont constaté une réduction des décès d'origine cardiaque dans le mois suivant l'augmentation de l'apport en acides gras oméga-3. Comparativement, il faut attendre deux ou trois ans pour profiter de la protection qu'offre la réduction du taux de cholestérol sanguin. Cet effet direct des oméga-3 sur la fonction cardiaque, nouvellement découvert, aide aussi à expliquer pourquoi les grands consommateurs de poisson ont moins de crises cardiaques que les autres et sont moins susceptibles d'en mourir.

De plus, on sait maintenant que l'huile de poisson, comme la vitamine C, influe sur la très importante «fonction vasculaire», en gardant les artères plus détendues et ouvertes afin que le sang y circule mieux. Les oméga-3, comme la vitamine, déclenchent la libération d'oxyde nitrique, substance chimique qui «commande» aux parois artérielles de se détendre.

De toute évidence, quiconque a déjà eu une crise cardiaque — ou présente des symptômes de maladie de cœur — devrait considérer l'huile de poisson comme un médicament essentiel susceptible de lui sauver la vie, surtout en ce qu'il supprime la fibrillation cardiaque mortelle, en cas de crise cardiaque.

LES OMÉGA-3 RÉDUISENT LES TRIGLYCÉRIDES

L'huile de poisson peut enrayer les maladies cardiaques d'autres façons. Elle est en fait un remède efficace — *meilleur que tout autre médicament connu* — contre le taux élevé de triglycérides dans le sang. Les triglycérides sont une forme de lipides sanguins qui peuvent être néfastes pour les artères, surtout lorsque le taux de bon cholestérol HDL est faible. L'huile de poisson est sans doute le «remède» le plus sûr et le meilleur pour réduire les triglycérides, selon une nouvelle analyse des données recueillies effectuée par William Harris, Ph.D., directeur du Lipoprotein Research Laboratory, au Mid America Heart Institute de l'hôpital St. Luke's, à Kansas City. Harris a examiné 72 études contrôlées menées sur des humains et observé que les suppléments d'huile de poisson réduisaient de 28 p. 100, en moyenne, les taux anormalement élevés de triglycérides chez les sujets. La dose efficace était de 3000 à 4000 mg d'huile de poisson par jour, ce qui correspond à 10-13 capsules de 300 mg que l'on trouve dans les magasins d'aliments naturels. On prépare de nouvelles capsules plus puissantes qui seront vendues en pharmacie et qui pourraient réduire à 3 ou 4 le nombre de capsules à prendre par jour. Vous pouvez compter sur l'effet rapide de l'huile de poisson: le taux de triglycérides commence à baisser en quelques jours pour redevenir normal au bout d'environ deux semaines.

Inconvénient possible: l'huile de poisson a tendance à augmenter faiblement le taux de mauvais cholestérol LDL, ce qui empêche certains médecins de la recommander contre le taux élevé de triglycérides. Harris ne considère pas cet inconvénient comme majeur. Des chercheurs canadiens y ont trouvé une solution: consommer de l'ail en plus de l'huile de poisson. Dans une étude récente, chez des hommes qui ont consommé 900 mg de poudre d'ail par jour en plus des capsules d'huile de poisson, le taux de triglycérides est tombé de 34 p. 100 et celui du cholestérol LDL de 9,5 p. 100. L'auteur principal de la recherche, Bruce J. Holub, de l'Université de Guelph, en Ontario, est d'avis qu'il faut essayer une combinaison «sûre et efficace» de ces substances avant de recourir aux médicaments d'ordonnance pour réduire les taux de triglycérides et de cholestérol.

Autre traitement possible? De fortes doses de niacine ou de médicaments d'ordonnance, qui ont tous des effets secondaires potentiellement dangereux.

L'huile de poisson soulage la douleur arthritique

Le «remède de choix» naturel le plus éprouvé pour soulager les symptômes de la polyarthrite rhumatoïde est l'huile de poisson oméga-3. Une douzaine d'études très bien menées au cours des dix dernières années révèlent que la consommation d'huile de poisson aide à soulager la douleur, l'enflure et la raideur causées par la polyarthrite rhumatoïde, selon une autorité en la matière, le Dr Joel Kremer, directeur du service de rhumatologie du Albany Medical College, à New York. Une étude menée en Belgique a permis de constater qu'une dose quotidienne de 2,6 g d'oméga-3 non seulement réduisait la douleur et augmentait la force de préhension de la main, mais permettait aussi à près de la moitié des sujets de réduire leur dose d'analgésiques AINS (anti-inflammatoires non stéroïdes).

La dose requise pour le soulagement est relativement élevée: de 3000 à 5000 mg d'oméga-3 par jour, selon le Dr Kremer. Les capsules d'huile de poisson que l'on trouve dans les pharmacies et les magasins d'aliments naturels en contiennent généralement 300 mg. Il faut donc prendre chaque jour de 10 à 17 capsules. Le Dr Kremer est d'avis que l'on doit prendre de l'huile de poisson pendant au moins 12 semaines pour constater une amélioration. Chez la plupart des gens, celle-ci est plus marquée au bout d'une période de 18 à 24 semaines.

L'huile de poisson agit en intervenant sur le processus inflammatoire se déroulant dans les cellules. Par exemple, des essais montrent qu'elle supprime la production de certains leucotriènes, agents responsables des réactions d'inflammation.

MÉDICAMENT EXTRAORDINAIRE CONTRE LA COLITE

Une recherche particulièrement enthousiasmante est celle que l'on mène sur l'utilisation de l'huile de poisson pour traiter les maladies inflammatoires de l'intestin, dont la maladie de Crohn et la colite ulcéreuse. Le Dr William Stenson, du Washington University Medical Center de St. Louis, est l'un des pionniers de cette forme de traitement. Au cours d'une étude contrôlée touchant 18 sujets, il a constaté que les suppléments d'huile de poisson réduisaient les agents inflammatoires leucotriènes B4 présents dans le côlon dans une proportion étonnante de 60 p. 100. En règle générale, plus ces agents inflammatoires sont présents, plus la maladie est grave. Comme on s'y attendait, les patients se sont sentis beaucoup mieux et ont pris du poids, et la sigmoïdoscopie a révélé une réduction de l'inflammation et des lésions. En outre, la dose de prednisone, médicament stéroïde, nécessaire pour contrôler la maladie chez sept des sujets a pu être réduite de plus de la moitié.

Dans d'autres recherches menées en Italie, les chercheurs ont pu prévenir la récidive chez des patients atteints de la maladie de Crohn en leur donnant de l'huile de poisson. Dans une étude portant sur 78 patients exposés à un risque élevé de récidive de la maladie de Crohn, la moitié des sujets ont reçu 9 capsules d'huile de poisson à enrobage spécial et l'autre moitié, un placebo. Au bout d'un an, 59 p. 100 des patients recevant l'huile de poisson étaient en rémission, comparativement à 26 p. 100 du groupe recevant un placebo. L'étude, rapportée dans le *New England Journal of Medicine* en 1996, utilisait des capsules à «enrobage gastrorésistant», préférables parce qu'elles se désintègrent dans le côlon en une heure et qu'elle n'ont pas le goût du poisson. «L'huile de poisson semble être l'un des médicaments vraiment non toxiques à donner à long terme aux patients en rémission pour prévenir la récidive», déclare Albert B. Knapp, maître de conférences à la faculté de médecine de l'Université de New York.

Et la sécurité?

Si vous voulez essayer un traitement aux fortes doses de capsules d'huile de poisson, consultez d'abord votre médecin si vous prenez d'autres médicaments, surtout des anticoagulants, ou si vous souffrez d'autres maladies ou troubles sérieux. L'huile de poisson prolonge le saignement, bien que le Dr Leaf dise qu'elle ne le fait pas autant qu'on le croit. Il fait remarquer que, dans des études où des sujets ont reçu 10 g d'huile de poisson et de l'aspirine, l'effet favorisant le saignement n'a pas été significatif. Cependant, mieux vaut consulter votre médecin au sujet de toute interaction médicamenteuse possible.

En outre, les fortes doses d'huile de poisson peuvent être néfastes à la fonction immunitaire, à moins que ce risque soit compensé par une consommation de 400 à 800 UI de vitamine E par jour, selon des chercheurs de l'Université Tuft.

Quelle dose prendre?

La dose précise d'oméga-3 requise pour prévenir les crises cardiaques n'est pas connue, bien que la plupart des recherches indiquent que les gens en bonne santé obtiennent sans doute suffisamment de ces acides gras en consommant deux ou trois fois par semaine des poissons gras, comme le saumon, le maquereau, la sardine, le hareng et l'anchois. Cependant, si vous n'aimez pas le poisson, si vous ne pouvez en manger autant, si vous avez eu ou risquez d'avoir une crise cardiaque, ou si vous avez besoin d'une dose thérapeutique de cette substance, les capsules d'huile de poisson sont la solution. Certains chercheurs croient que la plupart des Américains auraient avantage à prendre une ou deux capsules normalisées d'huile de poisson chaque jour, soit une dose de 300 à 600 mg d'acides gras oméga-3, pour lutter contre l'obstruction des artères et, peut-être, prévenir ainsi un arrêt cardiaque. Certaines capsules ont maintenant une teneur plus élevée en oméga-3 (acide eicopentaénoïque et acide docohexaénoïque); prenez donc soin de bien lire l'étiquette.

Préoccupations du consommateur

Certaines craintes ont été exprimées au sujet de la possibilité d'une oxydation excessive (radicaux libres détruisant les cellules) de l'huile de poisson et de sa contamination par les pesticides et le mercure. Cependant, le Dr Leaf, qui consomme lui-même des capsules d'huile de poisson, considère que celles-ci ne présentent guère de risques, en fait moins de risques que la consommation de certains poissons, par exemple ceux qui sont pêchés dans des eaux polluées. Il dit que les industriels responsables éliminent méticuleusement les agents nocifs de l'huile de poisson et y ajoutent de la vitamine E pour inhiber l'oxydation. (Lisez l'étiquette; assurez-vous que le produit contient de la vitamine E.) Un bon moyen de déterminer si une capsule d'huile de poisson est de bonne qualité consiste, selon un expert de l'industrie, à examiner la couleur de l'huile. Il conseille de placer des capsules de diverses marques sur une feuille de papier blanc et de choisir celle dont l'huile semble la plus claire.

Les capsules de marque MaxEpa ont souvent été utilisées dans les études. Un autre fabricant s'est bâti une excellente réputation dans l'industrie quand à la pureté et à la qualité de ses capsules d'huile de poisson. Il s'agit de la General Nutrition Corporation.

Attention! Conservez toujours les capsules d'huile de poisson (et les capsules d'huile végétale) dans le réfrigérateur. Les basses températures retardent le rancissement, phénomène d'oxydation, c'est-à-dire de production de radicaux libres favorisant l'apparition de toutes sortes de maladies chroniques.

Important: Une consommation excessive d'acides gras oméga-6 risque d'annuler les avantages offerts par l'huile de poisson. Ces oméga-6 se trouvent dans les huiles végétales — surtout l'huile de maïs, l'huile de carthame ordinaire et l'huile de tournesol — ainsi que dans les produits fabriqués avec celles-ci: mayonnaise, shortenings et vinaigrettes. Les graisses animales de la viande et des produits laitiers peuvent également inonder les oméga-3 des cellules, en déréglant ainsi le fonctionnement. Pour tirer l'avantage maximal de l'huile de poisson, contenue dans les aliments ou dans les capsules, réduisez cotre consommation de graisses animales et d'acides gras oméga-6.

Pourquoi ne pas prendre de l'huile de foie de morue?

Même si certaines personnes rapportent que l'huile de foie de morue soulage leurs rhumatismes, cette huile ne peut remplacer les oméga-3 pour traiter la maladie. Comme son nom l'indique, cette huile provient du foie du poisson; elle ne contient pas beaucoup d'oméga-3. L'huile riche en oméga-3 que l'on met en capsule provient du poisson entier — maquereau, alose tyran (menhaden) et flétan — et est traitée de façon à contenir une quantité précise d'acide eicopentaénoïque et d'acide docohexaénoïque. De plus, une consommation excessive d'huile de foie de morue peut être dangereuse. Celle-ci, à moins d'en avoir été débarrassée, contient beaucoup de vitamines A et D, liposolubles, susceptibles de s'accumuler dans l'organisme et de devenir toxiques.

«REMÈDE DE CHOIX» POUR LA PROSTATE

(CHOU PALMISTE NAIN)

Il est au moins aussi efficace que les médicaments d'ordonnance courants et vous causera probablement beaucoup moins d'ennuis.

Si vous êtes un homme dans la cinquantaine, il y a une chance sur deux que vous souffriez d'une hyperplasie prostatique bénigne, et les probabilités augmentent avec l'âge. Une prostate dont le volume a grossi de deux à trois fois son volume normal peut écraser l'urètre et gêner la miction. Les symptômes de l'hyperplasie de la prostate vont de l'ennuyeux — devoir se lever souvent la nuit pour uriner — au sérieux — douleur causée par l'obstruction des voies urinaires et difficulté de l'érection. Il s'agit, comme son nom l'indique, d'une affection bénigne.

Vous pouvez en guérir de plusieurs façons. Vous pouvez recourir à la chirurgie, très efficace, mais qui présente le risque d'incontinence et d'impuissance. Vous pouvez prendre des médicaments d'ordonnance, parfois efficaces, parfois pas, mais ceux-ci peuvent diminuer votre libido et vous rendre impuissant. Vous pouvez essayer divers traitements, au laser ou aux micro-ondes par exemple, pour vaporiser les tissus superflus de la prostate. Vous pouvez vous contenter d'attendre et d'observer, comme certains médecins conseillent de faire, afin de reporter le plus tard possible la prise de médicaments et l'intervention chirurgicale. Vous pouvez également vous débarrasser des symptômes en prenant un extrait de petit fruit, traitement efficace répandu en Europe, qui coûte à peu près le tiers de ce que coûtent les médicaments conventionnels et qui ne présente pratiquement pas de risques ni d'effets secondaires. Il s'est révélé efficace pour des millions d'hommes.

LA GUÉRISON MIRACULEUSE DE JON
«La douleur est partie; l'activité sexuelle est revenue»

Jonathan Weil (il s'agit d'un pseudonyme, mais les détails d'ordre médical sont authentiques) avait tout pour lui: la chance lui souriait et il était en bonne santé. À 58 ans, en plus d'être avocat à Chicago, Jon était un homme d'affaires qui venait de se remarier et dont la tension artérielle aurait fait l'envie d'hommes beaucoup plus jeunes que lui. Il était dans une forme superbe, et avait le même poids que durant ses études. Il ne prenait jamais de médicaments, pas même d'aspirine, parce qu'il n'était jamais malade, même pas un mal de tête occasionnel.

Cependant, un petit ennui a commencé à nuire à la paix de son esprit. Il l'avait d'abord remarqué dans les toilettes publiques. «Aux toilettes, vous vous rendez compte que le jet d'urine des hommes plus jeunes est plus fort que le vôtre, raconte-t-il. Ce n'est pas encore le goutte à goutte, mais vous n'urinez plus comme avant. Même mon petit-fils de 9 ans a un jet d'urine qui ressemble aux chutes Niagara comparativement au mien.» Plus troublant encore, Jon sentait sa virilité diminuer. Ses érections étaient plus faibles, et il craignait l'échec dans ses relations sexuelles avec sa nouvelle femme.

Du fait que ses deux frères, dont l'un était médecin, souffraient d'hyperplasie de la prostate, Jon était conscient de ce problème. Il a consulté un urologue, puis un autre et un autre, qui disaient tous la même chose: «C'est ce qui arrive avec l'âge.» Il a envisagé de participer à une étude à double insu du médicament Proscar, mais s'est ravisé lorsqu'il a appris qu'il avait des effets secondaires, notamment... la diminution de l'érection.

Plus tard, on lui a parlé du Dr Glenn Gerber, urologue au Centre médical de Chicago, qui faisait l'essai du chou palmiste nain pour traiter l'hyperplasie de la prostate. Le Dr Gerber avait commencé à s'intéresser à cette plante parce qu'un grand nombre de ses patients l'utilisaient avec enthousiasme, après avoir lu des articles à ce sujet dans des magazines spécialisés en santé. L'étude du Dr Gerber est exceptionnelle du fait qu'il utilise des méthodes sophistiquées pour mesurer les bienfaits du traitement, notamment la pression interne de la vessie. La réduction du volume de la prostate, dit-il, n'est pas toujours synonyme d'amélioration des symptômes.

Jon a commencé à prendre deux capsules de chou palmiste nain par jour, les mêmes capsules que l'on trouve dans les magasins d'aliments naturels. Il espérait sentir une amélioration au bout d'un mois, mais il a dû en attendre environ trois. «Puis, soudainement, dit-il, j'ai constaté une amélioration incroyable de mon jet d'urine!» Son jet n'était pas toujours fort, mais il l'était assez pour satisfaire Jon. Plus que tout, il était heureux que ses solides érections soient revenues. «Ma vie sexuelle connaît un regain, affirme-t-il. Et je ne souffre d'aucun effet secondaire!»

Même si son étude de six mois n'est pas encore terminée, le Dr Gerber dit que beaucoup d'hommes, comme Jon, ont constaté une «réduction marquée» de leurs symptômes: «D'autres ont le sentiment que le produit a fait peu pour eux, voire rien du tout, ce qui est vrai de n'importe quel traitement.» Une analyse statistique des résultats, dont ceux des essais de pression interne de la vessie, sera effectuée à la fin de l'étude. Pourtant, selon le Dr Gerber, beaucoup de patients, dont Jon, ont l'intention de continuer le traitement au chou palmiste nain, convaincus qu'ils sont de son efficacité. Question importante: le Dr Gerber prendrait-il du chou palmiste nain s'il souffrait d'hyperplasie prostatique bénigne? «Oui, répond-il. Du fait qu'il présente fort peu d'inconvénients, je crois que les hommes n'ont rien à perdre à l'essayer. Le chou palmiste nain peut leur faire beaucoup de bien et, dans le pire des cas, il ne leur fera pas de mal.»

Qu'est-ce que le chou palmiste nain?

L'extrait provient de la baie rouge foncé du chou palmiste nain (*Serenoa repens*), petit palmier à grosses feuilles qui croît surtout dans le sud-est des États-Unis. On se sert depuis longtemps de cette plante pour traiter les affections de la prostate. Jusqu'au milieu du XXe siècle, le chou palmiste nain figurait dans le National Formulary américain, comme traitement de l'hypertrophie de la prostate. Aujourd'hui, les baies sont expédiées en Europe, où elles sont transformées en pilules et extraits par les compagnies pharmaceutiques. Ces produits sont expédiés aux États-Unis; ils y sont vendus en tant que «suppléments alimentaires», la FDA interdisant qu'on les appelle «médicaments».

Quelles sont les preuves de son efficacité?

Ces preuves sont impressionnantes, malgré le fait que tout traitement contre l'hyperplasie prostatique bénigne a un effet placebo puissant, de l'ordre de 30 à 40 p. 100, selon certains. Cela signifie que la majeure partie des bienfaits perçus serait imaginaire, qu'un placebo aurait le même effet. Cependant, du point de vue du patient, si le chou palmiste nain est efficace ne serait-ce que sur le plan psychologique, c'est là un «placebo» beaucoup moins cher et beaucoup plus sûr que les médicaments pharmaceutiques (comme le Proscar), qui ont le même effet placebo puissant, mais qui ont aussi des effets secondaires qui peuvent faire plus de tort que le médicament peut faire de bien.

En Europe, la recherche sur le chou palmiste nain a suffi à lui valoir l'estime et l'approbation scientifique des médecins qui en ont fait un «best-seller». Une vingtaine d'études menées sur des humains attribuent à ce médicament naturel un taux de réussite frisant les 90 p. 100 dans le traitement de l'hypertrophie de la prostate. Ce sont là des résultats plus spectaculaires que ceux des médicaments pharmaceutiques ou de la chirurgie. Certaines études de courte durée n'ont pas tenu compte de l'effet placebo. Mais, sur sept études à double insu rigoureuses, six ont estimé que la plante était supérieure au placebo après une période d'utilisation de un à trois mois.

Par exemple, le chou palmiste nain a eu un effet extraordinaire dans une étude portant sur 110 hommes à la prostate hypertrophiée qui ont reçu soit le phytomédicament, soit un placebo, selon le rapport publié en 1984 dans le *British Journal of Clinical Pharmacology*. L'extrait en dose de 320 mg par jour s'est révélé dix fois plus efficace que le placebo pour ce qui est de l'amélioration du débit urinaire. Il a été environ cinq fois plus efficace que le placebo pour favoriser la vidange de la vessie. Les utilisateurs de l'extrait n'ont pas eu à se lever aussi souvent la nuit pour uriner; ils ont éprouvé moins de douleur, d'inconfort et de difficulté à uriner qu'ils avaient avant la prise du médicament naturel. De plus, tous ces bienfaits se sont manifestés en moins de 30 jours!

Une étude typique et convaincante menées sur 30 hommes en 1983 par des chercheurs italiens a constaté les mêmes effets du chou palmiste nain. Après un mois d'utilisation, le débit urinaire des sujets a augmenté de façon spectaculaire, dépassant les bienfaits du placebo dans une proportion de 17 à 1.

Dans des études au su (étude sur un médicament pour en déterminer soit l'efficacité, soit la durée d'action, soit l'innocuité, sans recours à un placebo comme substance témoin; le médecin et le malade savent donc quelle est la substance employée), le chou palmiste nain a gagné la faveur de ses utilisateurs. En 1993, des chercheurs allemands ont donné un extrait de chou palmiste nain à 1334 patients pendant six mois. Quatre-vingts pour cent de ceux-ci ont estimé le traitement de «bon à excellent». La fréquence des mictions a été réduite de 37 p. 100, et les mictions nocturnes, de 54 p. 100; la capacité de vider la vessie s'est accrue de 50 p. 100.

Dans une autre étude au su plus récente, menée dans plusieurs centres médicaux belges sur 305 patients, le chou palmiste nain a donné des résultats encore plus remarquables, au dire des médecins et patients, et selon des mesures objectives. Au bout de 3 mois, 88 p. 100 des patients ont affirmé que leurs symptômes s'étaient atténués et que leur qualité de vie s'en trouvait améliorée; plus particulièrement, leur sommeil n'était plus aussi souvent perturbé par la nécessité de se lever pour uriner. Les médecins se sont dits d'accord avec l'évaluation générale d'efficacité de 88 p. 100 de ce médicament. Des mesures rigoureuses au moyen d'analyses normalisées ont confirmé l'efficacité du traitement. Par exemple, le débit urinaire a augmenté de 25 p. 100, et le volume de la prostate a diminué de 10 p. 100. Plus important encore, les notes obtenues à un test portant sur les symptômes reliés à l'hypertrophie de la prostate, test reconnu dans le monde entier, ont diminué de 35 p. 100.

Comment agit-il?

Nous ne savons pas exactement quelle est l'action du chou palmiste nain. La théorie la plus répandue veut qu'il réduise le taux d'une forme très active de l'hormone masculine testostérone, connue sous le nom de dihydrotestostérone (DHT), dont on croit qu'elle est le premier facteur d'hypertrophie de la prostate. C'est un phénomène plutôt étrange. Une enzyme fait apparaître la DHT; les cellules croient alors que la puberté revient et qu'elles doivent s'activer. Ainsi, la DHT cause une surproduction de cellules prostatiques, et la glande commence à grossir. Les hommes dont la prostate est gonflée présentent un taux très élevé de DHT; il en est de même de ceux qui ont le cancer de la prostate. Plus précisément, des études indiquent que l'extrait de chou palmiste nain bloque l'action de l'enzyme qui déclenche la production de DHT. En d'autres mots, c'est un inhibiteur d'hormone.

Quels sont les composants actifs du chou palmiste nain? Bon nombre d'experts répondent que ce sont les stérols de la plante, surtout le sitostérol. Ce dernier a des effets hormonaux et anti-inflammatoires, et pourrait inhiber directement la croissance des cellules prostatiques. Beaucoup sont d'avis que c'est la combinaison de ses composés qui explique l'effet thérapeutique du chou palmiste nain.

Quelle dose prendre?

La dose recommandée, jugée efficace dans les études, est de 320 mg d'extrait normalisé par jour, prise en une seule ou en deux fois.

Quelle est la vitesse de son action?

Étonnamment, les études révèlent que le chou palmiste nain peut procurer un soulagement rapide — en 28 jours, selon une étude dans laquelle la dose était de 320 mg. Par comparaison, le Proscar ne produit pas de bienfaits sensibles avant une période d'utilisation allant de 6 mois à 1 an. Cependant, les bienfaits du chou palmiste nain sont généralement cumulatifs; une utilisation plus longue devrait entraîner une plus grande amélioration de l'état de santé. Le médecin naturopathe Donald Brown, de Seattle, recommande à ses patients de prendre 320 mg de chou palmiste nain chaque jour pendant une période d'au moins 4 à 6 semaines pour vérifier s'il est efficace. Selon lui, s'il l'est, le patient devra en prendre le reste de sa vie.

Et la sécurité?

Ce qui rend le chou palmiste nain si populaire auprès des médecins et des autres professionnels de la santé, c'est la quasi-absence d'effets secondaires et de toxicité. On a rapporté quelques cas d'indigestion et de ballonnement intestinal. Pour autant que l'on sache, le produit n'a aucun effet toxique à court ou à long terme. On ne lui connaît pas non plus d'interaction avec les médicaments d'ordonnance.

Devriez-vous l'essayer?

Si vous viviez en Allemagne, il est presque certain que votre médecin vous prescrirait le chou palmiste nain, peut-être avec d'autres phytomédicaments. En Allemagne, le chou palmiste nain est un médicament approuvé pour l'hyperplasie prostatique bénigne. En fait, selon un rapport publié en 1993, 90 p. 100 des Allemands souffrant de cette maladie reçoivent des phytomédicaments, et 50 p. 100 des urologues allemands préfèrent prescrire les extraits de plantes au lieu des médicaments chimiques pharmaceutiques. De toutes les plantes, le chou palmiste nain est le plus utilisé, parfois comme un ingrédient dans un mélange d'extraits de plantes.

Attention! Il est déconseillé de diagnostiquer soi-même l'hyperplasie prostatique bénigne. Si vous avez des symptômes reliés à la prostate, consultez votre médecin, car ils pourraient être le signe d'une maladie tout autre, notamment d'un cancer curable. Avant d'essayer le chou palmiste nain ou d'autres phytomédicaments, vous devez avoir reçu un diagnostic d'hyperplasie prostatique bénigne. Même dans ce cas, il est préférable d'utiliser le produit naturel sous la surveillance d'un professionnel de la santé.

CHOU PALMISTE NAIN OU PROSCAR?

Si on vous propose la finastéride, mieux connue sous le nom de Proscar, médicament utilisé couramment dans le traitement de l'hyperplasie prostatique bénigne, vous devriez connaître les faits suivants. Proscar a des effets secondaires non négligeables, surtout sur la fonction sexuelle mâle, selon le Health Research Group de Ralph Nader. Selon ce groupe, le Proscar provoque l'impuissance chez 1 utilisateur sur 20 et une diminution de la libido chez 1 utilisateur sur 16; conclusion: mieux vaut ne pas en prendre si vous avez le choix. De plus, ce médicament pourrait ne pas être plus efficace qu'un placebo, selon une étude menée en 1996 sur 1229 hommes, étude dans laquelle on comparait l'efficacité du Proscar, d'un placebo et d'un autre médicament récemment approuvé, le Hytrin, fabriqué par Abbott. Après une année d'utilisation, le Proscar a été jugé inefficace — pas meilleur que le placebo pour le traitement de l'hyperplasie prostatique bénigne —, rapporte Herbert Lepor, chef du service d'urologie au centre médical de l'Université de New York, qui a dirigé l'étude. (Le Hytrin s'est révélé plus efficace que le Proscar et que le placebo.) Merck, fabricant de Proscar, a déclaré que l'étude comportait des défauts.

Commentant l'étude, le Dr H. Logan Holtgrewe, ancien président de l'Association américaine des urologues, a déploré le haut taux d'échec des traitements contre l'hyperplasie prostatique bénigne qui force les hommes à passer d'un traitement inefficace à un autre, et qui fait augmenter sensiblement le coût des soins de santé. «L'effet de cascade entraîne beaucoup plus de frais que si le patient recevait le bon traitement dès le départ», dit-il.

En réalité, le chou palmiste nain devrait être le premier choix d'un homme; c'est l'avis du Dr Michael Murray de Seattle, médecin naturopathe et auteur de nombreux ouvrages, dont *Natural Alternatives to Over-the-Counter and Prescription Drugs*. Pourquoi, selon lui? Parce que le Proscar est efficace chez moins de 37 p. 100 des hommes, qu'il met de six mois à un an avant de produire une amélioration perceptible et qu'il a des effets secondaires importants sur la fonction sexuelle. Par contre, le chou palmiste nain est efficace chez 90 p. 100 des hommes; il agit très rapidement, au bout de quatre à six semaines, il n'a aucun effet secondaire et il n'est pas toxique. Le Proscar coûte trois fois plus cher par mois que le chou palmiste nain.

Du chou palmiste nain en mélange

Le chou palmiste nain pourrait être encore plus efficace lorsqu'il est mélangé à d'autres plantes. Certains chercheurs européens et américains font maintenant l'essai du chou palmiste nain combiné à d'autres plantes: *Pygeum africanum*, graines de citrouille et extrait de racine de grande ortie. En Allemagne, l'un de ces produits, le Prostagutt Forte, qui combine le chou palmiste nain et la racine de grande ortie, s'est révélé très efficace, plus efficace dans bien des cas que le seul chou palmiste nain. Aux

États-Unis, le Pros-Forte (produit par la Vitaline Corporation), mélange de 160 mg de chou palmiste nain, de 50 mg de *Pygeum africanum* et de 100 mg de graines de citrouille, a donné de bons résultats au cours d'une étude récente.

Dans cette étude, le Dr Stuart I. Erner, spécialiste des maladies organiques à l'Albany Memorial Hospital de New York, a donné deux comprimés par jour de Pros-Forte à 20 hommes souffrant de troubles prostatiques — soit d'hyperplasie prostatique bénigne, soit de prostatite intermittente chronique. Quatre-vingt-dix pour cent des sujets ont vu une réduction de leurs symptômes, de l'ordre de 12 à 79 p. 100 selon des mesures normalisées. Presque tous ont rapporté une amélioration après quatre semaines de traitement. Le Dr Erner note que ce sont ceux dont les symptômes étaient les plus graves qui ont vu leur état s'améliorer le plus. Selon lui, aucun des sujets n'a subi d'effets secondaires sérieux.

REMÈDES ÉTONNANTS CONTRE LA GOUTTE

(EXTRAITS DE CÉLERI ET DE CERISE)

Si vous souffrez de goutte, essayez ces deux remèdes de la médecine traditionnelle. Il n'y a aucune preuve scientifique de leur efficacité, mais beaucoup d'utilisateurs les trouvent efficaces. Et certains scientifiques commencent à s'intéresser à ces substances.

Si vous avez la goutte, vous savez ce dont il s'agit et à quel point elle peut être douloureuse. Pour ceux qui n'en sont pas atteints, disons que la goutte est une forme d'arthrite qui se manifeste par des accès inflammatoires aigus dans les articulations, accès qui causent une vive douleur, une enflure et une rougeur et qui peuvent durer parfois quelques heures, mais le plus souvent quelques jours. Parfois, la douleur est presque constante en raison de l'inflammation chronique. La goutte frappe le plus souvent le gros orteil, mais les genoux, les chevilles, les poignets et les petites articulations de la main sont également touchées. Si elle n'est pas contrôlée, la goutte peut mener à une grave affection rénale. Elle se caractérise par une augmentation de la quantité d'acide urique dans le sang, qui se cristallise dans les articulations, causant de vives douleurs et de l'inflammation. On traite généralement la goutte à fortes doses d'anti-inflammatoires non stéroïdes et d'autres médicaments comme l'allopurinol, qui inhibe la formation d'acide urique. On plaisante parfois en disant que la goutte est l'«arthrite des génies et des rois», parce qu'elle a frappé des hommes comme Benjamin Franklin et le roi Henri VIII.

LE DILEMME DU MÉDECIN

Avant que votre médecin vous dise de prendre du jus de cerise ou de la graine de céleri pour soigner votre goutte, il souhaitera probablement disposer de preuves scientifiques de leur efficacité. Disons-le honnêtement: il n'existe aucune preuve solide et convaincante de l'efficacité de ces substances, de leur mode d'action ou de la fréquence de leur effet thérapeutique. Mais cette absence de preuves ne décourage pas ceux qui croient en la médecine traditionnelle et qui sont d'avis que le fait que ces substances soient utilisées depuis des années comme remèdes populaires constitue en soi une preuve d'efficacité convaincante.

Même si nous voulons qu'une explication pharmacologique nous persuade de l'efficacité de telle ou telle substance, il arrive parfois que nous ne disposions que de l'expérience humaine. On parle alors d'«empirisme», c'est-à-dire d'une démarche se fondant sur l'expérience personnelle, le sens commun, et non sur la science. Bien entendu, l'empirisme ne convainc pas les puristes de la médecine, qui veulent des preuves irréfutables de l'efficacité d'une substance, non pas chez quelques individus, mais dans toute la population, sur la foi d'études menées sur des sujets choisis au hasard. De plus, il doit être prouvé statistiquement que la substance en question est plus efficace qu'un placebo chez des sujets qui ignorent l'identité du médicament qu'ils reçoivent. Mais si vous êtes quelqu'un pour qui le remède est efficace, vous vous moquez pas mal que le soulagement soit dû à l'effet placebo, que le remède ne soit efficace que pour un certain pourcentage de la population, ou que des centaines d'autres malades aient constaté le même soulagement.

Dans cet esprit d'empirisme, tout en ignorant actuellement pourquoi ils sont efficaces, je vous présente deux remèdes d'origine végétale que beaucoup de gens ont essayés et trouvés miraculeux pour la goutte. Ces remèdes sont de plus en plus populaires et commencent à attirer l'attention des scientifiques. Nous ignorons si la recherche scientifique les trouvera efficaces et pourra en expliquer le mode d'action.

Le traitement au jus de cerise

On ne connaît pas l'origine de ce traitement, mais il est possible qu'il soit assez récent et qu'il soit dû à un certain Ludwig Blau, Ph.D., qui a écrit en 1950 un article intitulé «Cherry Diet Control for Gout and Arthritis» dans le *Texas Reports on Biology and Medicine*. Il y décrit comment il a guéri la goutte qui le confinait dans un fauteuil roulant, en mangeant de six à huit cerises par jour. La consommation continue de cerises, affirmait-il, prévenait la réapparition de sa douloureuse maladie. Il nommait une douzaine d'autres malades qui avaient guéri leur goutte en mangeant des cerises ou en en buvant le jus. Peu de temps après, la revue *Prevention* a ajouté au mystère et à la mystique en publiant les conseils de Ludwig Blau sur la consommation des cerises contre la goutte. Des douzaines de malades ont écrit à la revue pour témoigner que la consommation de cerises — de 15 à 25 cerises par jour au début, puis 10 comme dose d'entretien — avait soulagé leurs souffrances.

Ludwig Blau a reconnu qu'il n'avait aucune explication scientifique de l'efficacité des cerises. Il semblerait que personne d'autre n'en ait. Des recherches dans la documentation médicale n'ont révélé aucune étude confirmant l'efficacité des cerises ni aucune théorie médicale plausible pouvant l'expliquer. On ignore également quels sont les composants du jus de cerise qui pourraient avoir un effet pharmacologique. Quoi qu'il en soit, on continue de recourir à ce traitement, et nombreux sont ceux qui jurent qu'il est efficace, affirmant qu'il les soulage autant que les médicaments généralement prescrits pour la goutte, lesquels ont souvent des effets secondaires indésirables. Nul besoin de vous en tenir au bon vieux jus de cerise que vous trouverez au supermarché; vous pouvez vous procurer dans les magasins d'aliments naturels un concentré de jus vendu sous forme de liquide ou de capsules. On dit que les cerises noires, surtout sous forme de jus concentré, seraient de loin supérieures aux cerises rouges. Tout cela fait partie de la naissance d'un remède populaire moderne.

LA GUÉRISON MIRACULEUSE DE BRAD
Plus de douleurs, plus de médicaments

La goutte ruinant sa vie, Brad McAdams, 44 ans, dessinateur dans une raffinerie de Corpus Christi, au Texas, était inquiet. Diagnostiquée sept ans auparavant, sa goutte était devenue si douloureuse — surtout dans les genoux, mais aussi dans les chevilles — que Brad avait de la peine à marcher. «Bouger me faisait mal, raconte-t-il. Il m'arrivait parfois d'être incapable de sortir du lit.» Brad dormait mal à cause de la douleur. Il boitillait et, au travail, il n'arrivait plus à traverser l'usine. L'hiver, lorsque la pression barométrique baissait, provoquant des accès de goutte, il restait prisonnier de son fauteuil dans son bureau. Il lui était impossible de partager avec ses deux filles sa passion du tir à l'arc. Après avoir décoché ses flèches, il arrivait à peine à aller les ramasser, tant sa jambe était raide.

C'était un cas classique de goutte, confirmé par le taux élevé d'acide urique dans son sang. Naturellement, son médecin lui a prescrit les médicaments appropriés: allopurinol pour soulager les accès récurrents en inhibant la formation d'acide urique, et indométhacine pour soulager la douleur. Lorsque l'enflure et la douleur devenaient insupportables, le médecin de Brad lui faisait des piqûres de cortisone dans les articulations.

Ces médicaments le soulageaient, surtout la cortisone, qui arrêtait immédiatement la douleur. Mais les crises revenaient, et Brad craignait les effets secondaires de ses médicaments: «L'analgésique que mon médecin m'a prescrit était si puissant que je devais aller dormir après l'avoir pris.» Il a commencé à s'inquiéter lorsque sa vue s'est mise à baisser et que son médecin a constaté dans son sang d'étranges modifications faisant penser à la leucémie. Brad s'est même fait faire une analyse de la moelle pour chercher la cause de ces deux phénomènes. Il craignait que tout cela soit des effets secondaires de l'allopurinol.

C'est pourquoi lorsque sa belle-mère lui a téléphoné pour lui dire qu'elle avait vu à la télévision un reportage sur un remède naturel pour la goutte — le concentré de jus de cerise noire —, Brad n'a pas hésité un seul instant à l'essayer. Il a commencé par en prendre deux cuillerées à soupe chaque soir. Il en trouvait le goût horrible, mais il a persisté et, au bout de deux semaines, ses crises de goutte ont cessé. À la fin du mois, c'était en décembre 1994, il a cessé de prendre ses médicaments d'ordonnance et n'en a plus jamais acheté depuis. «Il est redevenu normal», dit sa femme. Brad prend encore occasionnellement du concentré liquide de cerise noire — pas les capsules récemment offertes sur le marché —, surtout l'hiver lorsqu'il craint une crise. «Ce remède est vraiment efficace», affirme-t-il. Son médecin actuel confirme qu'il ne prescrit plus à Brad de médicaments contre la goutte et que, pour autant qu'il sache, ce dernier n'a plus de crises aiguës. Est-ce le fait de l'extrait de cerise? Le médecin de Brad reconnaît que c'est possible.

LE MIRACLE DU Dr DUKE
«Je n'y ai pas cru au début»

Il n'y a sans doute personne sur terre qui connaisse mieux les plantes médicinales que James Duke, Ph.D., botaniste médical anciennement au service du ministère de l'Agriculture américain. Il a construit des bases de données sur l'effet pharmacologique des plantes et des substances chimiques tirées de celles-ci. Il a rédigé des ouvrages très savants sur le sujet, qui sont étudiés par d'autres experts, ainsi que des livres et articles populaires. Jim souffre de la goutte. «J'ai eu ma première crise à l'âge de 47 ans, dit-il. J'en ai maintenant 67.» De façon tout à fait typique à la maladie, la première crise de Jim s'est manifestée dans son gros orteil. Par la suite, il en a eu de nombreuses, extrêmement douloureuses. Il y a une dizaine d'années, il a accepté à contrecœur de prendre de l'allopurinol pour abaisser le taux d'acide urique dans son sang. Au fil des ans, il a essayé divers remèdes d'origine végétale, dont le jus de cerise, qui n'ont pas vraiment été efficaces pour lui. Il a donc continué de prendre des médicaments d'ordonnance.

Puis, en juillet 1996, il a vu une publicité dans une nouvelle revue, *Herbs for Health,* pour un remède contre la goutte dont il n'avait jamais entendu parler: l'extrait de graines de céleri. «J'avais beaucoup lu à propos du céleri, raconte-t-il, mais je n'avais jamais entendu dire qu'il empêchait la formation d'acide urique, comme l'avançait la publicité. J'ai donc écrit pour expliquer que je n'y croyais pas, mais que j'étais disposé à l'essayer et que j'étais le sujet idéal pour une telle expérimentation.» C'est que Jim sait que, s'il fait certaines choses, comme boire six canettes de bière bon marché lorsqu'il est en expédition dans la jungle amazonienne, il le paiera chèrement d'une crise de goutte s'il ne prend pas d'allopurinol.

Jim a donc cessé de prendre de l'allopurinol en juillet et a commencé à prendre des comprimés de graines de céleri, quatre par jour au début. «Je m'étais dit que j'aurais sûrement une crise, mais cela n'a pas été le cas. Une semaine a passé, puis deux, puis trois. J'ai alors pensé qu'il y avait peut-être quelque chose d'intéressant dans ce traitement.» Depuis lors, Jim a fait plusieurs expéditions dans la jungle amazonienne pour étudier les plantes sauvages; au cours de l'une de celles-ci, il a même avalé six canettes de bière bon marché. Une autre fois, il s'est littéralement déhanché «en dansant vigoureusement sur les berges de l'Amazone». Il raconte: «Sans allopurinol, cela aurait dû déclencher une crise de goutte, mais je prenais de la graine de céleri. Je suis ravi de dire que j'ai cessé de prendre l'allopurinol il y a sept mois, que j'utilise désormais de l'extrait de graines de céleri et que cela est efficace.» Jim n'a pas eu une seule crise de goutte depuis qu'il a commencé à prendre de l'extrait de graines de céleri. À présent, il en prend deux comprimés par jour.

Qu'est-ce qui pourrait expliquer l'action des graines de céleri? «On trouve un embryon de preuve dans la documentation médicale d'Australie et d'Afrique du Sud», répond James Duke. Mais ce qui l'a le plus étonné, c'est ce qu'il a découvert dans sa propre base de données, très vaste, aujourd'hui administrée par le ministère de l'Agriculture. «J'ai consulté la base de données et y ai vu quelque chose de nouveau: les graines de céleri contiennent une vingtaine d'agents anti-inflammatoires différents. C'est peut-être là ce qui explique son action.»

Duke ignore si la graine de céleri abaisse son taux d'acide urique dans le sang, comme le prétend la publicité, parce qu'il ne l'a pas encore fait analyser. Cependant, pour que son expérience soit moins «anecdotique», il souhaite que des essais cliniques soient menés pour déterminer l'efficacité de la graine de céleri sur d'autres goutteux.

Que l'on sache, la seule étude médicale portant sur la graine de céleri a été celle qui a été menée sur huit sujets souffrant d'arthrite par Brian Daunter, Ph.D., à l'Université du Queensland, en Australie. Les volontaires ont consommé de l'extrait de graine de céleri pendant six semaines; en réponse au questionnaire d'évaluation, la moitié de ces personnes ont rapporté une atténuation de la douleur. Selon les sujets, la douleur est revenue après qu'ils ont eu cessé de prendre l'extrait. Le chercheur a constaté que le soulagement maximal s'était produit au bout de douze semaines.

LA FOLIE DU CÉLERI EN AUSTRALIE

En réalité, la graine de céleri est utilisée depuis longtemps comme remède populaire contre divers types d'arthrite en Angleterre et en Australie, si l'on en croit Kerry Bone, spécialiste reconnu des médicaments à base de plantes et directeur technique de MediHerb, le plus important fabricant pharmaceutique de médicaments à base de plantes en Australie. Selon lui, l'engouement qu'a connu il y a quelques années l'Australie pour la graine de céleri comme remède contre l'arthrite a provoqué l'épuisement des stocks commerciaux. Malgré l'absence de preuves scientifiques, Bone croit que l'efficacité de la graine de céleri est attribuable à son action anti-inflammatoire et, peut-être, au fait que celle-ci contribue à l'élimination de l'acide urique de l'organisme, ce qui correspond aux affirmations des praticiens de la médecine par les plantes. Selon lui, la graine de céleri est un excellent exemple de produit végétal dont l'efficacité n'est pas prouvée par des données scientifiques modernes, mais qui fait des miracles chez les malades. L'avenir de la graine de céleri est si prometteur qu'un nouvel institut de recherche, affilié à l'Université du Queensland, est en train d'établir un centre où seront menées des recherches poussées sur l'action anti-arthritique de la graine de céleri.

Et la sécurité?

Aucun effet secondaire n'a été rapporté relativement au concentré de jus de cerise et à l'extrait de graine de céleri, bien que des réactions allergiques restent possibles. La toxicité à long terme ne suscite pas d'inquiétude, puisque ces substances sont utilisées comme aliments depuis des siècles.

Qui devrait s'abstenir d'en consommer?

Les femmes enceintes et les personnes souffrant de maladies rénales doivent éviter la graine de céleri à cause de son action potentiellement diurétique.

Préoccupations du consommateur

Le produit à base de graine de céleri utilisé par James Duke est le CelereX, mis au point en Australie. On peut se procurer des produits à base de graine de céleri et de jus de cerise dans divers magasins d'aliments naturels ou dans les pharmacies où il y a des comptoirs de produits naturels.

Devriez-vous l'essayer?

Si votre traitement actuel contre la goutte ne vous semble pas efficace, ou si vous souhaitez cesser de prendre certains analgésiques ou médicaments contre la goutte, les deux remèdes populaires proposés valent la peine que vous les essayiez. Cependant, James Duke reconnaît qu'il n'a pas suivi les conseils de son médecin quand il a cessé abruptement de prendre l'allopurinol; il dit qu'il était prêt à parier sur l'extrait de graine de céleri et à en subir les conséquences si cette substance se révélait inefficace. Il n'est pas du tout certain que les extraits de graine de céleri ou de jus de cerise soient efficaces pour tout le monde. (Pas plus que ne le sont les médicaments pharmaceutiques.) Mieux vaut consulter votre médecin ou un autre professionnel de la santé avant de cesser de prendre les médicaments qui vous ont été prescrits ou d'en réduire la dose.

NOUVELLE SOLUTION AU MYSTÉRIEUX SYNDROME DE LA FATIGUE CHRONIQUE

(RÉGLISSE)

Sa racine peut être néfaste à la plupart d'entre nous, mais c'est exactement ce qui explique qu'elle pourrait contribuer à guérir le mystérieux syndrome de la fatigue chronique, prétendument incurable.

Si quelqu'un trouvait un remède, même imparfait, au trouble mystérieux et pratiquement impossible à traiter qu'est le syndrome de la fatigue chronique, il mettrait fin aux souffrances de millions d'êtres humains. Le syndrome de la fatigue chronique n'est peut-être pas ce que vous croyez. Ce n'est pas un état de fatigue comme les autres. Bien entendu, n'importe qui peut se sentir fatigué, parfois épuisé, mais il ne s'agit pas là du syndrome en question. Celui-ci se caractérise par un ensemble de symptômes qui résistent souvent au diagnostic et au traitement. Soudainement, une personne en bonne santé et vigoureuse est frappée par une maladie semblable au rhume, qui s'accompagne de maux de tête, de douleurs articulaires et musculaires, de dépression et, par-dessus tout, d'une fatigue intense et perpétuelle qui l'empêche de travailler et la cloue au lit — tout cela, sans cause apparente. Lorsque les médecins n'arrivent pas à identifier la maladie, ils l'appellent «syndrome de la fatigue chronique». Personne ne sait vraiment comment la traiter (traitement habituel: analgésiques et antidépresseurs) ni pourquoi elle se déclare; il est rare que le malade se rétablisse.

Dans la revue *Consumer Reports*, on pouvait lire récemment: «Aux États-Unis, il y a probablement des centaines de milliers de personnes qui sont atteintes du syndrome de la fatigue chronique. [...] Les théories formulées en attribuent respectivement la cause aux troubles hormonaux jusqu'aux troubles neurologiques, en passant par les troubles immunitaires. Cette maladie est tout aussi déroutante que dévastatrice.»

Voilà qu'apparaît aujourd'hui la possibilité que cette maladie invalidante puisse être traitée par l'un des médicaments les plus anciens qu'offre la nature: la racine de réglisse. Au fil des nouvelles recherches définissant certains des mécanismes obscurs régissant le syndrome de la fatigue chronique, certains patients et spécialistes constatent que l'action pharmacologique de la réglisse convient parfaitement au traitement de cette maladie. Cependant, la réglisse ne convient pas à toutes les personnes affectées; dans certains cas, elle risque d'empirer leur état. Il est essentiel d'utiliser la réglisse avec prudence, de préférence sur la recommandation et sous la surveillance d'un professionnel de la santé. Mais lorsque la fatigue chronique est causée par une déficience biochimique — surtout par un certain type d'hypotension artérielle —, la réglisse, médicament relativement inoffensif et particulièrement efficace si on le compare aux interventions pharmaceutiques conventionnelles, peut provoquer une guérison «miracle», comme il l'a fait pour de nombreux malades.

LA GUÉRISON MIRACULEUSE DE DAVE

«Pour la première fois en vingt ans, je me suis senti incroyablement bien»

Pour David Williams, ancien capitaine de bateaux de pêche et de bateaux nolisés en Floride, aujourd'hui âgé de 55 ans, la maladie a commencé en 1977 d'une manière typique, c'est-à-dire par une fatigue insurmontable, suivie d'un gros rhume de poitrine. «J'étais fatigué, vidé, incapable de penser tellement j'avais l'esprit embrouillé», dit-il. Il se rappelle qu'il n'était même pas capable de marcher du garage jusqu'à la maison sans s'arrêter pour s'asseoir: «Je me demandais ce que je pouvais bien avoir.»

Typiquement aussi, sa maladie n'a pas été diagnostiquée facilement. Durant les années qui ont suivi, sa vie est devenue un cauchemar: il a perdu plusieurs entreprises, quelques emplois... et sa femme. «La brume dans mon cerveau, la fatigue et tout cela, c'était insupportable. J'ai vu toutes sortes de médecins, des conseillers et des psychiatres. L'un d'entre eux a essayé sur moi sans succès plusieurs médicaments psychotropes. J'étais désespéré. Je savais que je n'irais pas mieux», raconte le «capitaine Dave». Au bord de la dépression nerveuse, il s'est rendu à l'hôpital. «Je m'en suis remis aux médecins. Je leur ai dit: "Pour l'amour du ciel, vous devez m'aider. Vous devez trouver ce que j'ai. Pourquoi suis-je toujours épuisé?"» Ses médecins l'ont dirigé chez des immunologistes de l'Université de Miami. C'est là, en 1992, qu'on a diagnostiqué le syndrome de la fatigue chronique. Mais ce diagnostic ne l'a guère aidé, pas plus que le traitement typique par tâtonnements. Il ne se sentait pas beaucoup mieux.

La percée s'est produite en 1995. Des médecins de l'hôpital John Hopkins ont découvert que la fatigue chronique est causée par un certain type d'hypotension anormale. Dave a été envoyé chez le Dr Marilyn Cox, alors attachée à l'Université de Miami; celle-ci lui a fait passer l'«épreuve de la table basculante», qui permet de reconnaître à coup sûr le trouble d'hypotension artérielle. Si le sujet s'évanouit rapidement après avoir été suspendu verticalement sur la table basculante, c'est qu'il est atteint du trouble en question. Cela a été le cas de Dave. Il fallait donc faire monter sa tension artérielle. Ses médecins lui ont prescrit de l'acétate de fludrocortisone (Florinef), qui provoque une rétention du sel et des fluides, et qui fait monter la tension artérielle et augmenter le volume sanguin. Théoriquement, en faisant monter la tension artérielle, le médicament dissipe indirectement les symptômes du syndrome en améliorant la circulation sanguine et, par conséquent, l'oxygénation du cerveau. Mais Dave a eu une mauvaise réaction au Florinef et aux autres médicaments du genre.

Toujours en quête d'une solution, Dave a entrepris sa propre recherche à la bibliothèque de la ville. En se branchant au site Medicine's Medline de la National Library, il a découvert deux lettres envoyées à l'éditeur du *New Zealand Medical Journal* par un médecin italien, le Dr Riccardo Baschetti, dans lesquelles ce dernier disait s'être guéri de sa fatigue chronique en prenant de la réglisse, qui fait monter la tension artérielle chez certaines personnes. Au début, Dave n'y a pas cru: «J'ai bien ri; tout cela me semblait complètement ridicule.» Néanmoins, il est entré en contact avec le Dr Baschetti pour lui demander conseil. Dave a commencé à prendre de la réglisse, environ 4 g par jour. Il a été ravi: «Je me suis senti incroyablement bien. J'étais tout à fait guéri. Tout à fait. Je me sentais un nouvel homme. C'était stupéfiant. Après avoir cherché un remède à ma maladie pendant vingt ans, voilà que j'étais soudainement guéri!»

Pour prouver que la réglisse avait réglé son problème d'hypotension, ce qui avait dissipé les symptômes de la fatigue chronique, Dave s'est prêté de nouveau à l'épreuve de la table basculante en août 1996. S'il passait cette épreuve sans se sentir étourdi ou sans s'évanouir, cela signifierait que son hypotension était sous contrôle. «J'ai passé l'épreuve avec succès», raconte-t-il. Le Dr Marilyn Cox, aujourd'hui attachée au centre médical régional Tallahassee Memorial, le confirme. Elle convient du fait que la réglisse a apparemment normalisé la tension artérielle de Dave et, ce faisant, soulagé les symptômes de la fatigue chronique: «C'est logique du point de vue scientifique. Le principal agent actif de la réglisse, l'acide glycyrrhizique, est un stéroïde végétal dont l'action est semblable à celle du médicament Florinef, normalement prescrit pour traiter l'hypotension anormale.» Le Dr Cox a aidé Dave à expérimenter diverses doses de réglisse pour trouver celle qui normaliserait sa tension artérielle et lui permettrait de subir avec succès l'épreuve de la table basculante. Elle est en train de rédiger l'histoire de son cas, qu'elle publiera dans une revue médicale. Elle a entendu parler d'autres patients, atteints du syndrome et hypotendus, qui prennent de la réglisse sous la surveillance de médecins.

Qu'est-ce que la réglisse?

La réglisse, plante (Papilionacées) à rhizome très développé, aurait été utilisée en médecine pour la première fois il y a 5000 ans en Chine; on la mentionne dans une compilation de remèdes végétaux intitulée *Pen Tsao Ching*.

Depuis, la réglisse a été utilisée à des fins médicinales dans l'Égypte ancienne, en Grèce et en Europe du Moyen-Âge jusqu'à nos jours, surtout comme remède populaire contre les infections respiratoires, le rhume, la toux et, plus récemment, contre les ulcères. C'est le rhizome de la plante qui est utilisé. On le hache, on le pulvérise et on en tire un extrait noir. Le principal agent actif de la réglisse, l'acide glycyrrhizique, a été isolé et est parfois utilisé seul.

Quelles sont les preuves de son efficacité?

L'idée que la réglisse puisse traiter la fatigue chronique peut sembler absurde au départ. Mais elle devient de plus en plus crédible, en raison des remarquables recherches menées récemment qui présentent de nouvelles explications au mystère de la fatigue chronique et indiquent qu'on peut soigner cette maladie avec des médicaments dont l'action est la même que celle de la réglisse.

L'étude déterminante qui a mis Dave Williams sur la bonne voie a été menée par le cardiologue Hugh Calkins et ses collègues de l'Université John Hopkins. Ceux-ci ont découvert qu'une étonnante proportion des 23 sujets souffrant de fatigue chronique — 95 p. 100, c'est-à-dire tous sauf un — étaient atteints d'un trouble de la tension entraînant la dilatation des vaisseaux et, par conséquent, une chute rapide de la tension artérielle qui prive le cerveau d'oxygène. De plus, lorsque les chercheurs de l'hôpital ont administré aux sujets de la fludrocortisone, substance qui provoque la rétention du sel et des fluides et fait monter la tension artérielle, les symptômes de la fatigue chronique ont été atténués ou éliminés chez près de la moitié des sujets.

De même, aux National Institutes of Health, Mark A. Demitrack et ses collègues ont découvert, en 1991, que la plupart des victimes de la fatigue chronique étaient atteintes d'une «légère insuffisance surrénale», susceptible d'expliquer en partie les symptômes typiques de la fatigue chronique, comme la léthargie et la fatigue, l'irrégularité des réactions immunitaires et le caractère excessif des réactions allergiques. Fait étonnant, ces fonctionnaires chercheurs ont conclu que les symptômes du syndrome de la fatigue chronique et ceux de l'insuffisance surrénale étaient à peu près identiques! Comment traite-t-on cette insuffisance? Au moyen de l'hydrocortisone et de la fludrocortisone, les mêmes médicaments qui ont augmenté la tension artérielle et dissipé les symptômes de la fatigue chronique chez les sujets de l'étude menée à l'hôpital John Hopkins.

Résumons-nous: Bon nombre de personnes atteintes du syndrome de la fatigue chronique souffrent peut-être aussi d'une dysfonction des glandes surrénales entraînant une «insuffisance surrénale», c'est-à-dire un taux trop faible de corticostéroïdes dans le sang. Cette situation mène à une excrétion excessive des minéraux, surtout du sodium, à l'hypotension et à une réduction du volume sanguin. Corriger cette insuffisance au moyen des stéroïdes appropriés pourrait soulager les symptômes de la fatigue chronique.

C'est ici que la réglisse entre en jeu. Celle-ci est un stéroïde naturel, dont l'activité ressemble à celle de la cortisone, puissant stéroïde, si l'on en croit le Dr Riccardo Baschetti, qui recourt à la réglisse pour soigner sa propre fatigue chronique. La réglisse, comme les médicaments stéroïdes, peut également faire monter la tension artérielle et favoriser la rétention des fluides. En fait, on met en garde depuis longtemps les gros consommateurs de réglisse contre ces effets secondaires néfastes. Paradoxalement, ces effets secondaires néfastes sont ceux-là même qui font de la réglisse un remède potentiel contre la fatigue chronique.

En outre, durant les années 1950 on a utilisé la réglisse pour traiter le trouble classique d'insuffisance surrénale qu'est la maladie d'Addison. Le Dr Baschetti est d'avis que la fatigue chronique est souvent une forme atypique de la maladie d'Addison et qu'on devrait la traiter en tant que telle. Une nouvelle étude contrôlée, commanditée par le National Institute of Allergy and Infectious Diseases, a été entreprise pour déterminer si oui ou non l'acétate de fludrocortisone (Florinef) soulage le syndrome de la fatigue chronique en corrigeant l'«insuffisance surrénale» pour laquelle ce médicament est généralement prescrit. Si c'est le cas, l'étude confirmera aussi l'efficacité de la réglisse, dont l'action est à peu près la même que celle du Florinef.

LA GUÉRISON MIRACULEUSE DU Dr BASCHETTI
«En quelques jours seulement, la réglisse m'a rendu ma vigueur»

Les souffrances du Dr Baschetti ont commencé abruptement le 3 mars 1993 par les symptômes typiques semblables à ceux du rhume. Son état a peu à peu empiré. «Malgré plusieurs traitements pharmaceutiques, raconte-t-il, lesquels ont tous été inefficaces, j'ai été cloué au lit du mois d'août jusqu'au mois de novembre 1993.» Diagnostic: syndrome de la fatigue chronique. Désespéré, le Dr Baschetti, fonctionnaire de la santé à la retraite, a quitté son domicile de Padoue pour aller se reposer cinq semaines à Saint-Domingue, dans l'espoir que le climat tropical faciliterait son rétablissement. Mais son état s'est plutôt aggravé. «Les effets dévastateurs de cette maladie, dit-il, sont généralement sous-estimés. Le syndrome de la fatigue chronique est vraiment une maladie grave.»

En plus de faire l'essai de plusieurs médicaments, Baschetti a aussi modifié son régime alimentaire. À son grand étonnement, il a constaté qu'il se sentait mieux lorsqu'il consommait des aliments salés. Il a alors pensé que le syndrome de la fatigue chronique pourrait être une forme atypique d'insuffisance surrénale, comme la maladie d'Addison, caractérisée par une carence d'aldostérone, hormone qui règle dans l'organisme le bilan de sodium, dont elle contrôle les échanges au niveau de la partie distale du tube rénal. Il s'est souvenu que la réglisse est surtout «connue pour ses effets semblables à ceux de l'aldostérone et que, jusque dans les années 1950, avant l'ère de la cortisone, on réussissait à traiter à la réglisse les personnes atteintes de la maladie d'Addison.»

Le Dr Baschetti s'est demandé pourquoi, si la fatigue chronique était une insuffisance hormonale semblable à la maladie d'Addison, la consommation de réglisse ne contribuerait pas à normaliser l'activité hormonale et, ce faisant, à soulager ses symptômes. Il a donc commencé à prendre de la réglisse. Pour la première fois depuis les vingt mois ayant suivi sa première crise de fatigue chronique, il a constaté un soulagement: «La réglisse m'a rendu une certaine vigueur physique et mentale au bout de quelques jours seulement!» Mais il n'avait pas retrouvé toute sa vigueur. Il a donc consommé de plus en plus de réglisse, jusqu'à 30 g par jour.

L'idée lui est soudainement venue qu'il pourrait peut-être augmenter la puissance de la réglisse en la dissolvant dans du lait riche en sodium. En octobre 1994, il a dissous 5 g d'extrait solide de réglisse dans 1 litre de lait qu'il a bu d'un coup. «Peu de temps après, raconte- t-il, à mon grand étonnement, ma respiration a commencé à être très profonde. Au bout de deux heures, je me suis senti presque tout à fait rétabli.» Aujourd'hui, il prend chaque jour 4 g de réglisse dissoute dans du lait, ainsi qu'une très petite dose d'hydrocortisone (2,5 mg par jour), et il continue de se sentir très bien. Il attribue à la réglisse son rétablissement complet. Le Dr Baschetti a fait part à la communauté scientifique de son expérience et de ses théories en publiant lettres et rapports dans de nombreuses revues médicales prestigieuses. Il déclare n'avoir subi qu'une seule rechute: lorsque, par curiosité scientifique, il a cessé de prendre de la réglisse. «Le traitement à la réglisse est d'une efficacité prodigieuse», aime-t-il répéter.

Comment agit-elle?

La réglisse est une forme naturelle de corticostéroïde, hormone produite par les glandes surrénales, dont l'action pharmacologique est très semblable à celle du puissant stéroïde qu'est la cortisone. Des chercheurs ont confirmé que l'agent actif de la réglisse semblable à la cortisone est l'acide glycyrrhizique. Selon le Dr Baschetti, cet acide agit en bloquant l'activité d'une enzyme (11-bêta-hydroxystéroïde déshydrogénase) qui, autrement, se décompose et détruit le cortisol, hormone naturelle. Ainsi, en préservant une plus grande quantité de cortisol, la réglisse contribuerait, selon la théorie du Dr Baschetti, à corriger l'insuffisance hormonale commune à la fatigue chronique et à la maladie d'Addison. La réglisse, dit-il, agit comme la cortisone et les autres hormones qui aident à contrôler la rétention du sodium et l'équilibre électrolytique des humeurs.

Qui devrait prendre de la réglisse?

On ne sait pas combien de personnes frappées par la fatigue chronique ont une tension artérielle anormalement basse ou souffrent d'une insuffisance surrénale, et pourraient donc être soulagées par la réglisse. L'étude menée à l'hôpital John Hopkins nous fournit un élément de réponse: les chercheurs ont constaté que le médicament a eu un effet positif sur environ la moitié des sujets, ce qui laisse supposer que la réglisse pourrait être bénéfique au même pourcentage de malades. Par ailleurs, l'étude des NIH nous laisse croire que près de 70 p. 100 des personnes atteintes de fatigue chronique semblent souffrir d'une insuffisance surrénale et pourraient donc, elles, tirer avantage du traitement à la réglisse. Que 50 p. 100 ou 70 p. 100 des malades puissent en profiter, la proportion est impressionnante, compte tenu du peu de guérisons obtenues par les autres traitements.

Quelle dose prendre?

Tout dépend du volume de votre corps. Du fait que les revues médicales conventionnelles ont publié très peu d'articles sur ce sujet, la détermination de la dose exacte se fera par tâtonnements. C'est pourquoi la surveillance d'un médecin ou d'un autre professionnel de la santé est essentielle si vous essayez la réglisse contre le syndrome de la fatigue chronique ou tout autre trouble. Certains utilisateurs ont trouvé eux-mêmes la dose adéquate. Après avoir longtemps tâtonné, David Williams a constaté qu'une dose quotidienne de 5 g, contenant 375 mg d'acide glycyrrhizique, était celle qui lui convenait le mieux. Cela ne signifie pas que cette dose est la bonne pour tout le monde. (Williams est un gaillard de 1 m 85, pesant près de 110 kg.) Le Dr Cox estime que, pour que le traitement produise des résultats, la dose doit être adaptée à chacun des sujets et que ceux-ci doivent être surveillés de près par un médecin.

Préoccupations du consommateur

Comme agent thérapeutique, la réglisse utilisée doit être authentique. Ce que la plupart d'entre nous appellent réglisse et qui sert à aromatiser les bonbons est, en réalité, de l'anis et non pas de la vraie réglisse. On peut se procurer la vraie réglisse dans les magasins d'aliments naturels, sous forme de poudre ou d'extrait liquide. Dans certaines réglisses, l'acide glycyrrhizique a été enlevé; comme c'est précisément cet acide qui favorise la production de cortisol et sa rétention, la réglisse qui n'en contient pas ne peut soulager le syndrome de la fatigue chronique. Cependant, cette réglisse est plus sûre pour le reste de la population.

Et la sécurité?

Les doses excessives de réglisse risquent, chez les gens en bonne santé, de provoquer des effets secondaires sérieux, dont les maux de tête, la léthargie, une hypertension dangereuse, ainsi que la rétention du sodium et de l'eau (œdème), cette dernière étant susceptible d'entraîner un arrêt ou une insuffisance cardiaque. Une surdose d'extrait de réglisse, voire de réglisse en bonbon, a déjà nécessité des hospitalisations. Si vous utilisez la réglisse pour traiter le syndrome de la fatigue chronique, une surdose pourrait être néfaste à cause de son effet sur le bilan de potassium et de l'insuffisance cardiaque pouvant s'ensuivre. Pour ce qui est de la toxicité à long terme, la FDA classe la racine de réglisse parmi les substances que l'on nomme en anglais GRAS (généralement reconnues comme inoffensives).

Attention! Selon le Dr Cox, chez quiconque consomme de la réglisse à des fins thérapeutiques, on doit surveiller de près l'apparition d'effets secondaires, plus particulièrement la chute à un niveau dangereux du taux de potassium sanguin. Même si la réglisse est une substance naturelle, elle est puissante et elle doit être utilisée avec prudence.

Qui doit s'abstenir de prendre de la réglisse?

Les personnes souffrant d'hypertension, de diabète, de glaucome ou de maladie cardiaque, ainsi que celles qui ont déjà subi un accident cérébrovasculaire et celles qui prennent des médicaments pour le cœur ou pour la tension artérielle ne doivent pas prendre de réglisse, pas plus que les femmes enceintes. Par souci de sécurité, consultez toujours un médecin.

À quelle autre fin peut-elle servir?

On utilise depuis longtemps la réglisse pour traiter l'ulcère d'estomac. En Allemagne, la Commission E, chargée de réglementer la médecine par les plantes, approuve l'utilisation de la réglisse à cette fin. Elle recommande une dose quotidienne de 200 à 600 mg de glycyrrhizine (soit de 5 à 15 g de racine), prise sur une période maximale de 4 à 6 semaines. D'autres recherches indiquent que la réglisse pourrait aussi lutter contre certains virus et renforcer le système immunitaire.

COMMENT UTILISER LA RÉGLISSE CONTRE LA FATIGUE CHRONIQUE

Conseils et mises en garde du Dr Riccardo Baschetti

Le Dr Baschetti conseille de dissoudre 2 g de réglisse pure (dont on n'a pas retiré l'acide glycyrrhizique) dans environ un demi-litre de lait froid écrémé ou partiellement écrémé. Utilisez de la réglisse en poudre fine; laissez-la tremper dans un peu d'eau pendant douze heures pour la rendre plus soluble. Buvez cette boisson tous les matins. Vous devriez constater une amélioration de votre état en quelques heures seulement! Sinon, augmentez graduellement (et prudemment) la dose, jusqu'à 5 g de réglisse dans un demi-litre de lait.

Selon le Dr Baschetti, la réglisse ne sera efficace que si le sujet a les ganglions lymphatiques enflés et douloureux. «Si ce n'est pas votre cas, dit-il, vous n'êtes pas vraiment atteint du syndrome de la fatigue chronique.» Il insiste sur le fait que, si vous avez une tendance à l'hypertension, vous n'avez pas le syndrome et vous ne devriez pas prendre de réglisse, car celle-ci provoquera la rétention du sodium et fera encore monter votre tension artérielle, peut-être à un niveau dangereux. Plus important encore, la réglisse n'est efficace que si votre taux de cortisol sanguin est faible. Voilà qui élimine les personnes souffrant de dépression (qui ont peut-être reçu un diagnostic erroné de fatigue chronique), puisque des recherches récentes indiquent que ces personnes ont un taux de cortisol sanguin élevé. Dans ces cas, la réglisse augmenterait encore le taux de cortisol, aggravant ainsi la dépression.

Important: Ne prenez pas de réglisse pour traiter la fatigue chronique si un médecin n'a pas diagnostiqué ce syndrome chez vous. Un diagnostic juste est essentiel. Ne prenez pas de réglisse si vos ganglions lymphatiques ne sont ni enflés ni douloureux. Ne prenez pas de réglisse si vous vivez une dépression non reliée au syndrome de la fatigue chronique. Ne prenez pas de réglisse si vous souffrez d'hypertension artérielle.

RÉPARATEUR FANTASTIQUE POUR LES VAISSEAUX SANGUINS

(PROCYANIDINE DES PÉPINS DE RAISIN ET PYCNOGENOL)

Il guérit bien des affections, mais il est surtout sans égal pour renforcer les vaisseaux sanguins et lutter contre les varices.

Vos vaisseaux sanguins — artères, veines et capillaires —, constitués en un réseau complexe, irriguent tous les tissus de votre corps, du dessus de votre tête jusqu'au bout de vos orteils. L'intégrité et la solidité de ces vaisseaux ainsi que le bon fonctionnement du cœur sont indiscutablement les facteurs clés de votre santé et de votre survie. Dès que vos vaisseaux vieillissent, qu'ils deviennent malades, fragiles, minces, ou qu'ils perdent de leur étanchéité, votre santé est compromise. Si l'oxygène transporté par le sang ne circule pas bien, votre muscle cardiaque peut être endommagé, vos cellules cérébrales risquent de mourir ou de mal fonctionner, votre vue pourrait baisser et vous pourriez souffrir de douloureuses crampes dans les jambes. Si l'un de vos vaisseaux fuit ou éclate, vous risquez l'hémorragie cérébrale ou, encore, de minuscules veines pourraient apparaître à la surface de votre peau. Vos gencives ou votre nez pourraient saigner; vos jambes pourraient présenter des varices. Des humeurs pourraient franchir la paroi perméable des vaisseaux et provoquer un œdème. Rien n'est plus critique que la vitalité de ces kilomètres de capillaires, de veines et d'artères.

Pourtant, vous a-t-on jamais parlé d'un médicament susceptible de renforcer les vaisseaux affaiblis et fragiles, de les ramener à la santé, de prévenir et de réparer les dommages de l'appareil circulatoire?

Ce médicament d'origine naturelle existe; en Europe, on l'utilise avec succès à une grande échelle. Il ne se compare à aucun autre médicament. Commercialement dérivé des pépins de raisin et de l'écorce de pin, c'est un mélange de molécules antioxydantes connu sous diverses appellations: proanthocyanidine, procyanidine, oligomères proanthocyanidoliques, proanthocyanidine ou procyanidine oligomère (OPC), pycnogénol (générique), Pycnogenol^MC ou, tout simplement, extrait de pépin de raisin.

L'OPC est parfaitement indiqué contre les maladies vasculaires parce qu'il renforce vraiment la structure du vaisseau sanguin affaibli. Il exerce d'autres actions biologiques et est l'un des antioxydants les plus puissants que l'on connaisse — cinquante fois plus puissant que la vitamine C, selon certains essais. Les antioxydants contribuent à neutraliser les radicaux libres, facteur chimique sous-jacent jouant un rôle dans la genèse de la plupart des maladies.

Les recherches sur l'OPC ne faisant que commencer aux États-Unis, il existe peu de données scientifiques dans les revues ou manuels médicaux américains susceptibles de confirmer son efficacité thérapeutique. Mais cette substance est utilisée avec succès en Europe depuis une bonne quarantaine d'années, surtout en France. Bon nombre d'Américains se réjouissent déjà de l'extraordinaire soulagement que leur procure l'OPC; il ne fait aucun doute que la popularité de ce médicament croîtra à mesure que ses bienfaits seront plus largement connus. Certains experts qualifient l'OPC de superstar parmi les suppléments alimentaires végétaux, celui qui présente le plus grand potentiel pour la santé de l'homme.

Qu'est-ce que c'est?

En 1947, un chimiste français réputé, J. Masquelier, professeur émérite de médecine à l'Université de Bordeaux, a isolé le premier OPC, substance incolore, dans la peau rouge de l'arachide. Il raconte qu'il en a donné à la femme de son doyen, qui présentait un œdème grave dû à un accouchement: ses jambes enflées se fatiguaient si vite qu'elle pouvait à peine marcher. «La femme du doyen a été guérie en 48 heures, raconte Masquelier. J'en ai conclu que mon extrait devait avoir quelque chose de particulier.» En 1950, l'OPC tiré de la peau de l'arachide est devenu le premier médicament utilisé pour la protection vasculaire, connu sous le nom de Resivit et vendu en France. Deux décennies plus tard, un autre médicament basé sur l'OPC de Masquelier, appelé Endotelon, a été lancé sur le marché français. En 1979, Masquelier avait déjà donné le nom de «pycnogénol» à son produit, terme générique décrivant en grec sa polyvalente chimique. (Plus tard, l'appellation Pycnogenol est devenue la marque déposée d'une société britannique, Horphag Research Limited.) Masquelier a décelé la présence de l'OPC dans presque toutes les plantes, dans le vin rouge et dans l'arachide proprement dite. Les concentrés commerciaux actuels proviennent des pépins de raisin et de l'écorce de pin. Le chimiste français affirme que c'est l'OPC qui explique en grande partie l'action antioxydante du vin rouge et du thé.

Quelles sont les preuves de son efficacité?

Si vous vivez en France, vous connaissez sans doute l'OPC surtout comme médicament contre les varices. (Douloureuses et peu esthétiques, celles-ci résultent de la dilatation permanente des veines, qui apparaissent alors sous la peau comme de longues bosses violacées.) Des études indiquent que l'OPC peut renforcer les veines, les raffermir et leur redonner leur élasticité pour qu'elles se résorbent. Masquelier et ses collègues ont mené neuf études confirmant l'efficacité de l'OPC contre les varices. On utilise aussi l'OPC pour réduire l'accumulation d'humeurs, appelée œdème. Lorsque les parois vasculaires s'affaiblissent, les fluides transportés par les vaisseaux filtrent à l'extérieur et provoquent une enflure. En renforçant la paroi des capillaires, entre autres choses, l'OPC réduit l'œdème et peut donc être utile dans la lutte contre l'hypertension, l'insuffisance cardiaque globale et les blessures sportives caractérisées par l'enflure. De plus, on a recouru à l'OPC pour traiter certains problèmes de vision — éblouissement, héméralopie ou cécité nocturne, et dégénérescence maculaire —, l'arthrite, le rhume des foins et les allergies, ainsi que les saignements de nez.

Masquelier estime que la prise régulière d'OPC renforce les parois vasculaires. Voici, selon lui, comment déterminer si l'on a besoin d'OPC: «Le matin, en vous brossant les dents, vous constatez que vos gencives saignent. Vous voyez une tache de sang sur la cornée. Le soir, vous vous sentez fatigué, vos mollets sont enflés et vous remarquez un œdème. Dans tous ces cas, vous souffrez d'une fragilité vasculaire, et l'OPC est indiqué contre tous ces mécanismes pathologiques.»

DES DÉCENNIES DE RECHERCHE EN EUROPE

Depuis une quarantaine d'années, les Européens disposent du traitement à l'OPC pour soulager les affections circulatoires, principalement les varices. Et la recherche, dont la majeure partie est mené par Masquelier et ses collègues, est impressionnante. En 1995, après une analyse exhaustive de toutes les recherches consignées, des scientifiques italiens ont conclu que l'OPC était réellement efficace, parfois plus efficace que les médicaments pharmaceutiques synthétiques. Une remarquable étude à double insu, menée en 1981 sur 50 sujets souffrant de varices, révèle qu'une dose quotidienne de 150 mg d'OPC de pépin de raisin (Endotelon) agit plus rapidement et plus longtemps qu'un médicament pharmaceutique couramment prescrit pour les varices (Diosmine) pour ce qui est de réduire la douleur, la sensation de brûlure et de picotement, ainsi que la dilatation des veines. Une amélioration par rapport à tous les symptômes a été constatée au bout de 30 jours. Dans une autre étude, une dose unique de 150 mg d'OPC administrée à des patients atteints de varices étendues a amélioré leur tonus vasculaire, méticuleusement mesuré au moyen d'un test normalisé. Dans une autre étude contrôlée à double insu menée sur 92 sujets français souffrant de varices, une dose quotidienne de 300 mg d'OPC de pépin de raisin prise pendant 28 jours a réduit la douleur, le picotement, les crampes nocturnes dans les jambes et l'enflure dans une proportion supérieure à 50 p. 100. Soixante-quinze pour cent des sujets consommant l'OPC ont vu leur état s'améliorer, soit deux fois plus que ceux qui consommaient un placebo.

L'OPC s'est révélé un excellent médicament pour les yeux. Il aide l'œil à s'adapter après avoir subi un éblouissement, ce qui est crucial pour la vision nocturne. Au cours de deux études françaises distinctes menées sur 100 sujets, il a été constaté qu'une dose de 200 mg d'OPC de pépin de raisin prise pendant cinq semaines avait amélioré de façon spectaculaire le rétablissement de l'acuité visuelle après l'éblouissement. Dans d'autres essais, ce produit a réussi à soulager la fatigue oculaire causée par le travail sur un écran d'ordinateur, en plus d'améliorer le fonctionnement et la sensibilité de la rétine chez des myopes. Plusieurs études révèlent que l'OPC peut traiter la rétinopathie qui cause la détérioration de la vue, surtout chez les diabétiques. Doses quotidiennes habituelles: de 100 à 150 mg d'OPC.

La puissante action antioxydante de l'OPC peut en faire le traitement idéal contre la dégénérescence maculaire due au vieillissement, grave maladie des yeux, fait remarquer le Dr Denham Harman, spécialiste des antioxydants à l'Université du Nebraska. Pourquoi? Parce que l'OPC «a tendance à agir sur les petits vaisseaux des yeux». D'autres antioxydants plus faibles ont retardé l'évolution de la dégénérescence maculaire.

LA GUÉRISON MIRACULEUSE DU Dr DIXON

«L'OPC a enrayé ma maladie oculaire»

Madison Dixon, 76 ans, optométriste dans une petite ville de Géorgie, prenait depuis près de 40 ans des antioxydants, surtout de la vitamine C et du bêta-carotène, pour ralentir l'évolution de deux maladies oculaires graves reliées au vieillissement: la cataracte et la dégénérescence maculaire. Lorsqu'il a entendu parler d'un puissant antioxydant français appelé Pycnogenol, il a pensé que celui-ci serait peut-être encore plus efficace pour sauver sa vue. Il était particulièrement préoccupé par l'affaiblissement de son œil droit, dû à la dégénérescence maculaire, désintégration de la macula lutea (région centrale de la rétine) pouvant entraîner la cécité. Il n'existe aucun traitement pharmaceutique ou chirurgical pour cette affection, bien que des études aient révélé que les antioxydants peuvent en ralentir l'évolution.

Le Dr Dixon a commencé à prendre du Pycnogenol en 1993. Les résultats l'ont ravi. La dégénérescence maculaire a cessé de s'aggraver, de même que ses cataractes. «Ma vision sans lunettes est restée à 20/30, dit-il. J'attribue le ralentissement de l'évolution de la maladie d'abord au Pycnogenol, puis à l'extrait de pépin de raisin.» Il a commencé par une dose quotidienne de huit capsules de Pycnogenol, qu'il a réduite à deux capsules au bout de quatre mois. Ensuite, il a remplacé ce médicament par de l'extrait de pépin de raisin, moins cher, qu'il trouve tout aussi efficace pour ses yeux et encore plus contre son arthrose. L'avantage de taille, c'est que l'extrait coûte à peu près deux fois moins cher que le Pycnogenol.

Jusqu'à sa retraite récente, il recommandait l'OPC d'extrait de pépin de raisin et le Pycnogenol à ses propres patients, dont les yeux, aime-t-il à répéter, allaient invariablement mieux: «Je ne connais pas un seul patient à qui cette thérapie n'ait pas été bénéfique.»

L'antioxydant des pépins de raisin a réalisé un autre miracle sur la femme du médecin, Jane, qui souffrait d'un cas avancé de polyarthrite rhumatoïde. Après avoir subi une arthroplastie des deux genoux et d'une hanche, il fallait qu'on l'opère à l'autre hanche. «Après avoir examiné les radiographies de l'autre hanche, raconte Dixon, le médecin de ma femme a conclu qu'il faudrait lui remplacer l'articulation de six mois à un an plus tard. Cela fait déjà quatre ans qu'il a posé ce diagnostic. Il est très étonné, mais nous ne songeons plus pour l'instant à une intervention chirurgicale. À vrai dire, depuis que ma femme prend de l'extrait de pépin de raisin, cette hanche lui cause moins de difficulté que celle qui a été opérée.»

Réduction de l'hypertension artérielle

L'OPC contribue à la réduction de l'hypertension artérielle et des conséquences de celle-ci. Chez les hypertendus, les capillaires sont généralement affaiblis et très perméables, ce qui, selon des recherches, aggrave les risques d'accident cérébrovasculaire dû à une hémorragie et de rupture de vaisseaux sanguins dans la rétine. Chez des animaux sujets à l'hypertension, l'OPC a renforcé les capillaires, peut-on lire dans les recherches exhaustives menées par l'un des scientifiques hongrois les plus réputés, le Dr Miklos Gabor. Selon lui, ces recherches prouvent que l'OPC pourrait, chez l'homme, empêcher les vaisseaux du cerveau et des yeux de s'affaiblir au point d'éclater. En fait, des chercheurs français ont découvert que l'OPC des pépins de raisin augmente la résistance capillaire chez les sujets hypertendus ou diabétiques dans une proportion allant jusqu'à 25 p. 100, comparativement à ceux qui reçoivent un placebo. Les recherches prometteuses de Peter Rohdewald, chercheur en pharmaceutique de l'Université de Münster, en Allemagne, indiquent que l'OPC d'écorce de pin réduit les réactions de stress qui libèrent l'adrénaline et déclenchent l'hypertension. Chez les animaux, les dommages cérébraux résultant des accidents cérébrovasculaires sont nettement moindres chez ceux qui ont reçu de l'OPC.

Au cours d'une démonstration particulièrement convaincante de la capacité de l'OPC à augmenter la résistance capillaire, le Dr Rohdewald et ses collègues ont appliqué un vide sur la peau de personnes âgées, ce qui a immédiatement provoqué des saignements microscopiques sous-cutanés. Mais, lorsque les sujets ont pris une seule dose de 100 mg d'OPC d'écorce de pin (Pycnogenol), il a fallu augmenter considérablement l'intensité du vide pour provoquer les mêmes saignements. Selon Rohdewald, cela signifie que l'OPC a renforcé les capillaires de telle sorte qu'ils «fuient» ou saignent moins facilement.

On sait que l'inflammation et le diabète augmentent anormalement la perméabilité des vaisseaux sanguins. L'administration d'OPC à des animaux a bloqué cette augmentation néfaste de la perméabilité des capillaires du cerveau, de l'aorte et du muscle cardiaque, selon des scientifiques de l'Université de Paris.

LA GUÉRISON MIRACULEUSE DE MARIAN *«L'OPC m'a guérie de mes allergies»*

Des études menées en Europe ont également démontré que l'OPC inhibe la libération de l'histamine. Les implications de cette découverte sont évidentes pour quiconque souffre de réactions allergiques respiratoires, comme le rhume des foins. Marian Holtan-Jansen, directrice des nouveaux produits pour une grande société américaine de suppléments alimentaires, a été fort étonnée de constater que l'OPC a enrayé en trois jours seulement l'allergie au pollen dont elle souffrait depuis 13 ans. Elle avait entendu dire que l'OPC soulageait les allergies, mais ne l'avait jamais cru. «Je suis naturellement sceptique», dit-elle. Mais à l'examen des preuves scientifiques de l'efficacité du médicament français Endotelon, appelé ici «Dr. Jack Masquelier's Tru-OPC's», elle a pris connaissance des recherches portant sur son efficacité en tant qu'antihistaminique et a décidé de l'essayer. «J'ai essayé toutes sortes de médicaments, comme le Seldane, mais tous me laissaient somnolente ou léthargique», dit-elle. Elle a pris la dose quotidienne recommandée de 300 mg. «Au bout de trois jours, je n'avais plus les sinus congestionnés, mes yeux ne larmoyaient plus et je n'avais plus la gorge irritée, dit-elle. Je n'en revenais pas.» Elle continue de consommer 150 mg de cet OPC tous les jours. Elle n'a plus jamais eu de crise, même pendant les saisons les plus propices aux allergies.

Comment agit-elle?

La singularité de l'OPC est due à sa capacité de renforcer la paroi des vaisseaux sanguins affaiblis par le vieillissement et la maladie. L'OPC les rend moins fragiles, plus souples et plus étanches, de telle sorte que le sang y circule plus facilement. L'OPC y parvient en resserrant la structure de la paroi des vaisseaux; ainsi devenue plus épaisse et plus robuste, cette paroi est moins susceptible de se dilater, de fuir ou d'éclater. Selon Masquelier, deux protéines dans la paroi vasculaire, le collagène et l'élastine, déterminent en grande partie l'élasticité et la perméabilité de cette paroi, qu'elle soit solide, forte et souple, ou encore fragile et perméable. L'OPC se lie à ces deux protéines, prévenant leur dégradation par les enzymes destructrices et favorisant leur synthèse et leur développement. Bref, l'OPC renforce la structure du tissu conjonctif qui rend les vaisseaux forts et résistants.

Une partie du pouvoir de protection vasculaire qu'a l'OPC réside dans son action anti-inflammatoire; on reconnaît de plus en plus que l'inflammation contribue grandement à la dégradation des veines et artères. L'OPC agit également comme un antihistaminique en inhibant l'activation des enzymes qui contrôlent la libération de l'histamine. «Même si l'OPC n'a jamais été vendue en tant qu'antihistaminique pharmaceutique, elle joue bien ce rôle», déclare Masquelier.

Quelle dose prendre?

Les doses thérapeutiques d'OPC recommandées vont de 150 à 300 mg par jour pour traiter la maladie, et de 50 à 100 mg par jour pour entretenir une bonne santé vasculaire.

Et la sécurité?

L'OPC est considérée comme sans danger, vu sa présence dans de nombreux aliments. Cependant, on a fait des essais de toxicité sur des animaux de laboratoire (souris, rats, cochons d'Inde et chiens): l'OPC a été jugée non toxique, non mutagène, non cancérigène et sans effets secondaires, selon un examen de la documentation mené par Peter Rohdewald. De plus, dans les essais de l'OPC sur des humains, les médecins n'ont rapporté aucun effet secondaire.

EXTRAIT DE PÉPIN DE RAISIN OU PYCNOGENOL?

Dans le commerce, vous pouvez vous procurer de l'OPC sous forme d'extrait de pépin de raisin, d'extrait d'écorce de pin (marque de commerce: Pycnogenol) ou de combinaison de ces deux extraits. Que choisir? La controverse continue à ce sujet. Ce qui est sûr, c'est que l'extrait de pépin de raisin est le moins cher. Même celui de la plus haute qualité coûte le tiers ou la moitié du prix du Pycnogenol. De plus, dans presque toutes les recherches menées en Europe on a utilisé l'extrait de pépin de raisin, surtout la formule de Masquelier, et non pas l'extrait d'écorce de pin. Même si de nombreuses recherches ont été amorcées en Europe et aux États-Unis sur le Pycnogenol, il demeure que toutes les preuves d'efficacité de l'OPC concernent l'extrait de pépin de raisin.

C'est pourquoi la plupart des médecins se demandent quel extrait utiliser et recommander. Le Dr Michael Murray, de Seattle, auteur de nombreux ouvrages sur la valeur médicinale des produits chimiques végétaux, est d'avis que l'extrait de pépin de raisin est généralement supérieur à celui de l'écorce de pin pour ce qui est de l'efficacité prouvée et du prix. Il fait remarquer que l'OPC provenant de l'extrait de pépin de raisin est recommandé par les professionnels de la santé français, et qu'il se vend en France quatre fois plus de cet extrait que de Pycnogenol. Le fait qu'il se vende plus de Pycnogenol que d'extrait de pépin de raisin aux États-Unis serait dû, selon le Dr Murray, à une politique de marketing vigoureuse et à une mauvaise information.

Préoccupations du consommateur

La qualité des produits de l'OPC varie grandement. Il est souvent impossible pour les consommateurs de savoir quelle quantité d'OPC contient tel ou tel produit. Bon nombre de fabricants réputés produisent aujourd'hui des extraits de pépin de raisin en diverses concentrations d'OPC et d'autres constituants. Pourtant, on pratique rarement un essai normalisé de l'OPC pour en déterminer la quantité, la puissance et surtout la biodisponibilité (capacité d'être absorbé par l'organisme). Mais il y a des nouvelles réjouissantes pour les utilisateurs des deux types d'extraits. La Henkel Corporation, fabricant américain réputé pour ses suppléments alimentaires, assume le marketing du Pycnogenol dans ce pays (celui-ci est fabriqué en Angleterre) et on s'attend à ce qu'elle améliore le contrôle scientifique et le marketing de ce produit. Cependant, on croit que le Pycnogenol continuera de coûter beaucoup plus cher que l'extrait de pépin de raisin de la plus haute qualité.

Vous pouvez également vous procurer les extraits de pépin de raisin et d'écorce de pin ainsi qu'une combinaison d'extrait de pépin de raisin et d'extrait d'écorce de pin dans les magasins d'aliments naturels et dans les pharmacies où il y a des comptoirs de produits naturels.

Devriez-vous l'essayer?

Si vous pensez que vos vaisseaux sanguins ont besoin d'aide — il est indéniable que le vieillissement et la maladie affaiblissent les vaisseaux sanguins —, l'OPC pourrait être indiqué pour vous, surtout si vous êtes âgé, si vous avez des varices, de minuscules veines apparaissant à la surface de la peau, un affaiblissement de la vision dû au vieillissement, de l'enflure ou de l'œdème, des allergies, de l'hypertension, une tendance au saignement et à faire des ecchymoses, ou encore si vous ou un membre de votre famille avez eu un accident cérébrovasculaire dû à une hémorragie ou le diabète (maladie qui rend les vaisseaux plus perméables). Il n'existe aucun autre médicament plus sûr, qu'il s'agisse d'un médicament naturel, d'un médicament en vente libre ou d'un médicament d'ordonnance. L'OPC, sans danger et relativement bon marché, pourrait améliorer l'état de santé d'un organisme dont le réseau vasculaire est détérioré et affaibli. L'OPC renforce la paroi de n'importe quel vaisseau sanguin — artères, veines et capillaires. Sa contribution potentielle à la lutte contre les maladies vasculaires de toutes sortes est énorme.

À quelle autre fin peut-elle servir?

L'OPC étant un antioxydant, la recherche indique qu'il combat le cholestérol en l'empêchant de former des dépôts sur la paroi des artères. Le pouvoir anti-inflammatoire de l'OPC pourrait soulager les états inflammatoires, tels l'arthrite, l'allergie, la bronchite et l'asthme. L'OPC corrige également la dangereuse tendance du sang à former les caillots qui déclenchent les crises cardiaques et les accidents cérébrovasculaires. Le Dr Ronald Watson, chercheur à l'Université d'Arizona, a récemment confirmé que l'OPC (Pycnogenol) normalise l'agrégation des plaquettes sanguines, susceptible de provoquer la formation d'un dangereux caillot. Il a démontré que, lorsqu'une personne fume, ses plaquettes s'agglutinent et ont tendance à former un caillot. Mais, une vingtaine de minutes après la prise d'OPC, les plaquettes de cette personne reviennent à la normale.

C'EST AUSSI UN MÉDICAMENT POUR LE CERVEAU

Une application étonnante de l'OPC est apparue chez les personnes atteintes d'un trouble déconcertant de la concentration et de l'attention, connu sous le nom de trouble déficitaire de l'attention ou trouble d'hyperactivité avec déficit de l'attention (THADA). On dit que l'on a commencé à utiliser l'OPC pour ces troubles un peu par accident. En effet, lorsque certaines personnes atteintes de l'un de ces troubles ont pris de l'OPC à d'autres fins, par exemple pour soigner une allergie, celles-ci ont constaté une amélioration de leur concentration et de leur attention. La nouvelle s'étant répandue, l'utilisation de l'OPC contre ces troubles jouit désormais d'une grande visibilité sur Internet et dans les foires commerciales des produits naturels.

L'utilisation de l'OPC à cette fin n'a pas fait l'objet d'études très poussées. Mais une étude préliminaire menée par Marion Sigurdson, Ph.D., psychologue à Tulsa et spécialiste du trouble déficitaire de l'attention, a mis en lumière les grands bienfaits de l'OPC. Se servant d'un mélange d'extraits de pépin de raisin et d'écorce de pin (l'OPC-85 de Masquelier), Sigurdson a constaté que celui-ci était tout aussi efficace que les stimulants généralement prescrits, dont le Ritalin, sur 30 sujets enfants et adultes atteints du trouble en question. Les sujets ont subi une batterie de tests informatisés destinés à permettre d'évaluer, entre autres, leur degré d'attention et de concentration dans diverses circonstances: lorsqu'ils avaient pris leur médicament habituel, lorsqu'ils ne l'avaient pas pris et lorsqu'ils avaient pris de l'OPC. En l'absence du médicament habituel, leur trouble s'aggravait. Lorsqu'ils reprenaient ce médicament, leur état s'améliorait. Mais lorsqu'ils prenaient leur dose quotidienne du mélange d'OPC, les résultats qu'ils obtenaient aux tests et leur comportement s'amélioraient tout autant que lorsqu'ils prenaient leur stimulant habituel. En d'autres mots, l'OPC était tout aussi efficace pour la plupart des sujets que les médicaments pharmaceutiques. En général, les enfants allaient mieux quand la dose était faible (20 mg d'OPC par tranche de 9 kg de masse corporelle) et les adultes, quand la dose était plus élevée (40 mg/9 kg). Bon nombre des sujets ont également constaté d'autres effets positifs de l'OPC: ralentissement du rythme cardiaque, disparition de l'épicondylite (coude du tennisman), soulagement de l'acné, amélioration du sommeil et de l'humeur.

Du point de vue scientifique, comment cela pourrait-il être vrai? Comment des substances chimiques contenues dans les pépins de raisin ou l'écorce de pin pourraient-elles influer aussi profondément sur le cerveau que de puissants médicaments pharmaceutiques? Selon Marcia Zimmerman, consultante californienne spécialisée dans la recherche sur l'OPC, on trouve des éléments de réponse à cette question dans la documentation scientifique. L'OPC pourrait avoir une influence sur les cellules cérébrales, comme le montrent les études menées sur des cultures de cellules, en contrôlant les enzymes qui règlent deux neurotransmetteurs majeurs — la dopamine et la noradrénaline — qui acheminent les messages entre les cellules cérébrales et qui sont engagés dans les réactions d'«excitation». L'OPC contribue également à livrer au cerveau les éléments nutritifs, tels le zinc, le manganèse, le sélénium et le cuivre, qui, selon des recherches récentes, jouent un rôle positif contre le THADA. De plus, l'extraordinaire action antioxydante de l'OPC pourrait stabiliser les cellules cérébrales et en améliorer le fonctionnement en neutralisant les dommages causés par les radicaux libres.

LA GUÉRISON MIRACULEUSE DE STEVEN
«Je peux maintenant terminer ce que je commence»

Avec le recul, le psychologue clinicien Steven Tenenbaum se rend compte qu'il a toujours éprouvé de la difficulté à se concentrer et à rester attentif. Il obtenait des résultats scolaires médiocres, surtout en mathématiques. «Sur mon bulletin, raconte-t-il, on écrivait toujours que j'étais incapable de rester assis sagement.» Hyperactif et impulsif, il n'arrivait pas à être attentif en classe. Ce n'est qu'en 1994, lorsque, à 25 ans, il faisait son doctorat en psychologie à l'Université Washington de St. Louis, qu'il a compris qu'il était atteint d'un trouble neurologique appelé THADA et caractérisé par une durée d'attention limitée, par l'impulsivité et, parfois, l'hyperactivité. On croit que de 4 à 7 p. 100 de la population, jeunes et adultes confondus, en est atteinte.

Normalement, Tenenbaum aurait recouru aux stimulants classiques prescrits contre le THADA: Ritalin, Dexedrine ou Cylert. Mais, comme il avait obtenu son brevet de pilote, s'il prenait ces médicaments il ne pourrait plus piloter selon le règlement de la FAA. Il a donc pris son mal en patience pendant plusieurs années. Une fois son doctorat obtenu, il a mis sur pied l'Attention Deficit Center à St. Louis, centre spécialisé dans l'orientation et le développement des capacités des enfants atteints du THADA.

En 1995, il a entendu des patients, des parents et des correspondants sur Internet parler de traitements de remplacement. Ce qu'on disait du Pycnogenol l'a particulièrement intéressé. Il l'a essayé et en a été enchanté: «Je dirais que mes capacités de concentration et d'attention se sont améliorées de 40 à 50 p. 100 durant les dix-huit mois où j'ai utilisé ce produit. Je peux maintenant terminer ce que je commence.» Lorsqu'il s'abstient de prendre ses trois doses quotidiennes d'extrait d'écorce de pin, il éprouve de la difficulté à se concentrer. «Dans ce cas, dit-il, je reprends vite du Pycnogenol. Au bout d'un quart d'heure, je deviens calme et concentré, et je le reste pendant environ trois heures et demie.» Il compare le Pycnogenol au Cylert: «Le Pycnogenol agit comme un stimulant, dans le sens où il augmente le degré d'attention et de concentration et qu'il atténue la réactivité émotionnelle.» Tenenbaum a aussi l'impression que le Pycnogenol le met de meilleure humeur.

Il a constaté que, comme dans le cas des stimulants d'ordonnance, l'OPC semble efficace chez certains, mais inefficace chez d'autres. Bien entendu, ce produit n'élimine pas le THADA, mais contribue à le contrôler. Selon Tenenbaum, il modère l'intensité du trouble.

Tenenbaum mène aujourd'hui une nouvelle étude sur le traitement du THADA au moyen du Pycnogenol, sous la commandite de la Henkel Corporation.

PUISSANT TRAITEMENT CONTRE LE CANCER

(RÉGIME ET SUPPLÉMENTS ALIMENTAIRES)

C'est le traitement le plus récent contre le cancer; selon des médecins et des patients, un régime alimentaire judicieux peut contribuer à enrayer le cancer.

Se pourrait-il que des aliments nous aident à survivre au cancer? Autrement dit, notre régime alimentaire peut-il augmenter nos chances de freiner la progression du cancer, voire de l'enrayer? Depuis longtemps, bon nombre de spécialistes en la matière rejettent cette idée. Mais, à mesure que s'accumulent les preuves scientifiques révélant l'existence d'un lien entre l'alimentation et les maladies chroniques, dont le cancer, et l'étonnant pouvoir qu'ont les antioxydants et d'autres composants des aliments d'intervenir sur le processus du cancer, beaucoup d'experts répondent affirmativement à cette question: non seulement c'est possible, mais c'est probable. Sur le plan médical, il n'est plus de mise de croire que les régimes végétariens et macrobiotiques sont pour les cancéreux des «traitements de remplacement absurdes et dangereux». Les régimes alimentaires végétariens et les suppléments à base d'antioxydants et de plantes sont de plus en plus acceptés par la médecine conventionnelle, pas nécessairement comme «projectiles magiques», mais plutôt comme éléments d'un programme qui vient s'ajouter aux interventions conventionnelles, telles la chirurgie, la radiothérapie et la chimiothérapie.

Il est vrai que le recours au régime alimentaire dans le traitement du cancer attire l'attention de prestigieuses figures de la médecine conventionnelle. Le Dr Ernst Wynder, président de l'American Health Foundation de New York, a lancé deux importantes études sur le rôle de la nutrition dans le cancer. Dans l'une des études, d'une durée de cinq ans et menée sur un millier de femmes, on cherche à déterminer si un régime faible en gras (15 p. 100) réduira la récidive du cancer du sein. Dans l'autre étude, menée en collaboration avec le Memorial Sloan-Kettering Cancer Center de New York, des sujets souffrant d'un cancer de la prostate suivent un régime faible en gras (une alimentation riche en matières grasses favorise l'apparition du cancer de la prostate) et reçoivent des suppléments: 800 UI de vitamine E, 200 µg de sélénium organique, génistéine (antioxydant du soja) et protéine de soja. Selon le Dr Wynder, il existe des preuves que tous ces suppléments combattent le cancer. Le but de la recherche est de déterminer si le régime et les suppléments alimentaires contrôlent ou non le taux plasmatique du PSA (antigène prostate-spécifique), indicateur servant au diagnostic du cancer de la prostate. Le Dr Wynder estime que tous les cancéreux — surtout dans le cas du cancer du sein, de la prostate et du côlon — devraient inclure une intervention nutritionnelle dans le traitement global de leur cancer.

Ainsi, pour de plus en plus de médecins, il ne s'agit plus de choisir entre un traitement conventionnel et un traitement de remplacement, mais de combiner les deux pour obtenir la meilleure thérapie possible pour leur patient. Certains cancéreux et même leurs médecins qualifient de miraculeuses les rémissions qu'ils vivent ou dont ils sont témoins.

LA GUÉRISON MIRACULEUSE DE JEAN
«Tous mes cancers ont disparu»

En août 1994, l'agente immobilière Jean Reinert, 58 ans, s'est rendue à la clinique de sa petite localité de l'Illinois, Barrington, pour obtenir «une injection contre sa toux». Elle avait perdu la voix à cause de ce qu'elle croyait être un rhume. Le jeune médecin de service, alarmé par les deux bosses qu'il a découvertes au bas du cou de Jean, l'a envoyée faire une radiographie pulmonaire. Le même soir, Jean apprenait la mauvaise nouvelle: carcinome à grandes cellules dans le poumon gauche. Inopérable. Jean se souvient de la sentence de mort prononcée par son oncologue: «Le cancer commence à monter le long de la trachée; vous risquez la suffocation. Tout ce que nous pouvons faire, c'est de retarder un peu l'échéance au moyen de la radiothérapie et de la chimiothérapie.» Selon son médecin, il ne restait plus à Jean que six mois à vivre; elle a commencé la radiothérapie.

Vers la fin de septembre, le cancer avait déjà envahi son cerveau. «Après avoir constaté que j'avais de la difficulté à marcher, j'ai subi un examen au tomodensitomètre qui a révélé des tumeurs multiples au cerveau.» Découragée, mais résolue à ne pas baisser les bras, Jean s'est souvenue d'une conférence sur le cancer du Dr Keith Block, médecin de sa localité, à laquelle elle avait assisté dix ans auparavant. Elle est allée le consulter. «Il a été le premier à me donner un peu d'espoir», raconte-t-elle. Examinant ses radiographies, il a déclaré: «Ce n'est pas tragique.» C'étaient là les paroles les plus réconfortantes qu'elle avait entendues depuis le diagnostic de sa maladie.

En plus de ses traitements conventionnels, Jean a adopté un programme nutritionnel énergique sous la surveillance du Dr Block, comprenant une quarantaine de suppléments — vitamine C, coenzyme Q10, bioflavonoïdes, ail — et un régime macrobiotique modifié. Son médecin lui a également enseigné à pratiquer la technique du biofeedback, la méditation et la visualisation positive pour renforcer son système immunitaire. En décembre 1994, Jean a reçu des nouvelles étonnantes. Les examens au tomodensitomètre indiquaient que la masse cancéreuse située dans ses poumons se résorbait. Cependant, au grand désespoir de Jean et de tous les intéressés, le cancer s'était propagé à la rate, à l'aorte thoracique descendante, aux surrénales et à la vessie. Jean a alors accepté un programme de chimiothérapie d'une durée de cinq mois.

«Naturellement, j'ai été catastrophée d'apprendre que le cancer s'était propagé à ce point. Mais j'ai décidé de rester optimiste. Je me suis dit que je m'étais presque complètement débarrassée de mon cancer des poumons et que je pouvais faire de même pour les autres.» Elle a redoublé d'efforts: «Chaque jour, j'imaginais un médecin venant à ma rencontre, sourire aux lèvres, et m'apprenant que j'étais guérie. Je parlais à Dieu tous les jours; je Lui disais qu'il me restait des choses à accomplir ici-bas.» Jean a poursuivi son programme nutritionnel ainsi que la chimiothérapie.

En avril 1995, toutefois, les médecins ont mis fin à la chimiothérapie, qui n'était plus d'aucune utilité. On ne pouvait plus trouver de tumeurs au tomodensitomètre. Tous les cancers avaient disparu. Et ces cancers n'ont pas reparu depuis (nous sommes en février 1997). Elle suit toujours un régime macrobiotique — céréales, haricots, légumes, noix, graines, un peu de poisson, pas de viande du tout et très peu de sucre — et continue de prendre les suppléments alimentaires particuliers que lui conseille le Dr Block.

LA GUÉRISON MIRACULEUSE DE NANCY
«On me croyait déjà morte»

Le cancer a commencé par frapper le sein droit de Nancy Loewenstein. En 1989, à l'âge de 47 ans, celle-ci a dû subir une mastectomie. Mais le cancer s'était déjà propagé aux ganglions lymphatiques où il est resté latent pendant cinq ans. Puis, pendant un an et demi, des tumeurs ont commencé à apparaître un peu partout: sous le bras, sur l'épine dorsale et les hanches, dans le foie. Nancy a alors subi une radiothérapie, quelques interventions chirurgicales, une chimiothérapie... mais en vain.

Durant toute cette période, Nancy n'a jamais pensé qu'elle allait mourir. Mais les pronostics étaient sombres. En juin 1996, après l'échec de la radiothérapie et de trois traitements complets de chimiothérapie, Nancy et son mari se sont envolés de San Francisco à Chicago pour rendre visite au Dr Keith Block, dont ils avaient entendu parler. Ce dernier s'est montré optimiste, comme toujours, mais d'autres médecins estimaient que Nancy était désormais en phase terminale. Elle est entrée en fauteuil roulant dans le cabinet du médecin. «Elle était très, très malade, raconte le Dr Block. La chimiothérapie avait endommagé sa moelle; elle ne disposait que de peu de réserves immunitaires. Lorsque le radiologue a examiné les résultats de tomodensitométrie et qu'il a constaté que le cancer s'était propagé aux trois quarts du foie de Nancy, il a pensé que je lui montrais les résultats d'une personne déjà morte.»

Nancy a commencé le traitement préconisé par Block en fonction de son profil biologique particulier: chimiothérapie (au moyen d'un autre médicament), suppléments alimentaires, exercices physiques et visualisation. Elle est restée à Chicago le reste de l'été, jusqu'au milieu de l'automne. Son organisme a réagi assez rapidement. Après deux mois de traitement seulement, un essai a révélé que ses marqueurs sanguins d'activité cancéreuse étaient tombés de 12 000 à 135. La rapidité et l'ampleur de la réaction ont même étonné le Dr Block, qui, pourtant, en a vu d'autres. Vers la fin de septembre, les cancers de Nancy avaient presque disparu. Des examens de tomodensitométrie ont indiqué qu'il n'y avait pratiquement plus de trace de cancer dans ses os et ses ganglions lymphatiques, et que seulement une partie représentant environ trois pour cent de son foie restait cancéreuse. «Dans son cas, tous les marqueurs du cancer, tout à fait anormaux auparavant, sont redevenus normaux, déclare le Dr Block. Le radiologue, incrédule devant les nouveaux résultats de tomodensitométrie, a dit que c'était "miraculeux". Il s'agissait en effet d'un revirement biologique stupéfiant.»

Nancy, rentrée en Californie, n'a plus besoin de son fauteuil roulant. Elle prend un nouveau médicament contre le cancer, un bloqueur hormonal, semblable au tamoxifène. «Fondamentalement, dit le Dr Block, nous lui avons donné un régime d'entretien de longue durée. Ce qui lui est arrivé est extraordinaire. Bien entendu, nous ignorons ce qui lui arrivera dans un an ou dans cinq ans, car nous luttons contre une maladie redoutable, qui revient souvent à la charge. Il reste que Nancy est aujourd'hui presque délivrée du cancer.»

Même si elle trouve miraculeux d'être toujours en vie, Nancy sait que son cancer peut réapparaître: «Il est en moi.» Pour éviter que cela se produise, elle suit à la lettre les recommandations du Dr Block. Elle a adopté un régime macrobiotique modifié; elle prend une grande quantité d'antioxydants et d'autres suppléments alimentaires, en plus d'autres médicaments contre le cancer. Elle attribue son rétablissement à tous ces médicaments, mais aussi à son attitude positive: «Le Dr Block me dit que je ne devrais pas m'en faire, et je ne m'en fais pas.»

Qu'est-ce qu'un régime alimentaire contre le cancer?

Il s'agit d'un régime à faible teneur en gras, presque exclusivement végétarien, composé d'aliments naturels. On sait que le taux de certains cancers est relativement faible chez les Japonais et que, même après un diagnostic de cancer, la maladie évolue souvent beaucoup moins rapidement que dans les populations occidentales. Pourquoi? Le Dr Wynder répond qu'un régime alimentaire riche en soja, en poisson et en légumes, et faible en gras, ralentit la progression du cancer. Il ne faut donc pas s'étonner de ce que l'un des régimes anticancer les plus populaires, un régime macrobiotique, soit dérivé du régime alimentaire traditionnel des Japonais. Ce régime a été introduit en Amérique par Michio Kushi, directeur du Kushi Institute de Boston. Il s'agit d'un régime macrobiotique classique qui ne contient pas de viande, qui est faible en gras et riche en céréales et en légumes. La consommation de sel, de levure, de sucre raffiné, de viande, d'aliments à base de produits laitiers, d'œufs, de volaille, de tomates, de la plupart des matières grasses et des huiles, d'aliments transformés et de boissons alcoolisées y est interdite ou extrêmement limitée. On permet parfois le poisson à chair blanche, les fruits et les graines et noix légèrement grillées. La teneur en matières grasses se situe entre 10 et 13 p. 100.

Il est difficile pour les Nord-Américains de respecter un régime macrobiotique aussi sévère, qui, au demeurant, pourrait ne pas être le mieux indiqué pour certains cancéreux. C'est pourquoi bon nombre de médecins y préfèrent un régime macrobiotique «modifié», c'est-à-dire moins restrictif. En outre, pour le traitement du cancer, il est de plus en plus fréquent que l'on ajoute des antioxydants au régime alimentaire.

Quelles sont les preuves de son efficacité?

Les preuves que la consommation de fruits, de légumes, de céréales et de poisson contribue à prévenir l'apparition du cancer sont nombreuses et indéniables. On s'entend pour dire que les personnes qui consomment le plus de fruits et de légumes courent deux fois moins de risques que les autres de contracter divers types de cancers. De plus, des recherches révèlent que certains aliments et antioxydants stoppent ou ralentissent l'évolution et la propagation du cancer, et prolongent la durée de la survie; en voici quelques-uns des plus remarquables, comme l'ont prouvé des essais cliniques, des études épidémiologiques ou des essais de laboratoire sur des animaux ou sur des cultures de cellules: brocoli, ail, huile de poisson, céréales riches en fibre, soja, vitamine C, coenzyme Q10 et sélénium. En outre, il existe des preuves accablantes que les substances chimiques contenues dans la viande favorisent l'apparition du cancer. Ainsi, il est scientifiquement logique de croire que les aliments végétaux — principaux éléments d'un régime anticancer — peuvent contribuer à enrayer le cancer, tandis que la consommation de viande peut en favoriser l'apparition.

Après tout, le cancer est un processus de longue durée, la manifestation des dommages causés aux cellules pendant des décennies, cellules qui continuent de se multiplier et de se répandre dans l'organisme. L'interruption du processus à n'importe quel stade — même après qu'une tumeur est devenue apparente — peut contribuer à combattre le cancer. Bon nombre d'aliments végétaux et de leurs constituants ainsi que certaines matières grasses tuent les cellules cancéreuses ou bloquent leur propagation dans des cultures tissulaires, prolongent la survie d'animaux atteints du cancer, ou renforcent les fonctions immunitaires et certains systèmes de détoxication de l'organisme qui combattent le cancer. Voici quelques exemples: Le shiitake contient de la lentinane, substance qui semble renforcer le système immunitaire et inhiber la croissance des tumeurs. L'ail détruit les cellules cancéreuses dans des boîtes de Petri. Le chou stimule l'excrétion d'un certain type d'œstrogène alimentant le cancer du sein. Le brocoli contient des composés qui contribuent à débarrasser l'organisme de substances chimiques cancérigènes. Le soja contient plusieurs substances chimiques, dont la génistéine, qui modifient l'activité hormonale favorisant l'apparition du cancer du sein et de la prostate. L'huile de poisson renforce le système antioxydant naturel de l'organisme. George Blackburn, de l'Université Harvard, a constaté que la consommation d'huile de poisson par les femmes atteintes d'un cancer du sein, avant et après l'intervention chirurgicale, ralentit l'activité du cancer et sa métastase possible. Des chercheurs italiens ont conclu que l'huile de poisson prévient la récidive du cancer du côlon. La consommation de céréales de son de blé a également enrayé la croissance des polypes susceptibles de mener au cancer du côlon, ainsi que la récidive après l'intervention chirurgicale.

Les preuves sont de plus en plus convaincantes que le recours aux vitamines et minéraux, plus particulièrement aux antioxydants, durant le traitement conventionnel du cancer peut faire toute la différence. Au cours d'une étude récente, des mégadoses de vitamines, surtout d'antioxydants, combinées au traitement médicamenteux contre le cancer de la vessie ont réduit de moitié la récidive et presque doublé la durée de survie des sujets. «Les effets ont été spectaculaires», déclare le chercheur Donald Lamm, directeur de l'urologie à l'Université West Virginia de Morgantown. Durant son étude, la thérapie BCG, servant à stimuler les défenses immunitaires, a été appliquée à ses 65 patients. Environ la moitié de ceux-ci ont également reçu de fortes doses de vitamines A, C, E et B6. Au bout de deux ans, 40 p. 100 seulement des sujets ayant reçu des vitamines ont été atteints de nouvelles tumeurs, comparativement à 80 p. 100 des sujets ne recevant que la thérapie BCG. La survie des sujets du premier groupe a été de 33 mois, comparativement à 18 mois pour les autres.

Les spécialistes du cancer sont encore ébranlés par la fantastique recherche menée en 1996 par le Dr Larry Clark de l'Université d'Arizona et démontrant le pouvoir anticancéreux de l'oligo-élément sélénium. Une dose quotidienne de 200 µg de sélénium prise pendant environ sept ans a réduit de 42 p. 100 l'apparition de tout cancer chez un groupe de 1300 personnes âgées et de près de 50 p. 100 le nombre de décès causés par le cancer, comparativement au groupe témoin recevant un placebo. Le sélénium a eu un effet maximal contre le cancer de la prostate, en en réduisant l'occurrence de 69 p. 100. Le sélénium a également réduit de 64 p. 100 le taux de cancer du côlon et du rectum, et de 34 p. 100 celui du cancer du poumon. Cette étude sans précédent a donné beaucoup de crédibilité à l'utilisation des suppléments alimentaires dans la lutte contre le cancer.

Des recherches spécifiques révèlent également qu'un régime de type macrobiotique peut combattre le cancer, selon le Dr John Weisburger, chercheur réputé dans le domaine du cancer, anciennement attaché au National Cancer Institute, aujourd'hui collaborateur de l'American Health Foundation. Après avoir analysé les recherches, il a conclu que les régimes alimentaires à base d'aliments végétaux peuvent «affamer» le cancer et en enrayer la progression. Il cite plus particulièrement la recherche menée en 1993 par James P. Carter, recherche indiquant que les sujets atteints d'un cas avancé de cancer de la prostate ou du pancréas ont survécu beaucoup plus longtemps que l'on pouvait s'y attendre grâce à un régime alimentaire macrobiotique. «Ceux des sujets qui n'ont pas respecté leur régime ont vu leur tumeur réapparaître, et certains en sont morts», a-t-il écrit dans le *Journal of the American College of Nutrition*. «Le régime a semblé prévenir la croissance de la tumeur, sans toutefois en provoquer la régression.» Le Dr Weisburger a conclu que l'efficacité du régime était sans doute attribuable à la réduction de la consommation d'aliments favorisant le cancer et à l'augmentation de la consommation d'aliments ayant un effet anticancéreux.

Qu'il s'agisse ou non d'une coïncidence, la modification du régime alimentaire provoque souvent une rémission spontanée du cancer. Dans une étude sur les rémissions du cancer menée aux Pays-Bas, Daan C. van Baalen et Marco J. de Vries, de l'Université Érasme, ont découvert en 1987 que la modification du régime alimentaire était l'un des facteurs les plus souvent associés à la régression spontanée du cancer:

> *Il n'est jamais trop tard pour recourir à l'alimentation pour lutter contre le cancer, comme mesure de prévention ou comme traitement. L'alimentation jouera un rôle à quelque stade que ce soit.*
>
> Dr John Weisburger, chercheur spécialiste du cancer, American Health Foundation

FAÇON DE FAIRE D'UN MÉDECIN PIONNIER

Le Dr Keith Block, d'Evanston en Illinois, est l'un des pionniers les plus respectés du traitement «complémentaire» du cancer. C'est lui qui a traité Jean Reinert et Nancy

Loewenberg. Directeur médical de l'Institut du cancer au centre médical Edgewater de Chicago, il est également moniteur à la faculté de médecine de l'Université de l'Illinois. Le Dr Block met au point un régime adapté à chaque patient, en fonction du type de cancer et d'une analyse complexe des caractéristiques biochimiques du malade. Le traitement comprend un choix de thérapies conventionnelles (chirurgie, chimiothérapie, radiothérapie) et toute une gamme de thérapies non conventionnelles, dont la nutrition basée sur un régime macrobiotique, végétarien ou végétarien avec poisson, sur les vitamines, les minéraux, les plantes, les aliments entiers, les produits chimiques extraits des plantes et autres agents dont l'efficacité est scientifiquement prouvée. La nutrition n'est que l'un des sept éléments de son traitement. Le premier et le plus important, c'est de donner au patient l'espoir, de lui faire adopter une attitude positive, de lui rendre la passion pour la vie et de lui faire comprendre qu'il peut lutter pour survivre. Viennent ensuite les soins médicaux adéquats. «En médecine, je crois qu'il faut y aller progressivement, déclare Block. Il faut commencer par le traitement le moins effractif («invasif») et le moins toxique, choisir les approches les moins dommageables, puis passer graduellement à des traitements plus draconiens, selon la situation. Bien entendu, dans certains cas (comme celui de Nancy) je choisirai les gros canons dès le départ.» Sont également importantes les interventions sur le plan affectif: thérapie cognitive, méditation, hypnothérapie, prière, biofeedback et toute autre mesure appropriée.

Le régime alimentaire préconisé par le Dr Block est systématique et détaillé; il varie légèrement d'un patient à l'autre en fonction des résultats d'analyse sanguine. Il s'agit essentiellement d'un régime macrobiotique débarrassé de ses dogmes et restrictions. «Si un homme atteint du cancer de la prostate veut manger une tomate — interdite par les régimes macrobiotiques —, je me dis que c'est

> tant mieux, déclare Block, parce qu'une recherche menée récemment à l'Université Harvard a établi un lien entre la tomate et la réduction du risque de cancer de la prostate.» Ses patients consomment surtout des céréales, une gamme variée de légumes, légumineuses, produits du soja et poissons, ainsi que des édulcorants naturels tels les sirops de riz. On considère comme particulièrement dommageables pour les cancéreux la viande et les matières grasses oméga-6 que contiennent l'huile de maïs et la plupart des margarines. On accepte en quantités limitées l'huile de colza (canola) et l'huile d'olive. La teneur globale en matières grasses du régime se situe entre 15 et 18 p. 100, tandis que dans un régime macrobiotique strict, elle est de 12 à 15 p. 100. En outre, le Dr Block préconise l'abstention des aliments à base de produits laitiers, des jaunes d'œufs, des sucres raffinés, de l'alcool et des aliments transformés.

Il a dressé la liste des antioxydants recommandés, dont les vitamines C et E, et la coenzyme Q10. Au besoin, il recourt aux plantes, notamment à l'échinacée, au *dong quai* (préparation chinoise à base d'herbes) et à une poudre de champignons concentrée qu'il a mise au point, afin de stimuler le système immunitaire et d'augmenter l'efficacité des médicaments conventionnels tout en en atténuant les effets secondaires.

De l'avis du Dr Block, il ne fait aucun doute que le style de vie, qui contribue au déclenchement du cancer, peut aussi contribuer à sa progression et à la récidive. Ainsi, il est logique de modifier son régime et de donner à son organisme des composés anticancéreux naturels pour se guérir du cancer et en prévenir la récidive. «Le régime alimentaire n'est pas en soi la solution au problème du cancer, dit-il. Mais je crois que ne pas tenir compte du régime dans son traitement, malgré les recherches convaincantes, revient à administrer un traitement incomplet.»

Et la sécurité?

Dans le cas des personnes souffrant d'un cancer, les traitements fondés sur la nutrition font généralement naître deux craintes majeures. Premièrement, on craint que le patient rejette tous les traitements conventionnels (chirurgie, radiothérapie, chimiothérapie) susceptibles de leur sauver la vie pour adopter comme seule thérapie un régime alimentaire macrobiotique ou un autre régime restrictif. Cela pourrait retarder un traitement conventionnel efficace au début de la maladie, lorsqu'il est le plus utile. Deuxièmement, certains régimes macrobiotiques sont si sévères qu'ils peuvent entraîner la malnutrition et ainsi diminuer au lieu d'augmenter la capacité du malade à lutter contre le cancer avec l'arme de la nutrition. Un régime trop faible en calories, en protéines et en matières grasses du bon type risque d'affaiblir l'organisme. On a rapporté des cas de cancéreux dont la vie est mise en danger par une malnutrition causée par un régime macrobiotique trop restrictif. Le bon sens doit prévaloir. Même si une perte de poids peut être bénéfique pour le cancéreux, un amaigrissement excessif ou un poids inférieur au poids «idéal» (généralement votre poids au début de la vingtaine) peut être extrêmement dangereux.

Devriez-vous l'essayer?

Un régime alimentaire anticancer est approprié s'il est utilisé comme traitement s'ajoutant aux thérapies conventionnelles. Il en est de même pour les mégadoses d'antioxydants, de vitamines et de toute autre substance naturelle. Il est peu probable que le seul régime alimentaire puisse guérir le cancer; mais nombreuses sont les preuves qu'il peut aider le malade à survivre à cette maladie. Ne vous fiez pas à un ou deux remèdes magiques pour combattre le cancer; c'est la combinaison des traitements qui vous sauvera.

NOUVEAU MÉDICAMENT CONTRE LA DOULEUR

(ESSENCE DE MENTHE POIVRÉE)

Pourquoi prendre de l'aspirine ou du Tylenol lorsqu'une plante aromatique agréable peut vous débarrasser tout aussi rapidement de votre mal de tête causé par la tension nerveuse?

S'il vous arrive souvent d'avaler un comprimé pour soulager un mal de tête causé par la tension nerveuse, rassurez-vous: vous n'êtes pas seul dans votre cas. Mais ne vaudrait-il pas mieux vous soulager sans recourir à ces pilules? Un remède naturel contre les maux de tête ordinaires vient d'être découvert, mais vous ne le verrez pas annoncé à la télévision et ne le trouverez pas sur les tablettes de votre pharmacie. En fait, ce médicament étonnant est pratiquement inconnu partout, sauf en Allemagne, où des chercheurs ont prouvé son efficacité contre les maux de tête ordinaires dus à la tension nerveuse, qui tourmentent occasionnellement à peu près tout le monde.

Le mal de tête dû au stress, fléau des temps modernes, est plus courant en Occident que le rhume. Il cause beaucoup de souffrances humaines en plus de coûter cher à la société. Certaines personnes doivent avaler une aspirine ou du Tylenol chaque jour pour soulager leur mal de tête. Bon an, mal an, nous dépensons des millions et des millions de dollars en analgésiques. Malheureusement, l'usage immodéré de ces analgésiques nous coûte encore plus que cela, à cause de leurs effets secondaires. Le soulagement rapide de la douleur aiguë s'échange contre des affections plus graves et de plus longue durée, comme les ulcères hémorragiques, et les lésions au foie et aux autres organes. Les troubles reliés aux céphalées coûtent à la Communauté européenne environ 40 milliards de marks l'an en soins de santé et en heures de travail perdues.

En réalité, les comprimés que nous utilisons pour soulager le mal de tête pourraient bien ne pas être le médicament le mieux indiqué contre cette douleur. Le mal de tête, après tout, ne se situe pas dans le cerveau: cet organe ne ressent aucune douleur, puisqu'il est dépourvu de nerfs sensitifs. Le mal de tête est causé par la tension sévissant dans les couches extérieures du cerveau ainsi que dans le cuir chevelu, ses vaisseaux sanguins et ses muscles. La douleur peut se faire sentir dans toute la tête, sur la nuque seulement, sur le front ou sur un seul côté. La douleur peut être faible ou vive et lancinante. Selon les experts, le mal de tête dû à la tension nerveuse apparaît généralement lorsque le visage, le cou et le cuir chevelu se tendent, le plus souvent à cause du stress. La douleur peut durer des jours, voire des semaines.

Comme le mal de tête dû à la tension nerveuse a son origine à la surface extérieure de la tête, ne se pourrait-il pas qu'on puisse le soulager en appliquant une substance sur la tête? L'essence de menthe poivrée, par exemple? Cette idée peut sembler farfelue, mais la menthe poivrée est un médicament ancien dont l'action est apaisante. Elle peut soulager certains des maux de la vie moderne. En fait, de nouvelles recherches menées en Allemagne indiquent que l'application d'essence de menthe poivrée sur le front est tout aussi efficace pour soulager le mal de tête que le Tylenol! Des experts sont d'avis que cette essence peut aussi être un remède miracle contre certains autres maux qu'aggrave le stress de la vie moderne.

LA GUÉRISON MIRACULEUSE DE DONNA
«Mon mal de tête disparaît plus rapidement»

«C'est vraiment meilleur que le Tylenol, même le Tylenol extra-fort», déclare Donna Lewis, orthophoniste au William Beaumont Army Medical Center, au Texas. Elle s'est servie plusieurs fois d'essence de menthe poivrée pour soulager son mal de tête, après avoir appris qu'on l'utilisait à cette fin en Allemagne. Selon son degré de stress, elle a mal à la tête plusieurs fois par mois; parfois, elle passe plusieurs mois sans éprouver la moindre douleur. «Généralement, raconte-t-elle, j'ai mal au-dessus du sourcil droit; souvent, la douleur monte jusqu'au sommet du crâne.» Habituellement, elle prend alors deux comprimés de 500 mg de Tylenol extra-fort. «Même si c'est généralement efficace, poursuit-elle, il me faut attendre de 45 à 60 minutes pour être soulagée. Parfois, le médicament atténue ma souffrance, mais me laisse une douleur sourde dans la tête. Je dois alors prendre un autre comprimé pour la chasser.»

Aujourd'hui, Donna se débarrasse de son mal de tête en s'appliquant de l'essence de menthe poivrée sur le front, ce qu'elle trouve plus efficace. D'abord, elle croit que l'essence agit plus rapidement que le comprimé, «en moins d'une demi-heure». De plus, elle aime la «sensation de fraîcheur» sur sa peau et le «parfum agréable» de la menthe. Elle est également contente de ne pas prendre de médicament inutilement. «J'avais parfois l'impression de consommer une surdose d'analgésiques», dit-elle.

Lorsque Donna sent venir un mal de tête, elle plonge le doigt dans une solution spéciale d'essence de menthe poivrée et s'en badigeonne tout le front; il lui arrive d'en appliquer une couche supplémentaire à l'endroit qui lui fait le plus mal.

Chaque fois que Donna a recouru à l'essence de menthe poivrée, elle l'a trouvée efficace. Elle en a parlé à ses collègues de bureau et plusieurs l'utilisent avec les mêmes bons résultats. L'essence de menthe poivrée dont elle se sert provient d'un magasin d'aliments naturels. Elle la mélange dans de l'alcool de grain pur. La solution ayant tendance à se séparer, Donna agite toujours sa bouteille avant d'appliquer la solution sur son front, faute de quoi, selon elle, elle n'obtient pas la merveilleuse sensation de fraîcheur qu'elle apprécie tant.

Maintenant qu'elle a découvert l'essence de menthe poivrée, elle n'a pas l'intention de retourner au Tylenol.

Qu'est-ce que l'essence de menthe poivrée?

Les feuilles et les fleurs de la menthe poivrée contiennent une huile volatile qui est du menthol dont la pureté va de 50 à 75 p. 100. Cette essence sert d'agent aromatisant, mais elle a une longue histoire en tant que médicament. Dans la Rome antique, Pline l'Ancien conseillait déjà l'application de feuilles de menthe poivrée sur le front pour soulager le mal de tête. Le papyrus égyptien d'Ebers (qui date de près de 4000 ans) recommandait la menthe poivrée pour calmer l'estomac. Pendant des siècles, des médecins occidentaux et orientaux ont conseillé la menthe poivrée pour ses propriétés carminatives et antispasmodiques, et pour apaiser l'estomac.

Quelles sont les preuves de son efficacité?

En Allemagne, où les effets thérapeutiques de l'essence de menthe poivrée sont reconnus, les chercheurs savaient que cette essence et son composant principal, le menthol, sont réputés avoir des propriétés analgésiques lorsqu'on les applique sur la peau. En quête d'une solution de remplacement aux analgésiques contre le mal de tête, ils ont émis l'hypothèse que la menthe poivrée pourrait être efficace. Après une série d'études préliminaires, des chercheurs de la clinique de neurologie de l'Université Christian-Albrechts de Kiel, en Allemagne, ont présenté en 1996 la première preuve clinique que l'application de l'essence de menthe poivrée sur le front réduit la douleur causée par la céphalée due à la tension nerveuse tout aussi efficacement qu'une dose de 1000 mg d'acétaminophène, soit deux comprimés de Tylenol!

L'étude du Dr Hartmut Gobel et de ses collègues a porté sur 41 hommes et femmes, âgés de 18 à 65 ans, qui souffraient de maux de tête causés par la tension nerveuse — de 1 à 22 crises par mois — depuis une période de deux à quatre ans. La conception de l'étude était irréprochable: il s'agissait d'une étude par permutation, à triple insu et à répartition-distribution aléatoire. Lorsque le sujet était frappé d'un mal de tête, il utilisait l'un de ces trois remèdes possibles: deux comprimés d'acétaminophène, une préparation authentique d'essence de menthe poivrée à 10 p. 100 ou un placebo (préparation ne contenant que quelques gouttes de menthe poivrée). Le sujet devait s'appliquer de nouveau la préparation sur le front un quart d'heure et une demi-heure plus tard. Tous les sujets ont utilisé tous ces remèdes à un moment ou à un autre dans l'espoir de soulager leur mal de tête. Méticuleusement, selon des critères scientifiques, ils ont consigné l'évolution de leur mal de tête pendant une heure. Si étonnant que cela puisse paraître, chez la plupart des sujets, indépendamment de leur sexe et de leur âge, ainsi que de la durée ou de la fréquence de leurs maux de tête, l'essence de menthe poivrée s'est révélée tout aussi efficace et d'un effet tout aussi rapide que celui de l'acétaminophène. Dans les deux cas, la douleur commençait à diminuer au bout d'une quinzaine de minutes.

«Nous concluons que les sujets peuvent être soulagés par l'essence de menthe poivrée, quels que soient leur sexe, leur âge et la fréquence de leurs maux de tête», déclare le Dr Gobel. Toutefois, il fait remarquer que, pour des raisons que l'on ignore, quelques-uns des sujets n'ont ressenti aucun soulagement. «Généralement, dit-il, l'essence de menthe poivrée semble plus efficace chez les sujets dont les maux de tête sont moins fréquents et de plus courte durée.» Chez certains, le recours simultané au Tylenol et à l'essence de menthe poivrée a été plus efficace que l'utilisation d'une seule de ces substances. Personne n'a rapporté d'effets secondaires provoqués par la menthe poivrée.

Comment agit-elle?

L'ingrédient pharmacologique principal de l'essence de menthe poivrée est le menthol. Bon nombre d'essais indiquent que le menthol de cette essence détend les muscles lisses. Des recherches menées sur des animaux révèlent que l'essence de menthe poivrée inhibe les contractions des muscles lisses causées par deux substances chimiques de l'organisme, la sérotonine et la substance P, lesquelles jouent un rôle important dans le contrôle des sensations de douleur. La menthe poivrée pourrait aussi soulager le mal de tête en détendant les muscles qui entourent le crâne. Mais, selon le Dr Gobel, le pouvoir myorelaxant de la menthe poivrée n'explique qu'en partie le soulagement qu'elle apporte. Il émet l'hypothèse que l'essence de menthe poivrée intervient de plusieurs autres façons dans la transmission de la douleur. Elle produit sur la peau une sensation de fraîcheur de longue durée susceptible de stimuler les récepteurs cutanés du froid et d'influer sur la transmission de la douleur dans la moelle épinière. De plus, la menthe poivrée augmente la circulation sanguine dans les capillaires, réduisant la sensibilité de la peau à la douleur.

SOULAGER LES MAUX DE TÊTE DUS À LA TENSION NERVEUSE AU MOYEN DE L'ESSENCE DE MENTHE POIVRÉE

Conseils du chercheur allemand Hartmut Gobel

- Dès qu'un mal de tête dû à la tension nerveuse se fait sentir, appliquez sur le front une mince couche d'essence de menthe poivrée, d'une tempe à l'autre, des sourcils jusqu'à la naissance des cheveux. Si vous ressentez une douleur dans la région occipitale (à l'arrière de la tête), appliquez l'essence sur le cou également. Appliquez-en juste assez pour humidifier la peau: une quantité plus importante ne serait pas plus efficace.
- Inutile de masser la peau pour faire pénétrer l'essence. Appliquez-la avec les doigts, à l'aide d'un coton-tige ou de

la petite éponge qui accompagne l'essence d'origine allemande.

- Si l'essence coule dans les yeux, rincez-les à l'eau. L'essence n'est pas toxique, mais elle peut causer une sensation de brûlure dans les yeux ou dans une plaie ouverte.
- Nul besoin de se laver le visage avant d'appliquer l'essence. Celle-ci peut toutefois enlever ou faire une marque sur le maquillage, que vous devrez peut-être retoucher après l'évaporation de l'essence.
- N'utilisez l'essence de menthe poivrée que si votre médecin a diagnostiqué des céphalées dues à la tension nerveuse, surtout si celles-ci sont fréquentes, afin de vous assurer qu'elles n'ont pas une cause organique sous-jacente qui requerrait des soins médicaux.

L'ESSENCE DE MENTHE POIVRÉE CONTRE L'ENTÉROCOLITE MUCO-MEMBRANEUSE

L'une des affections modernes les plus déroutantes, douloureuses et «incurables», qui fait souffrir des millions d'Américains, c'est le syndrome du côlon irritable ou entérocolite muco-membraneuse. Cette maladie se caractérise par une douleur abdominale intermittente — crampes, sensation de brûlure, douleur aiguë ou lourdeur abdominale — accompagnée de constipation, de diarrhée ou des deux. Il n'existe aucun test particulier ou traitement de routine pour cette affection. Il s'agit d'un trouble fonctionnel: le tube digestif ne se contracte pas normalement. Tout comme le cœur peut ne pas battre normalement (arythmie), le rythme des contractions du côlon peut se dérégler et entraîner des spasmes. Personne ne connaît la cause de ce trouble ni la manière de le corriger. C'est l'une des affections les plus difficiles à traiter; en désespoir de cause, médecins et patients finissent souvent par abandonner la lutte. Fait intéressant à noter, cette entérocolite frappe surtout les personnes très stressées, également sujettes aux maux de tête dus à la tension nerveuse. (L'entérocolite muco-membraneuse ne doit pas être confondue avec la maladie intestinale inflammatoire, tout à fait différente.)

Si l'essence de menthe poivrée peut détendre les muscles lisses, elle pourrait peut-être contribuer à régler les contractions anormales du côlon. Les médecins savent depuis longtemps que cette essence agit sur le tube digestif. Ce sont précisément ses propriétés myorelaxantes qui font que la menthe poivrée cause des brûlures d'estomac. La menthe poivrée a tendance à détendre le sphincter séparant l'œsophage de l'estomac, ce qui permet le reflux des acides gastriques dans l'œsophage. C'est pourquoi on conseille aux personnes sujettes aux brûlures d'estomac d'éviter la menthe.

Toutefois, de plus en plus de médecins américains conseillent aux personnes souffrant du syndrome du côlon irritable de consommer de l'essence de menthe poivrée, qui, selon des preuves scientifiques, pourrait les soulager. En Europe, plus particulièrement au Royaume-Uni et en Allemagne, on utilise communément l'essence de menthe poivrée pour soulager les symptômes de ce syndrome. Les premières études décrivant les réussites de ce traitement ont été publiées dans des revues médicales britanniques il y a près de vingt ans. La Commission E allemande reconnaît officiellement que l'essence de menthe poivrée est un traitement sûr et efficace contre le syndrome en question. Si vous viviez en Allemagne, votre médecin vous proposerait certainement d'utiliser cette essence pour soigner votre affection.

> *Bon nombre de personnes atteintes du syndrome du côlon irritable se font dire que c'est une affection qu'elles doivent endurer. Avant de renoncer à tout espoir, elles devraient essayer l'essence de menthe poivrée à enrobage gastrorésistant.*
>
> Le Dr Michael T. Murray, *Natural Alternatives to Over-the-Counter and Prescription Drugs*

L'essence de menthe poivrée soulage les symptômes du syndrome du côlon irritable en détendant les muscles lisses intestinaux; des chercheurs britanniques ont découvert pourquoi. La menthe poivrée agit comme «antagoniste» du calcium pour inhiber l'influx de calcium dans les cellules des muscles lisses. Or, le calcium contribue à régler les contractions musculaires. Ainsi, la menthe poivrée semble enrayer les contractions excessives et redonner leur tonus aux muscles du tube digestif.

Selon des recherches menées en Grande-Bretagne et en Allemagne, une capsule d'essence de menthe poivrée — gastrorésistante, pour que les acides gastriques ne l'attaquent pas et qu'elle ne se désintègre que dans l'intestin — soulage le syndrome du côlon irritable. Au cours d'une étude, 16 sujets souffrant de ce syndrome ont reçu pendant des périodes de trois semaines soit une capsule gastrorésistante d'essence de menthe poivrée, soit un placebo. On leur a ensuite demandé d'attribuer à leurs symptômes une cote sur une échelle de 1 à 5. La menthe poivrée l'a emporté sur le placebo. Selon les rapports faits par les sujets, celle-ci a été de deux à quatre fois plus efficace que le placebo. Seulement cinq des sujets recevant le placebo ont déclaré se sentir mieux, comparativement à treize dans le cas de l'essence. Un seul sujet recevant l'essence a rapporté qu'il se sentait moins bien qu'avant.

D'autres preuves que l'essence de menthe poivrée peut enrayer les spasmes intestinaux nous sont fournies par une recherche britannique récente indiquant qu'elle a réduit de 40 p. 100 l'occurrence de spasmes lorsqu'elle a été injectée dans le côlon au cours d'un lavement baryté, selon un rapport publié en 1995 dans la prestigieuse revue médicale britannique *The Lancet*. Les chercheurs estiment qu'il serait peut-être utile d'utiliser l'essence de menthe poivrée durant la coloscopie (examen visuel de l'intérieur du côlon avec un coloscope) pour prévenir la contraction du côlon. Selon eux, la menthe poivrée est une solution de rechange peu coûteuse aux antispasmodiques, médicaments destinés à combattre les contractions durant les examens de ce genre.

Quelle dose prendre?

Pour le mal de tête, utilisez juste assez d'essence pour humecter le front. Appliquez-la tous les quarts d'heure ou au besoin.

Dans le cas du syndrome du côlon irritable, la dose quotidienne recommandée est de une ou deux capsules gastrorésistantes normalisées, chacune contenant 0,2 mL d'essence de menthe poivrée. Prenez-les entre les repas.

Et la sécurité?

Dans de rares cas, l'essence de menthe poivrée appliquée sur la peau ou prise en capsules a provoqué des réactions allergiques: irritation de la peau, accélération du rythme cardiaque et tremblement. Les brûlures d'estomac sont un effet secondaire possible de l'ingestion de l'essence si vous y êtes sujet. La FDA classe la menthe poivrée utilisée sous forme de thé parmi les substances que l'on nomme en anglais GRAS (généralement reconnues comme inoffensives). Une surdose d'essence de menthe poivrée en capsules pourrait causer une intoxication, caractérisée par une légère difficulté respiratoire, la surexcitation et, dans les cas extrêmes, les convulsions. Le menthol pur est toxique s'il est ingéré; il peut être fatal en dose aussi faible qu'une cuillerée à thé. Il est extrêmement dangereux de laisser un enfant inhaler du menthol. Évitez d'utiliser le menthol pur.

Qui ne devrait pas prendre de l'essence de menthe poivrée?

Ne donnez pas de produits à la menthe poivrée aux bébés ou enfants en bas âge. Ne leur en appliquez pas sur le visage. Les femmes enceintes doivent éviter de consommer des produits à la menthe poivrée qui contiennent beaucoup de menthol, à cause des risques de fausse couche.

Préoccupations du consommateur

Le produit utilisé dans la recherche du Dr Gobel était le Euminz, fabriqué par Lichtwer Pharma, et annoncé en Allemagne comme remède contre le mal de tête dû à la tension nerveuse. Vous pouvez vous procurer de la menthe poivrée dans les magasins d'aliments naturels et dans les pharmacies où il y a des comptoirs de produits naturels.

Vous pouvez également préparer votre propre solution de menthe poivrée. «C'est relativement facile à faire, dit le Dr Varro Tyler: ajoutez une partie (une cuillerée à thé par exemple) d'essence de menthe poivrée à neuf parties (neuf cuillerées à thé) d'alcool de grain pur; versez la solution dans une petite bouteille. Assurez-vous d'utiliser l'essence de l'authentique menthe poivrée et non pas d'un autre type de menthe. N'ajoutez aucune autre essence à votre mélange, surtout pas d'essence d'eucalyptus, qui rend la menthe poivrée inefficace. Pour appliquer la solution sur votre front, utilisez de la ouate, un papier-mouchoir ou vos doigts.

Dans le cas du syndrome du côlon irritable, n'achetez que des capsules gastrorésistantes, pour qu'elles ne se désintègrent que dans l'intestin. L'essence libérée dans l'estomac risque d'y causer des brûlures. Colpermin (Pharmascience, Montréal) est l'une des marques de capsules gastrorésistantes destinées au traitement des symptômes gastriques reliés au syndrome du côlon irritable. Peppermint Plus (Enzymatic Therapy, États-Unis) en est une autre.

NOUVEAUX MÉDICAMENTS POUR LE CŒUR: UNE MERVEILLE

(VITAMINES C ET E)

Ce sont pour le cœur les médicaments les plus puissants, les plus économiques et les plus sûrs. Vous ne courez aucun risque en les prenant.

Vos artères sont-elles rétrécies ou partiellement bouchées par une accumulation de dépôts? Elles le sont dans une certaine mesure chez la plupart des personnes dès la quarantaine et le deviennent de plus en plus avec l'âge. La paroi de vos artères est probablement épaissie et légèrement raide, beaucoup moins souple qu'elle l'était durant votre enfance. Le sang n'y circule pas aussi librement qu'autrefois. Vous souffrez d'hypercholestérolémie, d'hypertension artérielle ou d'angine de poitrine? Vous avez subi une crise cardiaque, une embolie ou un accident cérébrovasculaire? Vous avez vécu une intervention chirurgicale destinée à débloquer une artère, voire une transplantation cardiaque? Vous prenez des médicaments pour le cœur? Quoi qu'il en soit, comme la plupart des gens, vous auriez sans doute avantage à prendre de nouveaux médicaments sans danger pour lutter contre l'athérosclérose, variété de sclérose artérielle caractérisée par l'accumulation de lipides amorphes dans la tunique interne du vaisseau, lequel finit par durcir et s'étrangler. Cette maladie évolutive est plus répandue que toute autre maladie.

Vous ne considérez peut-être pas les vitamines C et E comme des médicaments pour le cœur, et pourtant elles le sont. Il existe des preuves solides que ces vitamines peuvent déboucher les artères malades et obstruées, de sorte qu'elles se dilatent normalement et que le sang y circule librement pour alimenter les cellules du cœur. Ces vitamines peuvent contribuer de façon spectaculaire à ralentir, à interrompre, voire à réparer les dommages de l'athérosclérose ou «durcissement des artères», en jouant le rôle d'agents anti-inflammatoires et en combattant le mauvais cholestérol et les autres substances qui encrassent les artères. Ces vitamines pourraient même avoir un effet direct sur la fonction cardiaque. Au cours de certaines études, il a été constaté que les vitamines étaient plus efficaces contre les maladies cardiaques que les médicaments pharmaceutiques.

Ce qui rend ces découvertes encore plus encourageantes, c'est le fait qu'elles peuvent nous sauver même après que nos artères sont devenues malades et obstruées. Finie l'époque où il n'y avait rien à faire et où il fallait se résigner à attendre le pire. Étonnamment, si vous réussissez à garder vos artères ouvertes, malgré l'accumulation de dépôts, vous ne serez pas sujet à la crise cardiaque. C'est ce que les vitamines peuvent faire, selon des découvertes récentes et une nouvelle compréhension du rôle des artères dans la crise cardiaque. Les vitamines donnent espoir aux millions de personnes qui ne sont pas malades au point d'envisager de prendre des médicaments pharmaceutiques dangereux. Elles peuvent également être bénéfiques dans les cas d'insuffisance cardiaque. C'est pourquoi bon nombre de médecins admettent désormais que les vitamines antioxydantes C et E, en particulier, sont passées du préventif au thérapeutique pour devenir de nouveaux médicaments pour le cœur susceptibles de vous sauver des maladies cardiaques et de la mort qu'elles peuvent entraîner.

Certains chercheurs et médecins ont commencé à recourir avec succès aux vitamines antioxydantes comme traitement complémentaire pour stopper la détérioration des artères, voire rétablir la fonction cardiaque et déboucher les artères. Nous entrons dans une nouvelle ère, celle de la «médecine aux antioxydants», selon Balz Frei, Ph. D., chercheur réputé dans le domaine des antioxydants au centre médical de l'Université de Boston. Dans certains cas, les cardiaques prennent de leur propre initiative des suppléments vitaminiques, parfois avec des résultats étonnants.

LA GUÉRISON MIRACULEUSE DE JŒY
«Les vitamines ont débouché mes artères»

Jœy Blackburn n'est certainement pas un cas typique, mais l'ouverture remarquable de ses artères bouchées, après absorption d'un supplément vitaminique et nutritif, est un phénomène tout à fait curieux.

En août 1990, Jœy, alors âgée de 20 ans, a reçu un diagnostic de cardiomyopathie virale, maladie cardiaque rare dans laquelle une infection virale attaque le cœur, y provoquant souvent une détérioration susceptible d'entraîner une défaillance fatale. Les médecins de l'hôpital St. Francis de Memphis, au Tennessee, ont informé Jœy que son seul espoir de survie résidait dans une transplantation cardiaque. Heureusement pour elle, ils ont trouvé un cœur compatible, prélevé chez un garçon de 11 ans; l'intervention chirurgicale a eu lieu en novembre 1990.

Pendant cinq ans, l'angiographie annuelle (examen radiologique fait après opacification au moyen d'une substance opaque aux rayons X injectée directement dans la lumière du vaisseau) de Jœy n'a rien révélé d'anormal. Mais, en janvier 1995, les résultats de l'examen ont été terribles. L'angiographie indiquait quatre blocages graves; les trois artères principales du cœur étaient bloquées à 90 p. 100, et un quatrième vaisseau l'était à environ 60 p. 100. Jœy avait pris une cinquantaine de kilos depuis la transplantation, fait attribuable en grande partie aux médicaments immunodépresseurs qui lui avaient été prescrits, dont la prednisone (composé stéroïde de synthèse), ainsi qu'à la suralimentation. «Mon cardiologue, le Dr George Smith, raconte-t-elle, était furieux. Il m'a dit de me mettre au régime sur-le-champ.» Effrayée, Jœy a adopté un régime hypocalorique sévère. Quatre mois plus tard, même si elle avait perdu une quinzaine de kilos, elle se sentait toujours essoufflée. Elle savait que la restriction de la circulation sanguine dans ses vaisseaux étouffait son cœur, lentement mais sûrement. À cette époque, elle n'était pas considérée comme une candidate à un pontage coronarien, intervention à laquelle on recourt généralement pour ouvrir les artères coronariennes.

C'est à ce moment-là qu'un travailleur social, membre de l'équipe de transplantation de l'hôpital où Jœy travaille, lui a proposé d'essayer un mélange particulier de vitamines et d'acides aminés contenant de la vitamine C et d'autres éléments nutritifs. Sceptique, Jœy a suivi son conseil, elle n'avait rien à perdre. Elle a commencé à prendre des vitamines en mai 1995.

En novembre, soit six mois plus tard, elle a subi une autre angiographie. Son cardiologue n'en croyait pas ses yeux: il constatait une diminution évidente des obstructions artérielles. L'obstruction à 90 p. 100 de la «branche antérieure de l'artère coronaire gauche» était réduite à 70-80 p. 100 et les obstructions à 90 p. 100 de la «diagonale» et de l'«artère coronaire droite» étaient dans les deux cas réduites à 40-50 p. 100. Quant à l'obstruction à 60 p. 100 de la «circonflexe de l'artère coronaire gauche» elle avait tout simplement disparu, et l'artère semblait complètement ouverte.

Les suppléments que consommait Jœy expliquaient-ils cette réduction des obstructions artérielles? En se fiant à la description des angiographies, le Dr Jay Johnson, cardiologue du Nevada et auteur d'un article sur la régression chez les transplantés publié dans le *New England Journal of Medicine,* affirme que c'est possible. Il dit que le cas de Jœy est «inhabituel» et qu'«il semble y avoir eu régression», mais il ajoute qu'il est impossible de le confirmer, puisque aucune étude sur l'utilisation de vitamines par les transplantés n'a encore été effectuée. En outre, selon lui, si les vitamines ont d'une quelconque façon réduit les obstructions artérielles de Jœy, cela est sans doute dû à leurs effets sur le système immunitaire plutôt qu'aux facteurs — tels le cholestérol et l'accumulation de dépôts dans les artères — que l'on croit être à l'origine des maladies cardiaques communes. Néanmoins, le cas de Jœy, s'il demeure mystérieux, peut nous donner de nouveaux indices sur l'activité des vitamines, et on sait que la préparation qu'elle a utilisée a réussi à ralentir la progression de l'athérosclérose chez des sujets atteints de la maladie coronarienne ordinaire.

Au début de 1997, Jœy a subi un pontage coronarien destiné à ouvrir une artère coronarienne qui s'était bloquée sans que l'on sache pourquoi.

Avis au consommateur: La préparation utilisée par Jœy est un mélange breveté de vitamines, d'acides aminés, de minéraux et d'oligo-éléments mis au point par le Dr Matthias Rath.

Que sont ces vitamines?

Les vitamines C et E sont de puissants antioxydants, ce qui signifie qu'elles peuvent inhiber l'activité destructrice des radicaux libres, substances chimiques circulant dans l'organisme. Certains de ces radicaux libres sont créés par le métabolisme, d'autres pénètrent dans l'organisme durant l'exposition à toutes sortes de produits chimiques, dont les polluants atmosphériques, la fumée du tabac, les aliments riches en matières grasses et la radiation. Les radicaux libres attaquent les cellules, y favorisant l'apparition de transformations malignes qui sont à l'origine de la plupart des maladies chroniques. Ils sont la cause principale des maladies cardiaques; en effet, ils provoquent une accumulation de dépôts dans les artères ainsi que des dilatations et contractions vasculaires anormales. Les antioxydants inhibent l'activité délétère des radicaux libres, les empêchant de détruire vos artères et votre cœur.

Quelles sont les preuves de leur efficacité?

Depuis une dizaine d'années, on possède de plus en plus de preuves que les vitamines antioxydantes, plus particulièrement les vitamines C et E, peuvent prévenir le blocage des artères coronariennes. Des études menées sur des singes, nos parents les plus proches, ont révélé que des doses modestes de vitamine E peuvent prévenir et réparer l'obstruction des artères causée par une alimentation riche en matières grasses. Au cours d'une recherche remarquable menée durant six ans au laboratoire de recherche sur l'athérosclérose de l'Université du Mississippi, Anthony J. Verlangieri, Ph. D., a donné à des singes un régime alimentaire riche en graisses animales et en cholestérol. Naturellement, leurs artères se sont obstruées. Mais lorsqu'ils ont reçu de la vitamine E, l'étendue de l'obstruction artérielle a été réduite de 60 à 80 p. 100. Plus spectaculaire encore, une dose quotidienne de 108 UI de vitamine E, administrée *après* l'obstruction grave des artères, a réduit ce blocage d'environ 60 p. 100. En deux ans seulement, le blocage des artères est passé d'une moyenne de 35 p. 100 à une moyenne de 15 p. 100.

La prise de suppléments de vitamines E et C peut également retarder l'obstruction des artères humaines et les déboucher. Le Dr Howard N. Hodis, de la faculté de médecine de l'Université de Californie du Sud, a constaté que les hommes qui affirmaient prendre une dose quotidienne de 100 UI ou plus de vitamine E après avoir subi un pontage coronarien avaient, au bout de deux ans, les artères moins rétrécies que les sujets ne consommant pas de vitamine E ou en consommant moins qu'eux. En outre, les angiographies ont indiqué clairement que l'accumulation de dépôts dans les artères de certains des sujets prenant de la vitamine E avait diminué, ce qui revient à parler d'une régression de l'athérosclérose.

On a compris jusqu'à quel point l'utilisation de la vitamine E contre les maladies cardiaques pouvait avoir des résultats spectaculaires au cours de l'étude menée en 1996 par l'Université de

Cambridge. Celle-ci, menée par le professeur Morris Brown et le Dr Malcolm Michinson, a porté sur 2000 sujets atteints de maladie coronarienne et ayant subi des crises cardiaques. Sur une période de 18 mois, la moitié des sujets ont absorbé une dose quotidienne unique — soit de 400 UI, soit de 800 UI — de vitamine E naturelle, tandis que les autres ont reçu un placebo. Les résultats ont été étonnants à un point tel que même les chercheurs ont été stupéfaits. Les sujets qui prenaient l'une ou l'autre des doses de vitamine E n'ont subi que 23 p. 100 du nombre de crises cardiaques non fatales qu'ont subies les sujets recevant un placebo. La vitamine E a réduit l'occurrence des crises cardiaques dans l'incroyable proportion de 77 p. 100. Les chercheurs ont déclaré que la vitamine E était plus puissante pour enrayer les crises cardiaques que l'aspirine ou que les médicaments utilisés pour réduire le taux de cholestérol sanguin. En fait, ils ont constaté que la vitamine E réduisait le risque de crise cardiaque non fatale au risque normal, c'est-à-dire à celui que courent les personnes en bonne santé qui ne présentent aucun signe de maladie cardiaque. De plus, les bienfaits de la vitamine se sont manifestés au bout de six mois et demi seulement.

La miraculeuse vitamine C

La vitamine C, longtemps éclipsée par la vitamine E en matière de protection du cœur, apparaît désormais comme la vedette du jour. L'utilisation de la vitamine C dans le traitement des maladies cardiaques est l'un des sujets de recherche les plus populaires. De nouvelles études, toutes plus encourageantes les unes que les autres, révèlent que la vitamine C joue un rôle prodigieux pour prévenir l'obstruction des artères. Ces dernières années, les scientifiques ont déterminé que le blocage des artères causé par le cholestérol et par l'accumulation de dépôts, contre lesquels la vitamine C mène un dur combat, n'est que l'un des facteurs qui déclenchent l'insuffisance et les crises cardiaques. Un autre facteur important est celui que l'on appelle la «fonction vasculaire», c'est-à-dire la manière dont les cellules recouvrant la paroi des artères se détendent et se contractent.

«Nous savons que, chez les personnes atteintes de la maladie coronarienne ou du diabète, la fonction vasculaire est handicapée», déclare Balz Frei de l'Université de Boston, chercheur réputé en matière d'antioxydants. Cela signifie que leurs artères ne se détendent pas assez pour créer une ouverture qui suffise à la circulation sanguine. Chez les individus sains, une artère subit une dilatation d'environ 15 p. 100 au cours d'un essai normalisé. Dans le cas des cardiaques, cette dilatation n'est que de 2 ou 3 p. 100. Cette incapacité des artères à se dilater normalement est l'un des facteurs majeurs des crises cardiaques, selon Frei. Voici pourquoi: si l'artère ne se dilate pas, par exemple, et qu'un caillot de sang se forme sur la paroi de celle-ci, la circulation sanguine risque d'être interrompue, ce qui privera les muscles cardiaques de l'oxygène dont ils ont besoin et pourra les endommager — en d'autres mots, c'est la crise cardiaque. Mais si l'artère reste détendue, malgré le caillot et l'accumulation de dépôts, le sang a plus de chances d'y circuler, et la crise cardiaque ne se produira pas. Une fonction vasculaire anormale provoque également la contraction des artères, ce qui peut entraîner l'angine de poitrine.

Existe-t-il un médicament qui puisse corriger l'anomalie de la fonction vasculaire qui expose des millions d'individus à de graves risques? Oui, la vitamine C. De nouvelles recherches indiquent qu'elle peut corriger rapidement l'anormalité de la fonction vasculaire des artères malades, anormalité qui mène à la crise cardiaque et à l'angine.

Au cours d'essais, accompagnés d'angiographies, effectués sur 46 sujets atteints de la maladie coronarienne, Frei et ses collègues, Joseph A. Vita et John Keaney, fils ont corrigé le dysfonctionnement dans la relaxation des artères des sujets en leur administrant une dose de 2000 mg de vitamine C. Une échographie prise deux heures après l'absorption de la dose a clairement indiqué une amélioration de l'ordre de 50 p. 100 dans la dilatation d'une artère du bras chez la plupart des sujets, et une dilatation encore supérieure chez les sujets les plus atteints. En fait, après la prise de vitamine C, la fonction vasculaire des artères des sujets souffrant de maladies du cœur est devenue parfaitement normale, ce qui a considérablement réduit le risque que l'artère fonctionne mal et déclenche une crise cardiaque. Selon les chercheurs, la vitamine C agit d'abord comme un antioxydant, éliminant les radicaux libres qui, autrement, inhiberaient l'action de l'oxyde nitrique dont les artères ont besoin pour rester adéquatement détendues. De nouvelles recherches ont été entreprises dans lesquelles on prescrit aux cardiaques une dose quotidienne de 500 mg de vitamine C, qu'ils prennent pendant un mois, afin de déterminer si une dose plus faible garde normale la fonction artérielle sur une plus longue période.

Des chercheurs de Harvard ont démontré que l'injection de vitamine C directement dans les artères du cœur corrige la dysfonction vasculaire chez les diabétiques, dysfonction semblable à celle des cardiaques.

Une autre étude fascinante révélant que la vitamine C — et peut-être la vitamine E — maintient une bonne fonction vasculaire, malgré une alimentation riche en matières grasses, a été menée par des chercheurs de l'Université du Maryland. Vingt membres de la faculté, supervisés par le cardiologue Gary Plotnik, ont chacun consommé un petit-déjeuner chez McDonald contenant 50 p. 100 de matières grasses et 900 calories — un œuf McMuffin, une saucisse McMuffin et deux croquettes de pommes de terre. Au moyen d'une échographie, les chercheurs ont examiné l'artère principale du bras des sujets. Comme prévu, la charge de matières grasses a provoqué une anomalie dans la dilatation artérielle, de telle sorte que la circulation sanguine a été réduite.

Quelques jours plus tard, les mêmes sujets ont consommé le même petit-déjeuner, mais cette fois-là en prenant une dose de 1000 mg de vitamine C et de 800 UI de vitamine E un quart d'heure avant le repas. Les résultats ont été stupéfiants. L'échographie a indiqué que, malgré la surcharge de matières grasses, les artères des sujets ont continué de se dilater normalement, permettant ainsi au sang de circuler librement jusqu'au muscle cardiaque. En fait, la vitamine C a annulé l'effet dévastateur principal du petit-déjeuner riche en matières grasses qui, autrement, aurait pu déclencher une crise cardiaque. Voilà qui confirme les preuves de plus en plus nombreuses que la vitamine C est un médicament puissant lorsqu'il s'agit de régler la fonction vasculaire.

LE MIRACLE JAPONAIS

Au cours d'une autre étude qui a fait époque, on a utilisé avec succès la vitamine C comme médicament à administrer après une angioplastie pour garder les artères ouvertes, selon des cardiologues japonais de l'Université Tokai de Kanagawa. On recourt souvent à l'angioplastie pour déboucher les artères. Du fait que les artères se rebouchent fréquemment au bout de quelques mois, les médecins cherchent toujours des moyens de prévenir cette possibilité. Au cours de l'étude japonaise menée sur 119 patients, une dose quotidienne de 500 mg de vitamine C s'est révélée incroyablement efficace. Quatre mois après l'intervention chirurgicale, seulement 24 p. 100 des patients ayant pris de la vitamine C ont vu leurs artères se refermer — la réapparition d'un rétrécissement précédemment supprimé s'appelle resténose —, comparativement à 43 p. 100 pour le reste des sujets.

Nul ne peut contester que ces résultats sont extraordinaires. Une modeste dose d'un produit parfaitement sûr, qui ne coûte que quelques cents par jour, a presque *doublé* les chances de réussite d'une intervention chirurgicale. Qui plus est, ce produit a réduit d'environ 60 p. 100 la nécessité de procéder à une nouvelle intervention. En effet, 12 p. 100 seulement des sujets ayant pris de la vitamine C ont eu besoin d'une deuxième intervention, comparativement à 29 p. 100 dans le cas des autres sujets. Thomas Graboys, professeur à l'Université Harvard, directeur du Lown Cardiovascular Center à l'hôpital Brigham and Women's, à Boston, affirme que la vitamine C «ne peut pas faire de tort et pourrait faire du bien» dans le traitement des personnes souffrant de maladies cardiaques.

Destruction du cholestérol

Selon une étude à double insu et à distribution aléatoire menée en Australie, la vitamine C peut également abaisser le taux de mauvais cholestérol LDL. Une dose de 1000 mg de vitamine C a réduit de 16 p. 100 le taux de cholestérol LDL au bout de quatre semaines. Un gramme de cette vitamine peut également réduire la tension artérielle, selon des études menées cette fois par le ministère de l'Agriculture américain. Chez les hypertendus, une dose quotidienne de 1000 mg de vitamine C a réduit d'environ 7 p. 100 et la pression systolique (le plus grand chiffre) et la pression diastolique (le plus petit chiffre).

Comment ces vitamines agissent-elles?

C'est probablement surtout à cause de son effet sur le cholestérol sanguin que la vitamine E est efficace contre les maladies cardiaques. Elle ne réduit pas nécessairement le taux de cholestérol, mais elle contribue à empêcher que le mauvais cholestérol LDL s'altère chimiquement (s'oxyde ou rancisse), altération qui facilite la pénétration du cholestérol dans la paroi artérielle, où il crée une dangereuse accumulation de dépôts. Des études menées sur des animaux et sur des humains indiquent toutes qu'une dose quotidienne de 400 à 500 UI de vitamine E inhibe de façon spectaculaire la tendance du cholestérol LDL à devenir toxique et à endommager les artères. D'autres études révèlent que la vitamine E peut également ralentir la prolifération des cellules des muscles lisses qui s'accumulent sur la paroi artérielle et y forment une plaque qui finit par obstruer l'artère.

La vitamine C, agissant comme un antioxydant, protège elle aussi les artères en neutralisant le mauvais cholestérol LDL. Mais, comme nous l'avons vu, elle est également un vasodilatateur puissant, et c'est sans doute cette caractéristique plus que toute autre qui lui permet de combattre les maladies cardiaques.

En réalité, la vitamine C est un remède miracle surtout parce qu'elle active ou libère l'oxyde nitrique dans la paroi artérielle. L'oxyde nitrique, selon plusieurs nouvelles récentes, est une substance chimique étonnante. Il contrôle la relaxation et la contraction des artères qui maintiennent ou interrompent la circulation du sang vers le cœur et le cerveau. De plus, l'oxyde nitrique inhibe la prolifération des cellules des muscles lisses qui s'accumulent et finissent par former une masse que l'on appelle parfois «plaque athéroscléreuse». Ainsi, indirectement, en intervenant sur l'oxyde nitrique, la vitamine C influe sur la santé des artères. Mais elle fait bien plus que cela. Des caillots sanguins ont tendance à se former sur la paroi artérielle là où se produit une rupture de la plaque lorsque celle-ci est faible et instable. Les scientifiques comprennent aujourd'hui que ce n'est pas tant l'*épaisseur* que l'*instabilité* de la plaque recouvrant la paroi artérielle qui aggrave les risques de crise cardiaque. Si la composition de la plaque est solide, donc moins susceptible de se rompre, les caillots et les crises cardiaques sont moins probables. Qu'est-ce qui rend la plaque plus solide? C'est la vitamine C, qui provoque la production et la réparation du collagène, sorte de ciment qui empêche la plaque de se fragmenter et de créer des caillots sanguins dangereux.

Quelle dose prendre?

En général, les recherches indiquent qu'il faut une dose quotidienne de 500 à 1000 mg de vitamine C et de 400 à 800 UI de vitamine E pour qu'un effet pharmacologique se fasse sentir sur le cœur et sur les artères.

Et la sécurité?

Les vitamines C et E comptent parmi les substances les plus sûres que l'on connaisse, même à dose élevée, plus élevée que la dose ayant des effets thérapeutiques. La vitamine C ne provoque pas, comme on l'a longtemps cru, la formation de calculs rénaux, et elle n'a aucun effet secondaire majeur. Ni l'une ni l'autre de ces vitamines n'ont d'effet toxique à long terme. La vitamine E peut avoir sur le sang un léger effet éclaircissant; consultez votre médecin avant d'en prendre si on vous a prescrit des médicaments pour le cœur, plus particulièrement des anticoagulants. Les autorités compétentes recommandent généralement de ne pas prendre plus de 1000 UI de vitamine E par jour, sauf sur avis médical.

Préoccupations du consommateur

Des chercheurs californiens ont constaté que la vitamine E synthétique (dl-alpha-tocophérol) combat l'oxydation du cholestérol LDL tout aussi bien que la vitamine E naturelle (d-alpha-tocophérol), légèrement plus chère. Cependant, bon nombre d'experts en matière d'antioxydants privilégient la vitamine E naturelle, et c'est elle qui a été utilisée dans la recherche menée à Cambridge avec tant de succès. Il semble que la vitamine C de tout type soit efficace. Dans l'étude de Frei, c'est une marque bon marché de vitamine C, achetée à la pharmacie, qui a été utilisée. Les rapports selon lesquels un type de vitamine C plus cher, appelé Ester-C, serait supérieur aux autres types ne sont pas concluants, puisqu'une étude a démontré que la bonne vieille vitamine C était meilleure que l'Ester-C comme antioxydant.

À quelle autre fin peuvent-elles servir?

Les vitamines antioxydantes, dont les vitamines C et E, font l'objet d'essais et sont utilisées pour le traitement d'un certain nombre de maladies et affections — cancer, asthme, diabète, arthrite, maladies dégénératives des yeux, maladies dégénératives du cerveau, telles la maladie de Parkinson et la maladie d'Alzheimer, et même la stérilité. Si vous souffrez d'asthme, par exemple, essayez une dose quotidienne de 1000 à 2000 mg de vitamine C. Selon une nouvelle analyse, on a publié depuis 1973 onze études sur le traitement de l'asthme au moyen de la vitamine C. Sept études ont conclu que les sujets prenant de la vitamine C respiraient mieux. Une dose quotidienne de 1000 mg de vitamine C a fait recouvrer la fertilité à certains hommes.

De fortes doses quotidiennes de vitamine E (1000 UI) ont normalisé le taux de sucre sanguin chez des diabétiques. Des mélanges d'antioxydants, dont les vitamines C et E, ont ralenti l'évolution des cataractes et de la dégénérescence maculaire, maladie oculaire grave reliée au vieillissement et menant parfois à la cécité.

RENSEIGNEMENTS ET CONSEILS DESTINÉS AU CONSOMMATEUR

CONSEILS SUR L'ACHAT ET L'UTILISATION DES REMÈDES NATURELS

Évidemment, plus long vous en savez sur les remèdes naturels, particulièrement sur ceux que vous souhaitez utiliser, mieux c'est. Et plus la maladie que vous essayez de traiter est grave, plus vous devez être prudent et mieux vous devez être informé. Rien n'est pire que l'ignorance, comme vous le diront les médecins, scientifiques et patients cités dans le présent ouvrage.

Ce que vous ne devez surtout pas oublier, c'est que les remèdes naturels, surtout ceux qui ont des effets sur les maladies sérieuses — insuffisance cardiaque globale, dépression, cancer et syndrome de la fatigue chronique —, doivent être utilisés avec la plus grande prudence. S'ils ont de tels effets, c'est que leur action pharmacologique est puissante. Même si leurs effets secondaires sont généralement beaucoup moindres que ceux des médicaments d'ordonnance — ce qui les rend particulièrement avantageux —, l'abus ou la surconsommation des remèdes naturels peut vous être néfaste.

Dans le meilleur des mondes, vous demanderiez à un spécialiste — pharmacien, médecin ou autre professionnel de la santé — de vous guider, c'est-à-dire de vous donner les renseignements dont vous avez besoin, de vous aider à choisir parmi les produits et les marques, de vous préciser la posologie et de vous expliquer ce à quoi vous devez vous attendre, tout comme vous le faites lorsque vous achetez des médicaments d'ordonnance. C'est ce qui arrive en Allemagne, où médecins et pharmaciens sont obligés de connaître les remèdes naturels, les usages pour lesquels ils ont été autorisés, leurs effets secondaires potentiels et leur posologie. Dans notre pays, où les remèdes naturels sont ignorés par les facultés de médecine et mal réglementés par le gouvernement, il n'existe aucune banque nationale d'information ni aucun réseau de soutien destinés au consommateur. Cette situation changera sûrement dans un avenir rapproché, à mesure que le pouvoir des remèdes naturels sera mieux connu. Cependant, pour l'instant, vous êtes laissé à vous-même.

Dans les divers chapitres du présent ouvrage, vous avez reçu des conseils concernant tel ou tel remède naturel. Voici d'autres conseils, de nature plus générale, qui vous guideront dans l'utilisation de ces merveilleux médicaments.

Consultez votre médecin

Si possible, demandez le soutien de votre principal dispensateur de soins de santé. Les professionnels de la santé peuvent vous empêcher de commettre de graves erreurs. On peut difficilement diagnostiquer et soigner soi-même sa maladie. En premier lieu, assurez-vous que la maladie dont vous vous croyez atteint est en fait la maladie dont vous souffrez. Le recours à un professionnel de la santé vous évitera de soigner une maladie que vous n'avez pas ou d'omettre de soigner celle que vous avez. Bien entendu, si le remède n'est pas adapté à la maladie, il ne sera pas efficace et vous risquerez de négliger une maladie grave.

En outre, les praticiens de la santé peuvent vous aider à évaluer le degré de réussite de votre traitement. Même si le simple fait de se sentir mieux constitue une bonne indication de ce que le remède naturel est efficace, mieux vaut se fier à une preuve plus concrète, que seul un professionnel de la santé est en mesure de vous fournir. Des tests perfectionnés sont souvent nécessaires pour mesurer vos progrès réels — par exemple, des tests de la fonction hépatique lorsque vous utilisez le chardon-Marie. Un professionnel de la santé peut vous aider à intégrer les remèdes naturels à votre traitement conventionnel global. Rappelez-vous qu'un médicament naturel, surtout dans le cas du cancer, doit faire partie d'un traitement complet. Des professionnels dûment formés peuvent vous donner d'excellents conseils sur l'interaction médicamenteuse, phénomène qui survient lorsque, plusieurs médicaments ayant été administrés simultanément ou successivement, l'activité pharmacologique de l'un est modifiée par la présence des autres. Et, bien sûr, l'aide de ces spécialistes est essentielle si vous éprouvez des problèmes durant le traitement aux remèdes naturels.

Pour la plupart des Nord-Américains, le praticien de la santé, c'est le D^r^ en médecine. Estimez-vous heureux si vous avez ou pouvez trouver un médecin qui connaît bien l'utilisation des remèdes naturels. Heureusement, de plus en plus de médecins prennent conscience du potentiel de ces remèdes et les intègrent à leur pratique. Certains médecins affirment qu'ils apprennent beaucoup de leurs patients à ce sujet. Il est recommandé de consulter son médecin lorsqu'on a l'intention d'utiliser un remède naturel; cette consultation est essentielle si vous souffrez d'une maladie grave. Si votre médecin ne semble pas s'intéresser à la chose, pourquoi ne pas chercher de l'aide ailleurs?

Pour certains, la solution se trouve chez le médecin naturopathe titulaire d'un permis et dûment formé.

Certains naturopathes bien formés peuvent être de bons praticiens de la médecine sans être pour autant titulaires d'un permis parce que leur État ou province n'en délivre pas. D'autres, toutefois, se font parfois passer pour des naturopathes, alors que leur formation repose sur un simple cours par correspondance des plus inadéquats.

Souvent, le naturopathe offre des conseils en matière de nutrition ou propose un remède autre qu'un médicament d'ordonnance pour traiter les maladies chroniques. Dans le cas d'une maladie grave, tel le cancer, les naturopathes dirigeront le malade vers un spécialiste de la médecine afin qu'il reçoive un traitement conventionnel.

Comment obtenir les meilleurs produits?

Il arrive parfois qu'une visite dans un magasin d'aliments naturels ou que l'examen d'un catalogue de vente par correspondance laisse dans la confusion le plus avisé des utilisateurs de remèdes naturels. La gamme de produits et le nombre de marques sont tout simplement déroutants.

Malheureusement, certains fabricants peu scrupuleux vendent des remèdes naturels dont l'analyse révèle qu'ils contiennent une quantité souvent négligeable, voire nulle, d'ingrédients actifs.

Voici quelques moyens de vous assurer que vous obtenez pour votre argent un produit efficace et sans danger:

- ACHETEZ À UNE ENTREPRISE RÉPUTÉE
  Vous avez intérêt à choisir des produits fabriqués par une grande entreprise de bonne réputation, qui existe depuis longtemps et qui, de ce fait, a beaucoup à perdre en vendant un produit de qualité inférieure ou en trompant le consommateur. En cas de doute, demandez à votre pharmacien ou au personnel de votre magasin d'aliments naturels de vous conseiller un bon fabricant de suppléments, dont les produits sont d'une qualité irréprochable.

- LISEZ L'ÉTIQUETTE
  Votre meilleure garantie d'obtenir un produit dont la teneur est vérifiable consiste à s'assurer que la mention «normalisé» apparaît sur l'étiquette. Ainsi, vous saurez que le produit contient toujours le même pourcentage de telle ou telle substance chimique qui, dans la plupart des cas, a été reconnue ou est considérée comme étant l'agent pharmacologique le plus actif. Du fait que la fabrication de tels produits est plus rigoureusement contrôlée, ils coûtent normalement plus cher, mais la différence de prix en vaut généralement la peine.

- TENEZ COMPTE DE LA FORME DU PRODUIT

  Un extrait, qu'il soit liquide, solide ou en poudre, est généralement la meilleure forme de produit qui soit. Ces extraits sont fabriqués par traitement de la plante dans l'eau, l'alcool ou un autre solvant, de façon à en isoler et à en concentrer les ingrédients actifs. Ainsi, vous savez quelle quantité de tel ou tel ingrédient est contenue dans le produit. Les plantes en vrac peuvent perdre rapidement de leur pouvoir; souvent, les plantes séchées mises en capsules ne valent pas grand-chose.

- CHOISISSEZ DES REMÈDES À INGRÉDIENT UNIQUE

  En règle générale, méfiez-vous des mélanges. Certains fabricants concoctent des combinaisons qui défient parfois toute logique dans le simple but de vendre le produit plus cher ou d'en créer un qui soit unique, malgré sa valeur douteuse. Si vous voulez de l'échinacée, achetez de l'échinacée seule. Le fait qu'elle soit combinée à de l'hydraste («sceau d'or» ou «racine jaune») ou à une autre herbe ne la rend pas nécessairement meilleure ni plus puissante. Il en va de même pour les autres produits. Si vous avez besoin de gingko pour renforcer votre mémoire, mieux vaut l'acheter pur plutôt que dilué avec du ginseng, de l'ail ou autre chose.

- AU SUJET DU PRIX

  Malheureusement, on n'en a souvent que pour son argent. Il est vrai que certains produits naturels se vendent trop cher pour diverses raisons. Mais au royaume des remèdes à base de plantes, un prix élevé reflète souvent une qualité élevée. Cela n'est pas nécessairement vrai dans le cas des vitamines. Par exemple, une vitamine C bon marché peut être tout aussi puissante qu'une vitamine C plus chère, même si les comprimés légèrement plus chers sont souvent plus agréables au goût et plus faciles à avaler.

CONSEILS D'ACHAT ET D'UTILISATION DES REMÈDES NATURELS

1. Ne prenez pas de remède naturel pour traiter une maladie grave que vous avez diagnostiquée vous-même.
2. Si vous prenez des médicaments d'ordonnance, ne les remplacez pas par des remèdes naturels et n'en ajoutez pas sans d'abord consulter un médecin ou un autre professionnel de la santé. L'interruption soudaine d'une médication ou l'interaction médicamenteuse peuvent être dangereuses.
3. Si possible, achetez vos remèdes naturels sous forme d'extraits liquides, solides ou en poudre. Ils conservent mieux la puissance des ingrédients actifs de la plante. Les teintures et les capsules d'herbes séchées à froid sont également indiquées.
4. Dans la mesure du possible, achetez un produit «normalisé», comme en fait foi son étiquette. Cela signifie qu'il contient un certain pourcentage d'un ou de plusieurs des ingrédients actifs reconnus de la plante. Les produits normalisés sont généralement plus chers que les autres.
5. Si possible, achetez d'une entreprise soucieuse de la qualité de ses produits; il s'agit généralement de grandes sociétés établies depuis longtemps.
6. N'absorbez pas une dose supérieure à la dose indiquée sur l'étiquette.
7. Généralement, achetez des produits à composant unique au lieu de mélanges de plantes ou de substances chimiques naturelles.
8. Si vous présentez des symptômes inhabituels — allergies, rougeurs ou maux de tête — après avoir consommé un remède naturel, cessez immédiatement d'en prendre; consultez un médecin si les symptômes sont sérieux ou s'ils persistent.
9. Si possible, prenez les remèdes naturels sous la surveillance d'un professionnel de la santé qui peut mesurer vos progrès.
10. Si vous êtes enceinte ou que vous allaitez, si vous souffrez d'une maladie chronique ou d'une affection grave, consultez votre médecin avant de prendre des remèdes naturels.

INDEX

TABLE DES MATIÈRES

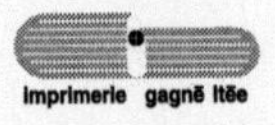
imprimerie gagné ltée

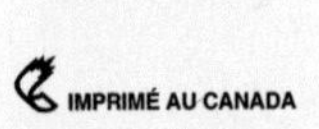
IMPRIMÉ AU CANADA